楊守敬題記覆宋本《素問》（上）

主　編◎錢超塵
副主編◎王育林　劉陽

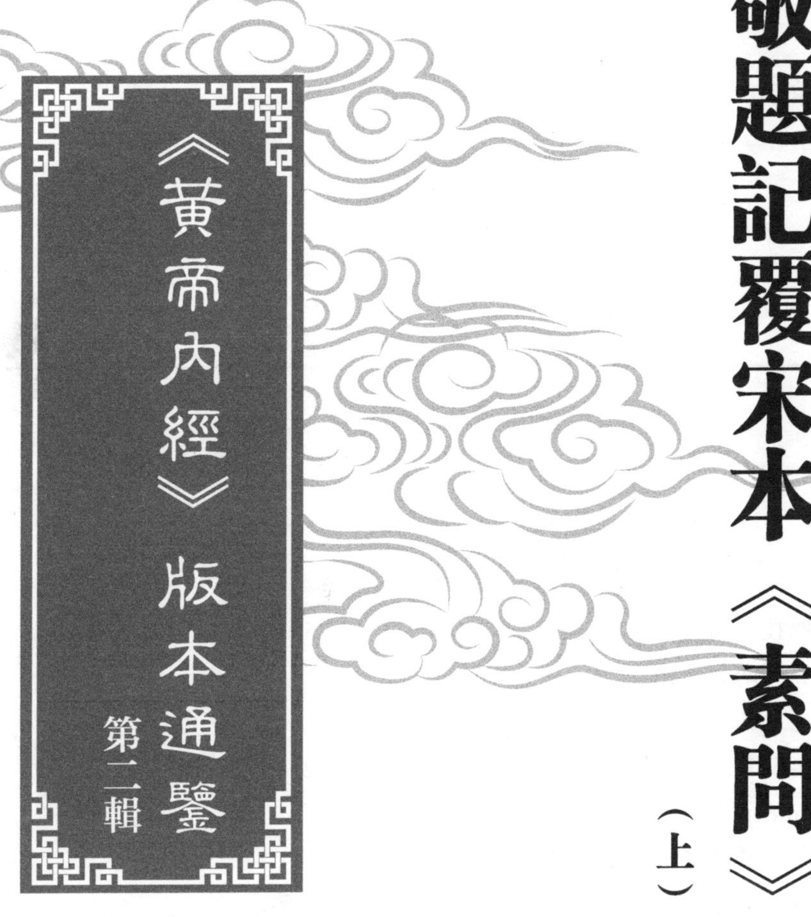

《黄帝内經》版本通鑒 第二輯

北京科学技术出版社

圖書在版編目（CIP）數據

楊守敬題記覆宋本《素問》：全二册 / 錢超塵主編
. —北京：北京科學技術出版社, 2022.1
（《黄帝内經》版本通鑒；第二輯）
ISBN 978-7-5714-1827-4

Ⅰ. ①楊… Ⅱ. ①錢… Ⅲ. ①《素問》 Ⅳ.
①R221.1

中國版本圖書館 CIP 數據核字（2021）第194666號

策劃編輯： 侍　偉　吴　丹
責任編輯： 吴　丹
責任校對： 賈　榮
責任印製： 李　茗
出 版 人： 曾慶宇
出版發行： 北京科學技術出版社
社　　址： 北京西直門南大街16號
郵政編碼： 100035
電話傳真： 0086-10-66135495（總編室）　0086-10-66113227（發行部）
網　　址： www.bkydw.cn
印　　刷： 北京七彩京通數碼快印有限公司
開　　本： 787 mm × 1092 mm　1/16
字　　數： 640千字
印　　張： 54.75
版　　次： 2022年1月第1版
印　　次： 2022年1月第1次印刷
ISBN 978 - 7 - 5714 - 1827 - 4

定　　價：1190.00元（全二册）

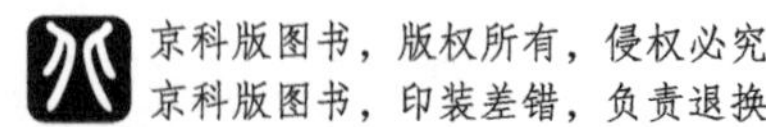

《〈黄帝内經〉版本通鑒·第二輯》編纂委員會

前言

中醫學是超越時代、跨越國度、具有永恒魅力的中華民族文化瑰寶，是富有當代價值、維護人體健康的生命科學，它將伴隨中華民族而永生。中醫學核心經典《黄帝内經》（包括《素問》和《靈樞》），奠定了中醫理論基礎，指導作用歷久彌新，是臨床家登堂入室的津梁，是理論家取之不盡的寶藏，是研究中國傳統文化必讀之書。

讀書貴得善本。章太炎先生鍼對中醫讀書不注重善本的問題，指出『近世治經籍者，皆以得真本爲亟，獨醫家爲藝事，學者往往不尋古始』，認爲這是不好的讀書習慣。他又説：『信乎，稽古之士，宜得善本而讀之也！』閲讀《黄帝内經》，必須對它的成書源流、歷史沿革、當代版本存佚狀况有明確的認識，纔能選擇佳善版本，獲取真知。

《黄帝内經》某些篇段成於战國時期，至西漢整理成文，《漢書·藝文志》載有『《黄帝内經》十八卷』。西晋皇甫謐《鍼灸甲乙經》類編其書，序云：『《黄帝内經》十八卷，今《鍼經》九卷，《素問》九卷，即《内經》也。』這説明《黄帝内經》一直分爲兩種相對獨立的書籍流傳，一種名《素問》，一種名《鍼經》。《鍼經》即《靈樞》的初名，在流傳過程中也稱《九卷》《九靈》《九墟》，東漢末期張仲景、魏太醫令王叔和均引用過《九卷》之名。

《素問》的版本傳承相對明晰。南朝梁全元起作《素問訓解》存亡繼絶，唐初楊上善類編《黄帝内經太素》取之。唐乾元三年（七六〇）朝廷詔令將《素問》作爲中醫考試教材。唐中期王冰以全元起本爲底本作注，收入『七篇大論』，改爲二十四卷八十一篇，爲《素問》的流行奠定了基礎。北宋天聖五年（一〇二七）、景祐二年（一〇三五），以全元起本爲底本的《素問》兩次雕版刊行。北宋嘉祐年間（一〇五六至一〇六三）校正醫書局林億、孫奇等以王冰注本爲底本，增校勘、訓詁、釋音，仍以二十四卷八十一篇刊行。此後《素問》單行本均以北宋嘉祐本爲原本，歷南宋（金）、元、明、清至今，形成多個版本系統。二十四卷本，以金刻本（存十三卷）、元讀書堂本、明顧從德覆宋本、明無名氏覆宋本、明周曰校本、明『醫統』本爲代表；十二卷本，以元古林書堂本、明熊宗立本、明趙府居敬堂本、明吴悌本爲代表；五十卷本，即『道藏』本；此外還有明清注家九卷本、日本刻九卷本等。南宋、北宋及更早之本俱已不存。

《靈樞》在魏晋以後至北宋初期的傳承情况，因史料有缺而相對隱晦。唐初楊上善類編《黄帝内經太素》收入《九卷》。唐中期王冰注《素問》引文，始有『靈樞經』之稱。因存本不全，北宋校正醫書局未校《靈樞》。遲至元祐七年（一〇九二），高麗進獻《黄帝鍼經》，始獲全帙，元祐八年（一〇九三）正月北宋政府頒行之。此後《靈樞》再次沉寂，至南宋紹興乙亥（一一五五），史崧刊出家藏《靈樞》，將原本九卷校正並增修音釋，勒成二十四卷。此本成爲此後所有傳本的祖本，流傳至今已形成多個版本系統。其中二十四卷本，以明無名氏仿宋本、明周曰校本爲代表；十二卷本，以元古林書堂本、明熊宗立本、明趙府居敬堂本、明田經本、明吴悌本、明吴勉學本爲代表；此外還有二十三卷本（即『道藏』本）、明詹林所二卷本、『道藏』收録的《靈樞略》一卷本、日本刻九卷本等。

除《素問》《靈樞》各有單行本之外，《黄帝内經》尚有類編本。西晉皇甫謐《鍼灸甲乙經》，將《素問》《九卷》《明堂孔穴鍼灸治要》三書類編，但編輯時『删其浮辭，除其重複』，故與《素問》《靈樞》對勘，《鍼灸甲乙經》文句每不全足。唐代楊上善《黄帝内經太素》三十卷，將《九卷》《素問》全文收入，不加删掇，詳加注釋。《黄帝内經太素》文獻價值巨大，但在南宋之後却沉寂無聞，直到清光緒中葉，學者楊守敬在日本發現仁和寺存有仁和三年（八八七，相當於唐光啓三年）舊鈔卷子本，存二十三卷，遂影寫携歸，一時轟動醫林。嗣後日本國内相繼再發現佚文二卷有奇，至此《黄帝内經太素》現存二十五卷，堪稱《黄帝内經》版本史上的奇迹。

綜觀《黄帝内經》版本歷史，可謂一縷不絶，沉浮聚散；視其存亡現狀，又可謂同源異派，星分飄零。現存《黄帝内經》善本分散保存在國内外諸多藏書機構，此前囿於信息交流、印刷技術，從未有大規模集中最優秀版本出版的先例。當今電子信息技術發展日新月異，互聯網的普及使信息交流具有前所未有的廣泛性、時效性，乘此東風，《黄帝内經》現存的諸多優秀版本得以鳩聚刊印，爲中醫從業者及愛好者和傳統文化學者集中學習、研究提供便利。『《黄帝内經》版本通鑒』叢書，首次對《黄帝内經》精善本進行大規模集中解題、影印，目的是保存經典、傳承文明、繼往開來，爲振興中醫奠基，爲中華文化復興增添一份力量。

繼二〇一九年『《黄帝内經》版本通鑒·第一輯』出版十二種優秀版本之後，『《黄帝内經》版本通鑒·第二輯』再次精選十三種經典版本，包括《素問》六種、《靈樞》六種、《太素》一種，列録如下。

（1）蕭延平校刻蘭陵堂本《太素》。

（2）元讀書堂本《素問》。

（3）明熊宗立本《靈樞》。

（4）朝鮮小字整板本《素問》。

（5）明吴悌本《靈樞》。

（6）楊守敬題記覆宋本《素問》。

（7）朝鮮銅活字（乙亥字）本《靈樞》。

（8）明趙府居敬堂本《靈樞》。

（9）明『醫統』本《素問》。

（10）明『醫統』本《靈樞》。

（11）明詹林所本《素問》。

（12）明詹林所本《靈樞》。

（13）明潘之恒《黄海》本《素問》。

這十三種經典版本的特點如下。

（1）蕭延平校刻蘭陵堂本《太素》，校印俱精，爲《太素》刊本中之精品。

（2）元讀書堂本《素問》，爲今僅存的宋元刊本三種之一，巾箱本，分二十四卷，與顧從德覆宋本一致，但附有《亡篇》，各篇文字内容、音釋拆附情况又與元古林書堂本高度近似。此本校刻精善，爲現存《素問》之佳槧，足以與元古林書堂本、顧從德本並美；若單論文字訛誤之少，猶過二本。

（3）朝鮮小字整板本《素問》，爲現存朝鮮本之較早者，其底本爲元古林書堂本。品相顯拙，但勝在校勘精審，仍具有較高的版本價值。

（4）楊守敬題記覆宋本《素問》、明潘之恒《黄海》本《素問》，均承自宋本，作二十四卷。前者當是以顧從德覆宋本改版（删去刻工）者，後者是以宋本校勘重刻者，品相良佳。

（5）本輯收入明代兩種《素問》《靈樞》合刻本，分别是吴勉學校刻『古今醫統正脉全書』本（簡稱『醫統』本）、閩書林詹林所本（簡稱詹本），二者各有特色。『醫統』本《素問》以顧從德本爲底本仿刻，《靈樞》以吴悌本爲底本重刻，校刻皆良。詹本《素問》以熊宗立本爲底本，删去宋臣注重刻；《靈樞》亦以熊宗立本爲底本，合併爲兩卷重刻。詹本品相不甚佳，訛舛不少，因刊刻年代尚早，今存完帙，在探索《黄帝内經》版本源流方面，仍具一定價值。

（6）本輯收入的《靈樞》均爲明代版本，屬古林書堂十二卷本系統，各具特色。其中，熊宗立本上承古林書堂本（仿刻，熊宗立句讀），下爲本輯明代諸本之祖。吴悌本（校審精，品相佳）、趙府居敬堂本（品相佳，後世通行）、詹林所本（合併爲二卷）皆直承熊宗立本；『醫統』本承吴悌本；朝鮮銅活字（乙亥字）本（朝鮮銅活字官刻，校審精，品相佳）承田經本（即山東布政使司本），田經本承熊宗立本。

『《黃帝内經》版本通鑒』卷帙浩大，爲出版這套叢書，北京科學技術出版社領導及各位編輯同仁以極高的使命感和責任心，付出了極大的心血和努力，剋服了諸多困難，終成其功，謹此致以崇高敬意。相信這套叢書必不辜負同仁之望，可在促進中醫藥事業發展、深化祖國傳統文化研究、增强國家文化軟實力等諸多方面做出應有的貢獻。

囿於執筆者眼界、學識，諸篇解題必有疏漏及訛誤之處，請方家、讀者不吝指正。

錢超塵

［説明：爲更準確地體現版本、訓詁學研究的學術内涵，撰寫時保留了部分異體字，所選擇字樣如下：欬（欬嗽）、並（並且）、併（合併）、嶽（山嶽）、鍼、於、異。］

目録

《黄帝内經》版本通鑒・第二輯

楊守敬題記覆宋本《素問》（上）

解題　劉　陽

解　題

《黄帝内經・素問》的宋刻本，在明代已然罕見，嘉靖間顧從德覆刻存真後，更杳然無迹。清嘉慶間《天禄琳琅書目後編》録有宋本五部，其中一部曾爲明成化時陳選舊藏之本，鈐有『方壺山人』（顧從德號）印，應即顧從德覆刻之底本。然五部今皆不存。

明末以降，坊間、海外常有疑似宋本《素問》踪迹出現，多被證明爲無良書賈藉顧從德本僞充。清光緒間，楊守敬得一部，特疑爲宋槧，清光緒十一年（一八八五）手題云：『宋槧《黄帝内經素問》廿四卷，缺北宋諸帝諱，雖未必即嘉祐初刻本，而字體端雅，紙質細潔，望而知爲宋槧。按此書自元代古林書堂合併爲十二卷，明趙府居敬堂本、熊宗立本、《黄海》本皆因之，遞相訛謬不可讀。其廿四卷之本，明代有三刻：一爲嘉靖間顧從義本，體式全與此本同，而版心皆有刻工人姓名；一無名氏翻刻本，體式亦同，版心姓名則有載、有不載；一爲萬曆間周曰校刻本，則體式、行款盡行改易，不復存原書面目（三書余皆有之）。此本則版心姓名全無。疑顧氏及無名氏皆從嘉祐刻本出，但經明人摹刻，輪廓雖具，意度已失，此則宋人以初刻印本上木，時代既近，手腕相同，故宛然嘉祐原本（唯版心姓名，在宋代翻刻，此等無關精要，故特去之，不足怪也），且首尾完具，近來著録家皆未之及，知爲海内稀有之本，亟重裝而藏之。光緒乙酉三月，宜都楊守敬記。」此本最大的特點是版心無刻工名，其餘版式皆同顧從德本。此本今藏於臺北圖書館。

楊守敬（一八三九至一九一五），是清末民初集輿地、金石、書法、泉幣、藏書以及碑版目録學之大成於一身的學者。楊守敬的題記無疑有很大價值，但他的判斷是否正確呢？

此部《素問》，題「重廣補注黄帝内經素問」，二十四卷。半葉十行，行二十字，注文小字雙行，行三十字，左右雙邊，白口，單黑魚尾。魚尾下刻「内經」二字（目録葉作「目録」二字）。文字避宋諱，殷、匡、炅、恒、玄、徵、鏡字，並缺末筆。以上與顧從德覆宋本皆同。惟版心下方全無刻工姓名，與顧從德本不同。

本書的藏書印有：白文方印「飛青閣藏書印」、白文方印「楊守敬印」、白文長方印「真州吴氏有福讀書堂藏書」、白文方印「道穌養壽」、白文方印「北平州韓楊尹藏書印」。據此可知其歷楊守敬、吴引孫（一八五一至一九二一）、韓楊尹（未詳）等私藏後，終歸公藏。其中並無清末以上的藏書記號。

將楊守敬題記覆宋本《素問》與加州大學伯克利分校東亞圖書館所藏顧從德本、哈佛燕京圖書館所藏顧從德本詳細比對，文字筆畫細節没有明顯不同。比較有特徵性的地方，如王冰序第四葉下半葉第四行，「梁《七録》」，顧本將「七」字誤刻爲「士」，楊守敬題記本同；卷一第十一葉上半葉第一行，「逆順數而推步吉凶之徵兆也」，「徵」字顧從德本當缺末筆而未缺，楊守敬題記本亦同。楊守敬題記本部分文字刷印不清晰，靠近邊框的地方有時筆畫模糊，應是後印的緣故。進一步詳查，凡兩種美國藏本版框細小、缺損、無墨之地，如卷一第十四葉首行上端，卷十二第一葉各行欄綫上下端等處，楊守敬題記本缺損與之完全一致（由於後印的緣故，此本版框比先印本有更多缺損之處，不必比對），如此足以説明，該本必是顧從德原版所印無疑。若如楊守敬所猜測，此本是據嘉祐本另刊者，絶不可能存在與顧從德本版框墨迹完全一致之細節。此本或爲顧從德之後其版流入書賈之手，書賈有意剜去刻工名，未曾補板而直接刷印，以混充宋本邀利者。

故楊守敬題記覆宋本《素問》實即顧從德本之後印本。今存顧本有數種體式：有顧定芳校款、顧從德跋文俱全者，如許厚基舊藏本（現藏於臺北圖書館）；有缺顧定芳校款者，如美國哈佛燕京圖書館藏本；有顧定芳校款、顧從德跋文皆缺者，如美國加州大學伯克利分校東亞圖書館藏本；而楊守敬題記本則既無顧定芳校款，又無顧從德跋文，更全缺版心刻工姓名，在今爲僅見，也可謂其有特别之價值。

顧從德本解題已具『《黄帝内经》版本通鉴·第一辑』内，可參。

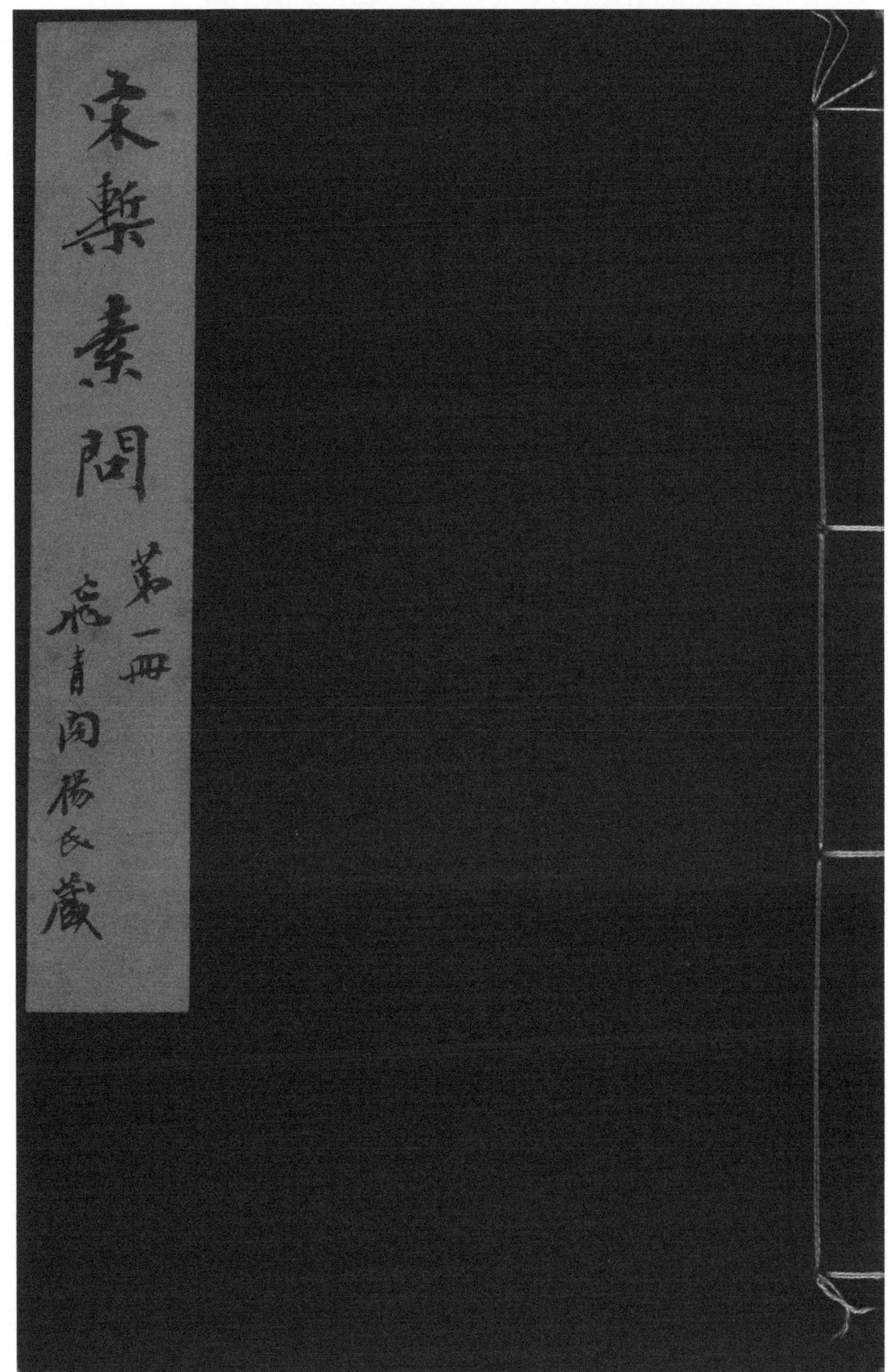
宋槧素問
第一册
宜都楊氏藏

宋槧黃帝內經素問廿四卷缺北宋諸帝諱維未必即嘉祐初刻本而字體端雅紙質細潔望而知為宋槧據此書自元代古林書堂合并為十二卷明趙府居敬堂熊宗立本黃海本皆因之遂相沿襲不可讀其廿四卷之本明代有二刻一為嘉靖間顧從義本體式全與此本同而版心皆有

刻工之姓名一無名氏翻刻本體式亦同板心姓名則有載有不載一為萬曆間周日校刻本則體式行款盡行改易不良存原書面目（三書全嗜者之）此本則極心姓名全無疑顧氏及無名氏者從嘉祐刻本出但經明人摹刻輪廓雖具意度已失此則求之以初刻印本上木時代既近手腕相同故宛然嘉祐原

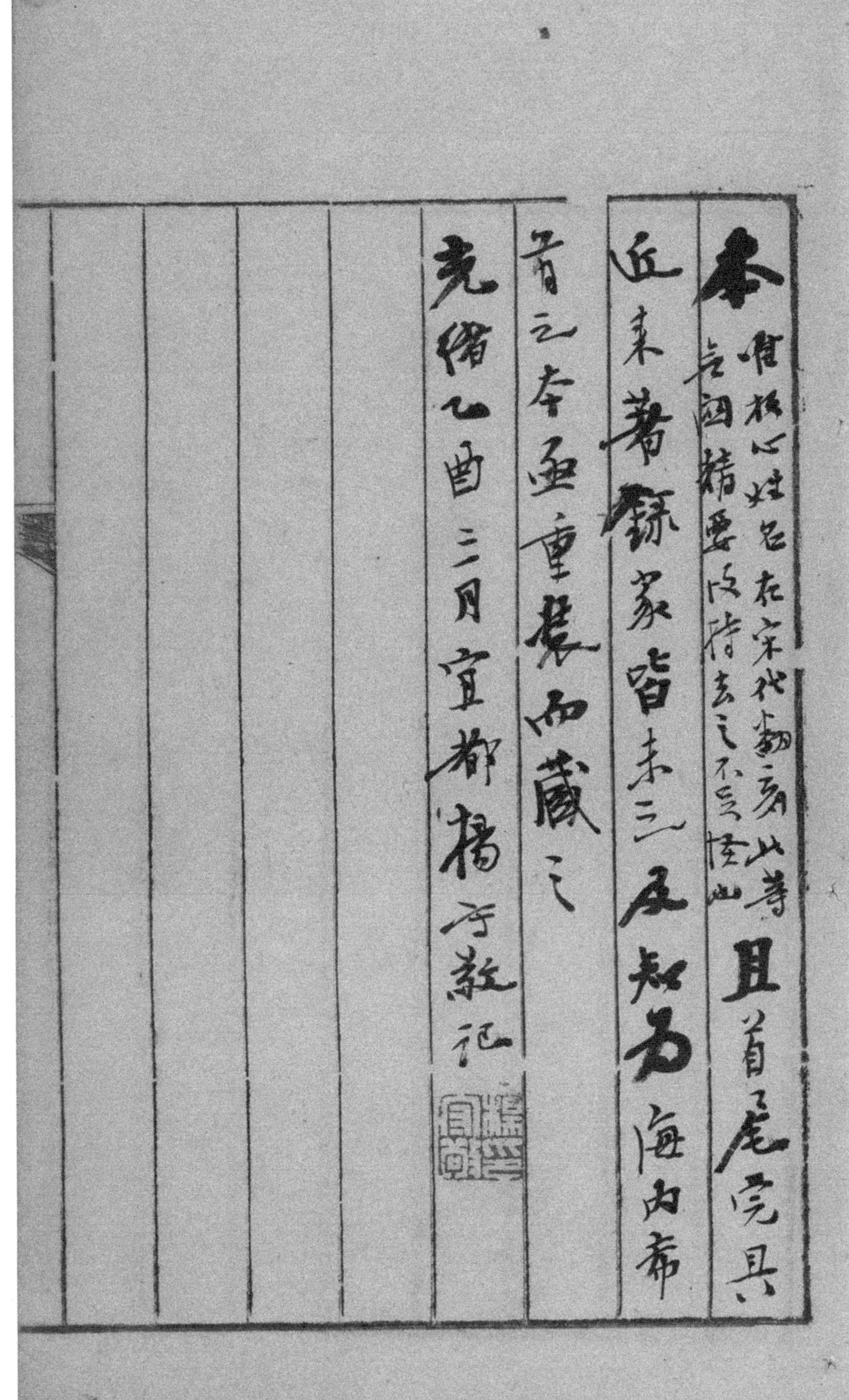

本（唯板心姓名在宋代劉彥山等云因精要改時去之不足怪也）且首尾完具近來著錄家皆未之及知爲海内希有之本亟重裝而藏之

光緒乙酉二月宜都楊守敬記

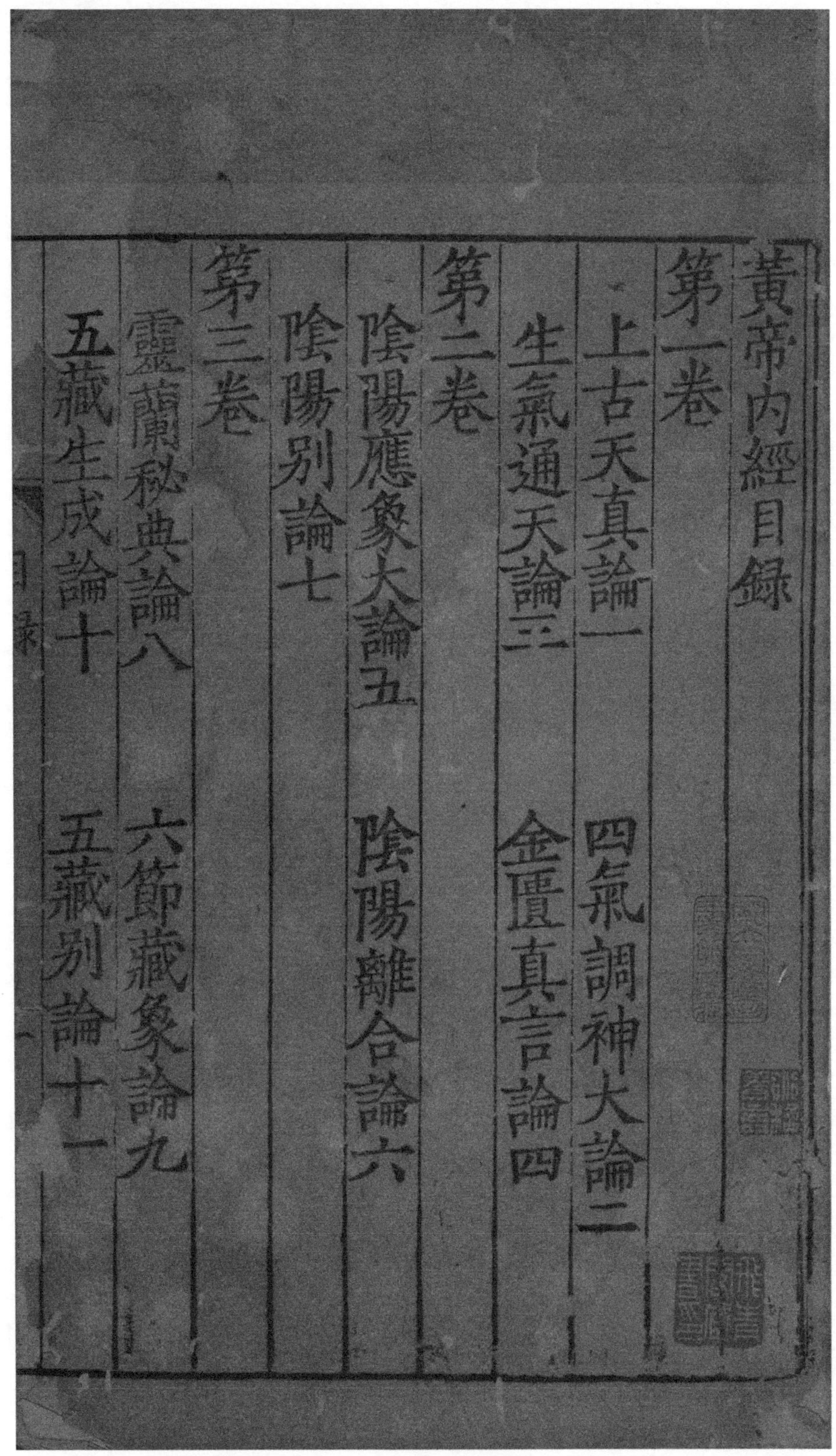

黄帝内經目録

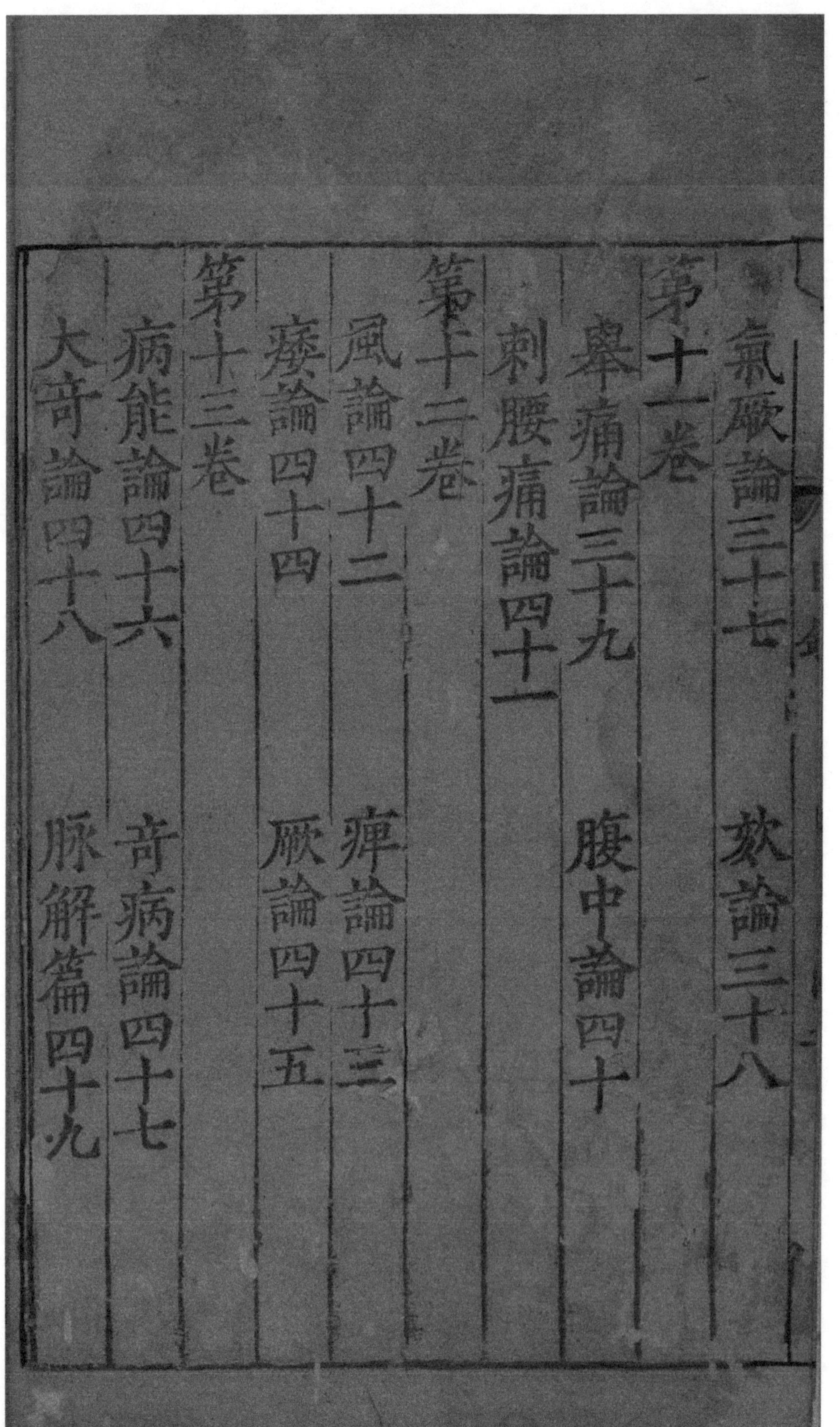

第十四卷

刺要論五十　刺齊論五十一

刺禁論五十二　刺志論五十三

鍼解五十四　長刺節論五十五

第十五卷

皮部論五十六　經絡論五十七

氣穴論五十八　氣府論五十九

第十六卷

骨空論六十　水熱穴論六十一

第十七卷

目録

重廣補注黃帝内經素問序

臣聞安不忘危存不忘亡者往聖之先務求民之瘼恤民之隱者上主之深仁在昔黃帝之御極也以理身緒餘治天下坐於明堂之上臨觀八極考建五常以謂人之生也負陰而抱陽食味而被色外有寒暑之相盪内有喜怒之交侵夭昏札瘥國家代有將欲斂時五福以敷錫厥庶民乃與岐伯上窮天紀下極地理遠取諸物近取諸身更相問難垂法以福萬世於是雷公之倫授業傳之而内經作矣歷代寶之未有失墜蒼周之興秦和述六氣之論具明於左史厥

後越[illegible]演而述難經西漢倉公傳其舊學東漢仲景撰其遺論晉皇甫謐剌而爲甲乙及隋湯上善纂而爲太素時則有全元起者始爲之訓解闕第七一通迄唐寶應中太僕王冰篤好之得先師[illegible]藏之卷大爲次註猶是三皇遺文爛然可觀惜乎唐令列之醫學付之執技之流而薦紳先生罕言之去聖已遠其術晻昧是以文注紛錯義理混淆殊不知三墳之餘帝王之高致聖賢之能事唐堯之授四時虞舜之齊七政神禹修六府以興帝功文王推六子以叙卦氣伊尹調五味以致君箕子陳五行以佐世

其致一也柰何以至精至微之道傳之以至下至淺

之人其不廢絕爲已幸矣頃在嘉祐中

仁宗念

聖祖之遺事將墜于地迺

詔通知其學者俾之是正臣等承乏典校伏念旬歲

遂乃搜訪中外裒集衆本寖尋其義正其訛舛十得

其三四餘不能具竊謂未足以稱

明詔副

聖意而又採漢唐書錄古醫經之存於世者得數十

家錄而考正焉貫穿錯綜磅礴會通或端本以尋支

或[illegible]其可知次以舊目正繆誤者六千
餘字增注義者二千餘條一言去取必有稽考舛文
疑義於是詳明以之治身可以消患於未兆施於有
政可以廣生於無窮恭惟
皇帝撫大同之運擁無疆之休述先志以奉成興微
學而永正則和氣可召災害不生陶一世之民同躋
于壽域矣
國子博士臣高保衡　光祿卿直秘閣臣林億等謹上

重廣補註黃帝內經素問序

啓玄子王冰撰 新校正云按唐人物志冰仕唐爲太僕令年八十餘以壽終

夫釋縛脫艱全真導氣拯黎元於仁壽濟羸劣以獲安者非三聖道則不能致之矣孔安國序尚書曰伏羲神農黃帝之書謂之三墳言大道也班固漢書藝文志曰黃帝內經十八卷素問即其經之九卷也兼靈樞九卷迺其數焉新校正云詳王氏此說蓋本皇甫士安甲乙經之序彼云七略藝文志黃帝內經十八卷今有鍼經九卷素問九卷共十八卷即內經也故王氏遵而用之又素問外九卷漢張仲景及西晉王叔和脈經只爲之九卷皇甫士安名爲鍼經亦專名九卷楊玄操云黃帝內經二帙帙各九卷按隋書經籍志謂之九靈王冰名爲靈樞雖復年移代革而授學猶存 所隱故第七一卷師氏藏之今

之奉[illegible]卷爾然而其文簡其意博其理奧其趣深天地之象分陰陽之候列變化之由表死生之兆彰不謀而遐邇自同勿約而幽明斯契稽其言有徵驗之事不忒誠可謂至道之宗奉生之始矣假若天機迅發妙識玄通蕆謀雖屬乎生知標格亦資於詁訓未嘗有行不由逕出不由戶者也然刻意研精深微索隱或識契真要則目牛無全故動則有成猶鬼神幽贊而命世奇傑時時間出焉則周有秦公新校正云按別本一作和緩漢有淳于公魏有張公華公皆得斯妙道者也咸日新其用大濟蒸人華葉遞榮聲實相副蓋教之

此字朱筆為無識者誤添

著矣亦天之假也冰弱齡慕道夙好養生幸遇真經
式爲龜鏡而世本紕繆篇目重疊前後不倫文義懸
隔施行不易披會亦難歲月既淹襲以成弊或一篇
重出而別立二名或兩論併吞而都爲一目或問荅
未已別樹篇題或脫簡不書而云世闕重合經而冠
鍼服併方宜而爲欬篇隔虛實而爲逆從合經絡而
爲論要節皮部爲經絡退至教以先鍼諸如此流不
可勝數且將升岱嶽非逕奚爲欲詣扶桑無舟莫適
乃精勤傅訪而并有其人歷十二年方臻理要詢[illegible]得
失深[illegible]時於先生郭子齋堂受得先師張公秘

本□字昭晰義理環周一以參詳群疑冰釋恐散於末學絶彼師資因而撰註用傳不朽兼舊藏之卷合八十一篇二十四卷勒成一部新校正云詳素問第七卷亡已久矣按皇甫士安晉人也序甲乙經云亦有亡失隋書經籍志載梁七録亦云止存八卷全元起隋人所注本乃無第七王氷唐寶應中人上至晉皇甫謐甘露中已六百餘年而冰自爲得舊藏之卷今竊疑之仍觀天元紀大論五運行論六微旨論氣交變論五常政論六元正紀論至真要論七篇居今素問四卷篇卷浩大不與素問前後篇卷等又且所載之事與素問餘篇略不相通竊疑此七篇乃陰陽大論之文王氏取以補所亡之卷猶周官亡冬官以考功記補之之類也又按漢張仲景傷寒論序云撰用素問九卷八十一難經陰陽大論是素問與陰陽大論兩書甚明乃王氏并陰陽大論於素問中也要之陰陽大論亦古醫經終非素問第七矣冀乎究尾明首尋註會經開發童蒙宣揚至理而已其中簡脱文斷義不相接者捜求經論所有遷移以補其處篇目墜缺指事不明者量其意趣加字以昭

其義篇論吞并義不相涉闕漏名目者區分事類別目以冠篇首君臣請問禮儀乖失者考校尊卑增益以光其意錯簡碎文前後重疊者詳其指趣削去繁雜以存其要辭理秘密難粗論述者別撰玄珠以陳其道新校正云詳王氏玄珠世無傳者今有玄珠十卷昭明隱旨三卷蓋後人附託之文也雖非王氏之書亦於素問第十九卷至二十二四卷頗有發明其隱旨三卷與今世所謂天元玉冊者正相表裏而與王氷之義多不同凡所加字皆朱書其文使今古必分字不雜糅庶厥昭彰聖旨敷暢玄言有如列宿高懸奎張不亂深泉淨瀅鱗介咸分君臣無夭枉之期夷夏有延齡之望俾工徒勿誤學者雖明至道流行徽音累屬千載之後方

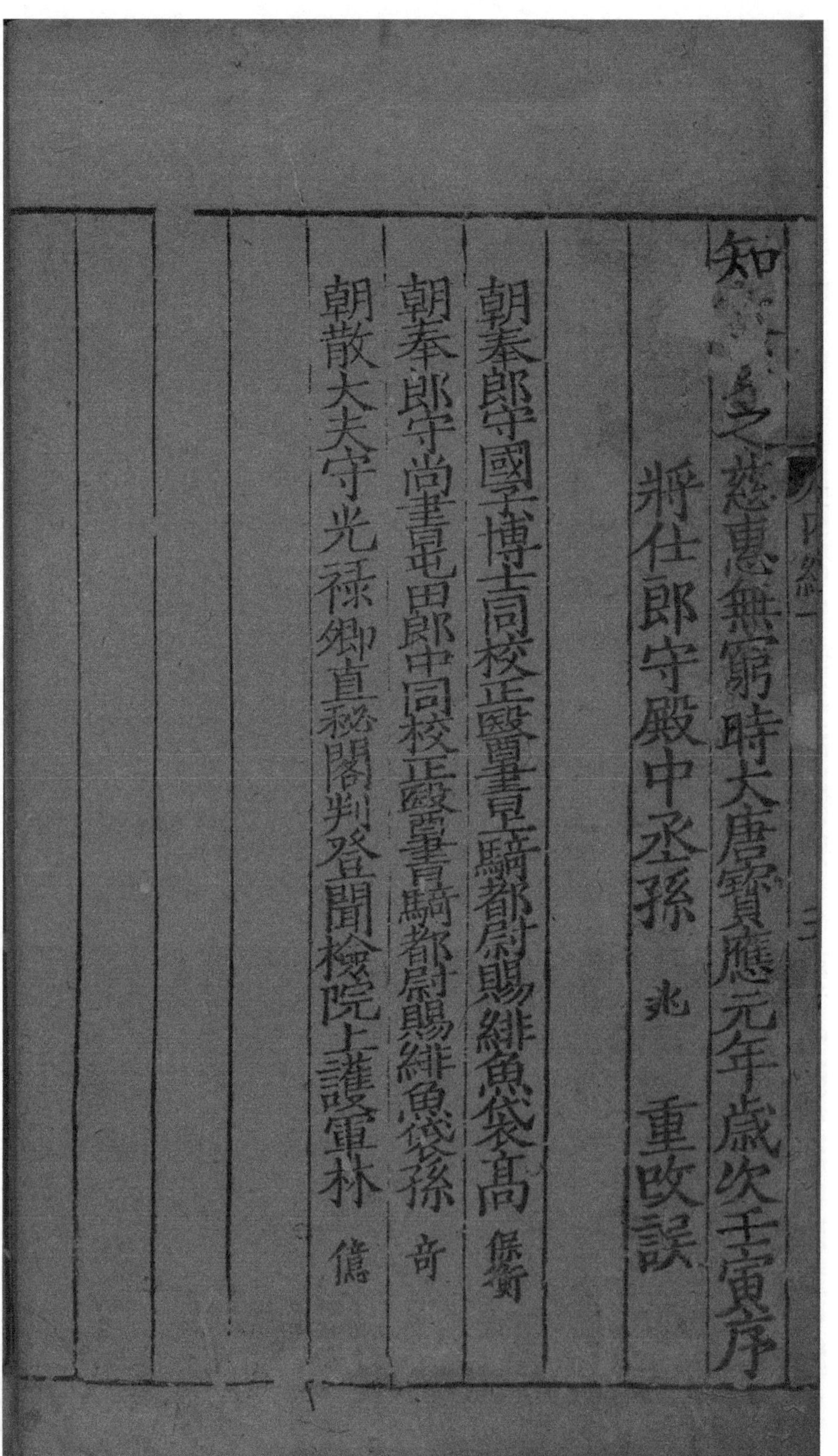

知道之慈惠無窮時大唐寶應元年歲次壬寅序

將仕郎守殿中丞孫兆重改誤

朝奉郎守國子博士同校正醫書上騎都尉賜緋魚袋高保衡

朝奉郎守尚書屯田郎中同校正醫書騎都尉賜緋魚袋孫奇

朝散大夫守光禄卿直秘閣判登聞檢院上護軍林億

重廣補註黃帝內經素問卷第一

新校正云按王氏不解所以名素問之義及素問之名起於何代按隋書經籍志始有素問之名甲乙經序晉皇甫謐之文已云素問論病精辨王叔和西晉人撰脈經云出素問鍼經漢張仲景撰傷寒卒病論集云撰用素問是則素問之名著於隋志上見於漢代也自仲景已前無文可見莫得而知據今世所存之書則素問之名起漢世也所以名素問之義全元起有說云素者本也問者黃帝問岐伯也方陳性情之源五行之本故曰素問元起雖有此解義未甚[illegible]按乾鑿度云夫有形者生於無形故有太易有太初有太始有太素太易者未見氣也太初者氣之始也太始者形之始也太素者質之始也氣形質具而痾瘵由是萌生故黃帝問此太素質之始也素問之名義或由此

啓玄子次註林億孫奇高保衡等奉敕校正孫兆重改誤

篇第一　新校正云按全元起注本在第九卷王氏重次篇第移冠篇首今注逐篇必具全元起本之卷

弟者欲存素問舊第目見今之篇[illegible]氏之所移也

昔在黃帝生而神靈弱而能言幼而徇齊長而敦敏成而登天有熊國君少典之子姓公孫徇疾也敦信也敏達也習用干戈以征不享平定天下殄滅蚩尤以土德王都軒轅之丘故號之曰軒轅黃帝後鑄鼎於鼎湖山鼎成而白日升天羣臣葬衣冠於橋山墓今猶在廼問於天師曰余聞上古之人春秋皆度百歲而動作不衰今時之人年半百而動作皆衰者時世異耶人將失之耶天師岐伯也岐伯對曰上古之人其知道者法於陰陽和於術數上古謂古也知道謂知修養之道也夫陰陽者天地之常道術數者保生之大倫故修養者必謹先之老子曰萬物負陰而抱陽沖氣以為和四氣調神大論曰陰陽四時者萬物之終始死生之本逆之則災害生從之則苛疾不起是謂得道此之謂也食飲有節起居有常不妄作勞食飲者充虛之滋味起居者動止之綱紀故修養者謹而行之痺論曰飲食自倍腸胃乃傷生氣通天論曰起居如驚神氣乃浮是惡妄動也

廣成子曰必靜必清無勞汝形無搖汝精乃可以長生故聖人先之也 新校正云按全元起注本云飲食有常節起居有常度不妄不作太素同楊上善云以理而取聲色芳味不妄視聽也循理而動不為分外之事 故能形與神俱。而盡終其天年。度百歲乃去。形與神俱同臻壽分謹於修養以奉天真故盡得終其天年去謂去離於形骸也靈樞經曰人百歲五藏皆虛神氣皆去形骸獨居而終矣以其知道故年長壽延年度百歲謂至一百二十歲也尚書洪範曰一曰壽百二十歲也 今時之人。不然也。動之死地離於道也 以酒為漿。溺於飲也 以妄為常。寡於信也 醉以入房。過於色也 以欲竭其精。以耗散其真。樂色曰欲輕用曰耗樂色不節則精竭輕用不止則真散是以聖人愛精重施髓滿骨堅老子曰弱其志強其骨河上公曰有欲者亡身曲禮曰欲不可縱 新校正云按甲乙經耗作好 不知持滿。不時御神。言輕用而縱欲也老子曰持而盈之不如其已言愛精保神如持盈滿之器不慎而動則傾竭天真真誥曰常不能慎事自致百痾豈可怨咎於神明乎此之謂也 新校正云按別本時作解 務快其心。逆於生樂。快於心欲之用則逆於生之樂矣老子曰甚愛必大費此之類歟夫甚愛而不[illegible]議道而以為未然者伐生之大患也 起居無節。故半百

内經一 二

而衰。[illegible]致長也夫道者不可斯須離於道則壽不能終盡於天年矣老子曰物壯則老謂之不道不道早亡此之謂離道也夫上古聖人之教下也。皆謂之虛邪賊風。避之有時。邪乘虛入是謂虛邪竊害中和謂之賊風避之有時謂八節之日及太一入從之於中宮朝八風之日也靈樞經曰邪氣不得其虛不能獨傷人明人虛乃邪勝之也新挍正云按全元起注本云上古聖人之教也下皆為之太素千金同楊上善云上古聖人使人行者身先行之為不言之教不言之教勝有言之教故下百姓倣行者衆故曰下皆為之太一入從於中宮朝八風義具天元玉冊中恬惔虛无。真氣從之。精神內守。病安從來。恬惔虛无靜也法道清淨精氣內持故其氣邪不能為害是以志閑而少欲。心安而不懼。形勞而不倦。內機息故少欲外紛靜故心安然情欲兩亡是非一貫起居皆適故不倦也氣從以順。各從其欲。皆得所願。志不貪故所欲皆順心易足故所願必從以不異求故無難得也老子曰知足不辱知止不殆可以長久故美其食。順精麤也　新校正云按別本美一作甘任其服。隨美惡也樂其俗。去傾慕也高下不相慕。其民故曰朴。至無求也是所謂心足也老子曰禍莫大於不知足咎莫大於欲得故知

足之足常足矣蓋非謂物足者爲知足心足者乃爲知足矣不滛於欲是則朴同故聖人去我無欲而民自朴 新校正云按别本云曰作月

是以嗜欲不能勞其目。淫邪不能惑其心。目不妄視故嗜欲不能勞心與玄同故淫邪不能惑老子曰不見可欲使心不亂又曰聖人爲腹不爲目也

愚智賢不肖不懼於物。故合於道。情計兩亡不爲謀府冥心一觀勝負俱捐故心志保安合同於道庚桑楚曰全汝形抱汝生無使汝思慮營營 新校正云按全元起注本云合於道數

所以能年皆度百歲而動作不衰者。以其德全不危也。不涉於危故德全也莊子曰執道者德全德全者形全形全者聖人之道也又曰無爲而性命不全者未之有也

帝曰。人年老而無子者。材力盡邪。將天數然也。材謂材幹可以立身者

岐伯曰。女子七歲。腎氣盛。齒更髮長。老陽之數極於九少陽之數次於七女子爲少陰之氣故以少陽數偶之明陰陽氣和乃能生成其形體故七歲腎氣盛齒更髮長

二七而天癸至。任脉通。太衝脉盛。月事以時下。故有子。癸謂壬癸北方水干名也任脉衝脉皆奇經脉也腎氣全盛衝任流通經血漸盈應

時而下天眞氣降與之從事故云天癸也然衝爲血海任主胞胎二者相資故能有子所以謂之月事者平和之氣常以三旬而一見也故愆期者謂之有病　新校正云按全元起注本及太素甲乙經俱作伏衝下太衝同　三七。腎氣平均。故眞牙生而長極。眞牙謂牙之最後生者腎氣平而眞牙生者表牙齒爲骨之餘也　四七。筋骨堅。髮長極。身體盛壯。女子天癸之數七七而終年居四七材力之半故身體盛壯長極於斯　五七。陽明脉衰。面始焦。髮始墮。陽明之脉氣營於面故其衰也髮墮面焦靈樞經曰足陽明之脉起於鼻交頞中下循鼻外入上齒中還出俠口環脣下交承漿却循頤後下廉出大迎循頰車上耳前過客主人循髮際至額顱手陽明之脉上頸貫頰入下齒縫中還出俠口故面焦髮墮也　六七。三陽脉衰於上。面皆焦。髮始白。三陽之脉盡上於頭故三陽衰則面皆焦髮始白所以衰者婦人之生也有餘於氣不足於血以其經月數泄脫之故　七七。任脉虛。太衝脉衰少。天癸竭。地道不通。故形壞而無子也。經水絕止是爲地道不通衝任衰微故云形壞無子　丈夫八歲。腎氣實。髮長。齒更。老陰之數極於十少陰之數次於八男子爲少陽之氣故以少陰數合之易繫辭曰天九地十則其

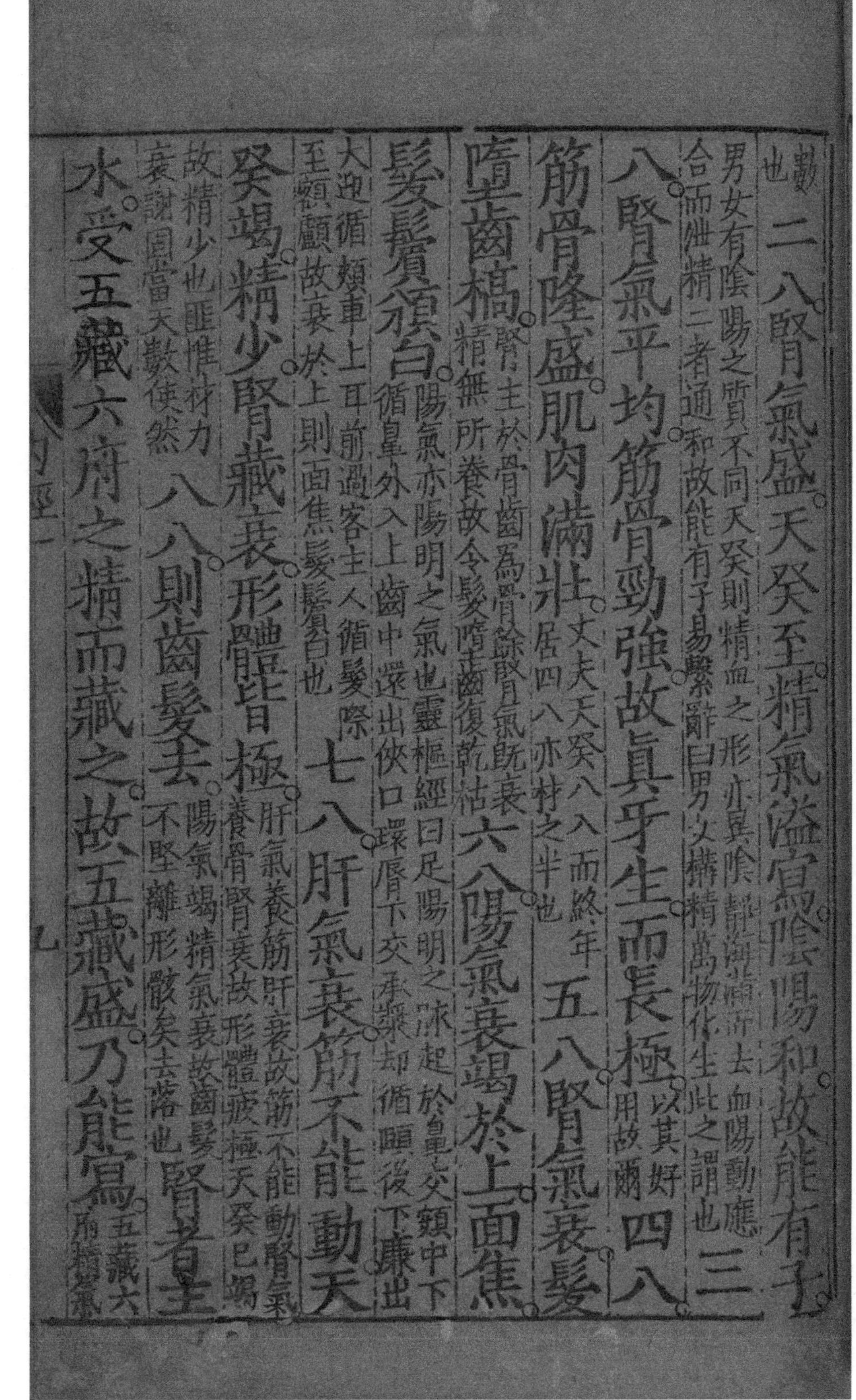

數也二八腎氣盛天癸至精氣溢寫陰陽和故能有子男女有陰陽之質不同天癸則精血之形亦異陰靜海滿而去血陽動應合而泄精二者通和故能有子易繫辭曰男女構精萬物化生此之謂也三八腎氣平均筋骨勁強故真牙生而長極以其好用故爾四八筋骨隆盛肌肉滿壯丈夫天癸八八而終年居四八亦材之半也五八腎氣衰髮墮齒槁腎主於骨齒為骨餘腎氣既衰精無所養故令髮墮齒復乾枯六八陽氣衰竭於上面焦髮鬢頒白陽氣亦陽明之氣也靈樞經曰足陽明之脉起於鼻交頞中下循鼻外入上齒中還出俠口環脣下交承漿卻循頤後下廉出大迎循頰車上耳前過客主人循髮際至額顱故衰於上則面焦髮鬢白也七八肝氣衰筋不能動天癸竭精少腎藏衰形體皆極肝氣養筋肝衰故筋不能動腎氣養骨腎衰故形體疲極天癸已竭故精少也匪惟材力衰謝固當天數使然八八則齒髮去陽氣竭精氣衰故齒髮不堅離形骸矣去落也腎者主水受五藏六府之精而藏之故五藏盛乃能寫五藏六府精氣

淫溢而滲於腎腎藏乃受而藏之何以明之靈樞經曰五藏主藏精藏精者不可傷由是則五藏各有精隨用而灌注於腎此乃腎爲都會關司之所非腎一藏而獨有精故曰五藏盛乃能寫也 今五藏皆衰筋骨解墮天癸盡矣故髮鬢白身體重行步不正而無子耳所謂物壯則老謂之天道者也 帝曰有其年已老而有子者何也言似非天癸之數也 岐伯曰此其天壽過度氣脉常通而腎氣有餘也所稟天真之氣本自有餘也 此雖有子男不過盡八八女不過盡七七而天地之精氣皆竭矣雖老而生子子壽亦不能過天癸之數 帝曰夫道者年皆百數能有子乎岐伯曰夫道者能却老而全形身年雖壽能生子也是所謂得道之人也道成之證如下章云 黄帝曰余聞上古有真人者提挈天地把握陰陽真人謂成道之人也夫真人之身隱見莫測其爲小也入於无間其爲大也徧於空境其變化也出入天地內外莫見迹順至真以表道成之

證凡如此者故能提挈天地把握陰陽也呼吸精氣。獨立守神。肌肉若一。真人心合於氣氣合於神神合於无故呼吸精氣獨立守神肌膚若冰雪綽約如處子　新校正云按全元起注本云身肌宗一大素同楊上善云真人身之肌體與太極同質故云宗一。故能壽敝天地。无有終時。體同於道壽與道同故能无有終時而壽盡天地也敝盡也此其道生。惟至道生乃能如是中古之時。有至人者。淳德全道。全其至道故曰至人然至人以此淳朴之德全彼妙用之道　新校正云詳楊上善云積精全神能至於德故稱至人和於陰陽。調於四時。和謂同和調謂調適言至人動靜必適中於四時生長收藏之令參同於陰陽寒暑升降之宜去世離俗。積精全神。心遠世紛身離俗染故能積精而復全神游行天地之間。視聽八達之外。神全故也庚桑楚曰神全之人不慮而通不謀而當精照无外志凝宇宙若天地然又曰體合於心心合於氣氣合於神神合於无其有介然之有唯然之音雖遠際八荒之外近在眉睫之內來于我者吾必盡知之夫如是者神全故所以能矣此蓋益其壽命而強者也。亦歸於真人。同歸於道也其次有聖人者。處天地之和。從八風之理。與天地合德與日月合明與四時合其序與鬼神合其吉凶故曰聖人所以處天地之淳和順八風之正理者欲其養正避彼虛邪適嗜欲於世俗之間。无恚嗔之心。聖人志深於道故適於嗜欲心全廣愛故不有恚嗔是以常德不離歿身不殆行不欲離於世被服章新校正云詳被服章三字疑衍此三字上下文不屬舉不欲觀於俗。聖人舉事行止雖常在時俗之間然其見爲則與時俗有異爾何者貴法道之清靜也老子曰我獨異於人而貴求食於母母亦諭道也外不勞形於事。內无思想之患。聖人爲无爲事無事是以內无思想外不勞形以恬愉爲務。以自得爲功。恬靜也愉悅也法道清靜適性而動故悅而自得也形體不敝精神不散。亦可以百數。外不勞形內无思想故形體不敝精神保全神守不離故年登百數此蓋全性之所致爾庚桑楚曰聖人之於聲色滋味也利於性則取之害於性則捐之此全性之道也敝疲敝也其次有賢人者。法則天地。象似日月。次聖人者謂之賢人然自強不息精了百端不慮而通發謀必當志同於天地心燭於洞幽故云法則天地象似日月也辯列星辰。逆從陰陽。分別四時。星衆星也辰北辰也辯列者謂定內外星官座位之所於天三百六十五度遠近之分次也逆從陰陽者謂以六甲等法逆順數而推步吉凶之徵兆也陰陽書曰人中甲子從甲子起以乙丑爲次順數之地下甲子從甲戌起以癸酉爲次逆數之此之謂逆從也分別四時者謂分其氣序也春溫夏暑熱秋清涼冬冰列此四時之氣序也

將從上古合同於道，亦可使益壽而有極時。將從上古合同於道謂如上古知道之人法於陰陽和於術數食飲有節起居有常不妄作勞也上古知道之人年度百歲而去故可使益壽而有極時也

四氣調神大論篇第二

新校正云按全元起本在第九卷

春三月，此謂發陳。春陽上升氣潛發散生育庶物陳其姿容故曰發陳也所謂春三月者皆因節候而命之夏秋冬亦然

天地俱生，萬物以榮。天氣溫地氣發溫發相合故萬物滋榮

夜卧早起，廣步於庭。溫氣生寒氣散故夜卧早起廣步於庭

被髮緩形，以使志生。法象也春氣發生於萬物之首故被髮緩形以使志意發生也

生而勿殺，予而勿奪，賞而勿罰。春氣發生施无求報故養生者必順於時也

此春氣之應養生之道也。所謂因時之序也然立春之節初五日東風解凍次五日蟄蟲

始振後五日魚上氷次雨水氣初五日獺祭魚次五日鴻鴈來後五日草木萌
動次仲春驚蟄之節初五日小桃華　新校正云詳小桃華月令作桃始華次
五日倉庚鳴後五日鷹化爲鳩次春分氣初五日玄鳥至次五日雷乃發聲芍
藥榮後五日始電次季春清明之節初五日桐始華次五日田鼠化爲鴽牡丹
華後五日虹始見次穀雨氣初五日萍始生次五日鳴鳩拂其羽後五日戴勝
降于桑凡此六氣一十八候皆春陽布發生之令故養生者必謹奉天時也
新校正云詳芍藥榮牡丹華今月令無　逆之。則傷肝。夏爲寒變。奉長者少。逆謂反行秋令
也肝象木王於春故行秋令則肝氣傷夏火王而木廢故病生於夏然四時之氣春生夏長逆春傷肝故少氣以奉於夏長之令也　夏三月。
此謂蕃秀。陽自春生至夏洪盛物生以長故蕃秀也蕃茂也盛也秀華也美也　天地氣交。萬物華實。舉夏
至也脈要精微論曰夏至四十五日陰氣微上陽氣微下由是則天地氣交也然陽氣施化陰氣結成成化相合故萬物華實也陰陽應象大論曰陽化氣陰
成形　夜臥早起。無厭於日。使志無怒。使華英成秀。使氣
得泄。若所愛在外。緩陽氣則物化寬志意則氣泄物化則華英成秀氣泄則膚腠宣通時令發陽故所愛亦順陽而在
外也　此夏氣之應。養長之道也。立夏之節初五日螻蟈鳴次五日蚯蚓出後五日赤箭生　新校正云按月令

作王瓜生次小滿氣初五日吳葵華　新校正云按月令作苦菜秀次五日靡草死後五日小暑至次仲夏芒種之節初五日螗螂生次五日鵙始鳴後五日反舌無聲次夏至氣初五日鹿角解次五日蜩始鳴後五日半夏生木堇榮次季夏小暑之節初五日溫風至次五日蟋蟀居壁後五日鷹乃學習次大暑氣初五日腐草化爲螢次五日土潤溽暑後五日大雨時行凡此六氣一十八候皆夏氣揚蕃秀之令故養生者必敬順天時也　新校正云詳木堇榮今月令無

逆之則傷心。秋爲痎瘧。奉收者少。冬至重病。逆謂反行冬令也痎痎瘦之瘧也心象火王於夏故行冬令則心氣傷秋金王而火廢故病發於秋而爲痎瘧也然四時之氣秋收冬藏逆夏傷心故少氣以奉於秋收之令也冬水勝火故重病於冬至之時也

秋三月。此謂容平。萬物夏長華實已成容狀至秋平而定也　天氣以急。地氣以明。天氣以急風聲切也地氣以明物色變也　早臥早起。與雞俱興。懼中寒露故早臥欲使安寧故早起　使志安寧。以緩秋刑。志氣躁則不慎其動不慎其動則助秋刑急順殺伐生故使志安寧緩秋刑也　收斂神氣。使秋氣平。神蕩則欲熾欲熾則傷和氣和氣既傷則秋氣不平調也故收斂神氣使秋氣平也　無外其志。使肺氣清。亦順秋氣之收斂也　此秋氣之應養

收之道也。立秋之節初五日涼風至次五日白露降後五日寒蟬鳴次處暑氣初五日鷹乃祭鳥次五日天地始肅後五日禾乃登次仲秋白露之節初五日盲風至鴻鴈來次五日玄鳥歸後五日羣鳥養羞次秋分氣初五日雷乃收聲次五日蟄蟲坏戸景天華後五日水始涸次季秋寒露之節初五日鴻鴈來賓次五日雀入大水爲蛤後五日菊有黄華次霜降氣初五日豺乃祭獸次五日草木黄落後五日蟄蟲咸俯凡此六氣一十八候皆秋氣正收斂之令故養生者必謹奉天時也新校正云詳景天華三字今月令無

逆之則傷肺。冬爲飧泄。奉藏者少。逆謂反行夏令也肺象金王於秋故行夏令則氣傷冬水王而金廢故病發於冬飧泄者食不化而泄出也逆秋傷肺故少氣以奉於冬藏之令也

冬三月。此謂閉藏。草木凋蟄蟲去地戸閉塞陽氣伏藏

水冰地坼。無擾乎陽。陽氣下沈水冰地坼故宜周密不欲煩勞擾謂煩也勞也

早卧晚起。必待日光。避於寒也

使志若伏若匿。若有私意。若已有得。皆謂不欲妄出於外觸冒寒氣也故下文云

去寒就溫。無泄皮膚。使氣亟奪。去寒就溫言居深室也靈樞經曰冬日在骨蟄蟲周密君子居室無泄皮膚謂勿汗也汗則陽氣發泄陽氣發泄則數爲寒氣所迫奪之亟數也

此冬氣之應。養藏之道也。立冬之節初五日水始冰次五日地

始凍後五日雉入大水爲蜃次小雪氣初五日虹藏不見次五日天氣上騰地氣
下降後五日閉塞而成冬次仲冬大雪之節初五日冰益壯地始坼鶡鳥不鳴次
五日虎始交後五日芸始生荔挺出次冬至氣初五日蚯蚓結次五日麋角解後
五日水泉動次季冬小寒之節初五日鴈北鄉次五日鷙鳥厲疾後五日水澤腹
堅凡此六氣一十八候皆冬氣正養藏之令故養生者必謹奉天時也逆之則傷腎春爲痿厥奉生者
少逆謂反行夏令也腎象水王於冬故行夏令則腎氣傷春木王而水廢故病發於春也逆冬傷腎故少氣以奉於春生之令也天氣清淨
光明者也言天明不竭以清淨故致人之壽延長亦由順動而得故言天氣以示於人也藏德不止新校正云按別本止一
作上故不下也四時成序七曜周行天不形言是藏德也德隱則應用不屈故不下也老子曰上德不德是以有德也言天至尊高德猶見隱
也況全生之道而不順天乎天明則日月不明邪害空竅天所以藏德者爲其欲隱大明故大明見則小
明滅故大明之德不可不藏天若自明則日月之明隱矣所諭者何言人之真氣亦不可泄露當清淨法道以保天真苟離於道則虛邪入於空竅陽氣
者閉塞地氣者冒明陽謂天氣亦風熱也地氣謂濕亦雲霧也風熱之害人則九竅閉塞霧濕之爲病則掩翳精明
取類者在天則日月不光在人則兩目藏曜也靈樞經曰天有日月人有眼目易曰喪明于易豈非失養正之道邪雲霧不精則上

應白露不下。霧者雲之類露者雨之類夫陽盛則地不上應陰虛則天不下交故雲霧不化精微之氣上應於天而爲白露不下之咎矣陰陽應象大論曰地氣上爲雲天氣下爲雨雨出地氣雲出天氣明二氣交合乃成雨露方盛衰論曰至陰虛天氣絕至陽盛地氣不足明氣不相召亦不能交合也

交通不表萬物命。故不施。不施則名木多死。夫雲霧不化其精微雨露不霑於原澤是爲天氣不降地氣不騰變化之道既虧生育之源斯泯故萬物之命無禀而生然其死者則名木先應故云名木多死也名謂名果珍木表謂表陳其狀也易繫辭曰天地絪緼萬物化醇然不表交通則爲否也易曰天地不交否

惡氣不發。風雨不節。白露不下。則菀槀不榮。惡謂害氣也發謂散發也節謂節度也菀謂蘊積也槀謂枯槀也言害氣伏藏而不散發風雨無度折傷復多槀木蘊積春不榮也豈惟其物獨遇是而有之哉人離於道亦有之矣故下文曰

賊風數至。暴雨數起。天地四時不相保。與道相失。則未央絕滅。不順四時之和數犯八風之害與道相失則天真之氣未期久遠而致滅亡央久也遠也

唯聖人從之。故身無奇病。萬物不失。生氣不竭。道非遠於人人心遠於道惟聖人心合於道故壽命无窮從猶順也謂順四時之令也然四時之令不可逆之

逆之則五藏內傷而他疾起逆春氣則少陽不生。肝氣內變。生謂動出也陽氣不出內鬱於
肝則肝氣混糅變而傷矣逆夏氣則太陽不長。心氣內洞。長謂外茂也洞謂中空也陽不外茂內薄
於心燠熱內消故心中空也逆秋氣則太陰不收。肺氣焦滿。收謂收斂焦謂上焦也太陰行
氣主化上焦故肺氣不收上焦滿也　新校正云按焦滿全元起本作進滿甲乙太素作焦滿逆冬氣則少陰不藏。
腎氣獨沈。沈謂沈伏也少陰之氣內通於腎故少陰不伏腎氣獨沈　新校正云詳獨沈太素作沈濁夫四時陰
陽者萬物之根本也。時序運行陰陽變化天地合氣生育萬物故萬物之根悉歸於此所以聖人。
春夏養陽。秋冬養陰。以從其根。陽氣根於陰陰氣根於陽無陰則陽無以生無陽則陰無以化
全陰則陽氣不極全陽則陰氣不窮春食涼夏食寒以養於陽秋食溫冬食熱以養於陰滋苗者必固其根伐下者必枯其上故以斯調節從順其根二氣常
存蓋由根固百刻曉暮食亦宜然故與萬物沈浮於生長之門。聖人所以身無苛病生氣不竭者以
順其根也逆其根則伐其本。壞其真矣。是則失四時陰陽之道也故陰陽四

時者萬物之終始也。死生之本也。逆之則災害生。從之則苛疾不起。是謂得道。謂得養生之道苛者重也道者聖人行之。愚者佩之。聖人心合於道故勤而行之愚者性守於迷故佩服而已老子曰道者同於道德者同於德失者同於失同於道者道亦得之同於德者德亦得之同於失者失亦得之愚者未同於道德則可謂失道者也從陰陽則生。逆之則死。從之則治。逆之則亂。反順爲逆。是謂内格。格拒也謂内性格拒於天道也是故聖人不治已病治未病。不治已亂治未亂。此之謂也。知之至也夫病已成而後藥之。亂已成而後治之。譬猶渴而穿井。鬬而鑄錐。不亦晚乎。知不及時也備御虛邪事符握虎噬而後藥雖悔何爲

生氣通天論篇第三

新校正云按全元起注本在第四卷

黄帝曰。夫自古通天者。生之本。本於陰陽。天地之間。

六合之內。其氣九州。九竅。五藏。十二節。皆通乎天氣。六合謂四方上下也。九州謂冀兖青徐揚荊豫梁雍也。外布九州而內應九竅。故云九州九竅也。五藏謂五神藏也。五神藏者。肝藏魂。心藏神。脾藏意。肺藏魄。腎藏志。而此成形矣。十二節者。十二氣也。天之十二節氣。人之十二經脈而外應之。咸同天紀。故云皆通乎天氣也。新校正云。詳通天者生之本。六節藏象注甚詳。又按鄭康成云。九竅者。謂陽竅七。陰竅二也。其生五。其氣三。數犯此者。則邪氣傷人。此壽命之本也。言人生之所運為。則內依五氣以立。然其鎮塞天地之內。則氣應三元以成。三謂天氣地氣運氣也。犯謂邪氣觸犯於生氣也。邪氣數犯。則生氣傾危。故寶養天真。以為壽命之本也。庚桑楚曰。聖人之制萬物也。以全其天。天全則神全矣。靈樞經曰。血氣者。人之神。不可不謹養。此之謂也。蒼天之氣清淨。則志意治。順之則陽氣固。春為蒼天。發生之主也。陽氣者。天氣也。陰陽應象大論曰。清陽為天。則其義也。本天全神全之理。全則形亦全矣。雖有賊邪。弗能害也。此因時之序。以因天四時之氣序。故賊邪之氣弗能害也。故聖人傳精神。服天氣。而通神明。夫精神可傳。惟聖人得道者乃能爾。久服天真之氣則妙用自通於神明也。失之則内閉九竅，外壅肌肉，衛氣散解。失謂逆蒼天清淨之理也。然衛氣者，合天之陽氣也。上篇曰：陽氣者閉塞。謂陽氣之病人則竅寫閉塞也。靈樞經曰：衛氣者所以温分肉而充皮膚，肥腠理而司開闔。故失其度，則内閉九竅，外壅肌肉，以衛不營運，故言散解也。此謂自傷，氣之削也。夫逆蒼天之氣，違清淨之理，使正真之氣如削去之者，非天降之，人自爲之爾。

陽氣者若天與日，失其所則折壽而不彰。此明前陽氣之用也。諭人之有陽，若天之有日。天失其所則日不明，人失其所則陽不固。日不明則天境暝昧，陽不固則人壽夭折。故天運當以日光明。言人之生，固宜藉其陽氣也。是故陽因而上，衛外者也。此所以明陽氣運行之部分，輔衛人身之正用也。

因於寒，欲如運樞，起居如驚，神氣乃浮。欲如運樞，謂内動也。起居如驚，謂暴卒也。言因天之寒，當深居周密，如樞紐之内動，不當煩擾筋骨，使陽氣發泄於皮膚而傷於寒毒也。若起居暴卒，馳騁荒佚，則神氣浮越，无所綏寧矣。脉要精微論曰：冬日在骨，蟄蟲周密，君子居室。四氣調神大論曰：冬三月，此謂閉藏，水冰地坼，無擾乎陽。又曰：使志若伏若匿，若有私意，若已有得，去寒就温，无泄皮膚，使氣亟奪。此之謂也。新校正云：按全元起本作連樞。元起云：陽氣定如連樞者，動繫也。因於暑，汗煩則喘喝，靜則多言。此則不能攝慎，傷於寒毒，至夏而變暑病也。煩謂煩躁，靜謂安靜，喝謂大呵出聲也。言病因於暑，則當汗泄，不爲發表，邪熱內攻，中外俱熱，故煩躁喘數，大呵而出其聲也。若不煩躁，內熱外涼，瘀熱攻中，故多言而不次也。喝，一爲鳴。體若燔炭，汗出而散。此重明可汗之理也。爲體若燔炭之炎熱者，何以救之？必以汗出，乃熱氣施散。燔，一爲燥，非也。因於濕，首如裹，濕熱不攘，大筋緛短，小筋弛長，緛短爲拘，弛長爲痿。表熱爲病，當汗泄之，反濕其首，若濕物裹之，望除其熱，熱氣不釋，兼濕內攻，大筋受熱則縮而短，小筋得濕則引而長。縮短故拘攣而不伸，引長故痿弱而無力。攘，除也。緛，縮也。弛，引也。因於氣，爲腫，四維相代，陽氣乃竭。素常氣疾，濕熱加之，氣濕熱爭，故爲腫也。然邪氣漸盛，正氣浸微，筋骨血肉，互相代負，故云四維相代也。致邪代正，氣不宣通，衛無所從，便至衰竭，故言陽氣乃竭也。衛者，陽氣也。陽氣者，煩勞則張，精絕，辟積於夏，使人煎厥。此又誡起居暴卒，煩擾陽和也。然煩擾陽和，勞疲筋骨，動傷神氣，耗竭天真，則筋脉䐜脹，精氣竭絕，既傷腎氣，又損膀胱，故當於夏時，使人煎厥。以煎迫而氣逆，因以煎厥爲名。厥，謂氣逆也。煎厥之狀，當如下說。新校正云：按《脉解》云：所謂少氣善怒者，陽氣不治，陽氣不治則陽氣不得出，肝氣當治而未得，故善怒，善怒者名曰煎厥目盲不可以視。耳閉不可以聽。潰潰乎若壞都。汩汩乎不可止。既且傷腎，又竭膀胱，腎經內屬於耳中，膀胱脈生於目眥，故目盲所視，耳閉厥聽，大矣哉，斯乃房之患也。既盲目視，又閉耳聰，則志意心神筋骨腸胃潰潰乎若壞都，汩汩乎煩悶而不可止也陽氣者，大怒則形氣絕，而血菀於上，使人薄厥。此又誡喜怒不節，過用病生也。然怒則傷腎，甚則氣絕，大怒則氣逆而陽不下行，陽逆故血積於心胷之內矣。上，謂心胷也。然陰陽相薄，氣血奔并，因薄厥生，故名薄厥。舉痛論曰：怒則氣逆，甚則嘔血。靈樞經曰：盛怒而不止則傷志。陰陽應象大論曰：喜怒傷氣。由此則怒甚氣逆，血積於心胷之內矣。菀，積也有傷於筋，縱，其若不容。怒而過用，氣或迫筋，筋絡內傷，機關縱緩，形容痿廢，若不維持汗出偏沮，使人偏枯。夫人之身，常偏汗出而濕潤者，久久偏枯，半身不隨。新校正云：按沮，千金作祖，全元起本作恒汗出見濕，乃生痤疿。陽氣發泄，寒水制之，熱怫內餘，鬱於皮裏，甚為痤癤，微作疿瘡。疿，風癮也高梁之變，足生大丁，受如持虛。高，膏也；梁，粱也。不忍之人，汗出淋洗，則結為痤疿。膏粱之人，內多滯熱，皮厚肉密，故內變為丁矣。外濕既侵，中熱相感，如持虛器，受此邪毒，故曰受如持虛。所以丁生於足者，四支為諸陽之本也。以其甚費於下

邪毒襲虛故爾　新校正云按丁生之處不常
於足蓋謂膏粱之變饒生大丁非偏著足也
勞汗當風。寒薄爲皶。
鬱乃痤。時月寒涼形勞汗發淒風外薄膚腠居寒脂液遂凝稸於玄府依空滲洞皶刺長於皮中形如米或如鍼久者上黑長一分餘色白
黃而瘦於玄府中俗曰粉刺解表已玄府謂汗空也痤謂色赤䐜憤內蘊血膿形小而大如酸棗或如按豆此皆陽氣內鬱所爲待耎而攻之大甚焫出之
陽氣者。精則養神。柔則養筋。此又明陽氣之運養也然陽氣者內化精微養於神氣外爲柔耎以
固於筋動靜失宜則生諸疾　開闔不得。寒氣從之。乃生大僂。開謂皮腠發泄闔謂玄府閉封
然開闔失宜爲寒所襲內深筋絡結固虛寒則筋絡拘緛形容僂俯矣靈樞經曰寒則筋急此其類也　陷脈爲瘻。留連肉
腠。陷脈謂寒氣陷缺其脈也積寒留舍經血稽凝久瘀肉攻結於肉理故發爲瘍瘻肉腠相連　俞氣化薄。傳爲善
畏。及爲驚駭。言若寒中於背俞之氣變化入深而薄於藏府者則善爲恐畏及發爲驚駭也　營氣不從。逆
於肉理。乃生癰腫。營逆則血鬱血鬱則熱聚爲膿故爲癰腫也正理論云熱之所過則爲癰腫　魄汗未
盡。形弱而氣爍。穴俞以閉。發爲風瘧。汗出未止形弱氣消風寒薄之穴俞隨閉熱藏

不出以三秋秋陽復收雨熱相合故令振慄寒熱相移以所起為風故名風瘧也金匱真言論曰夏暑汗不出者秋成風瘧蓋論從風而為是也故下文曰

故風者。百病之始也。清靜則肉腠閉拒。雖有大風苛毒。弗之能害。此因時之序也。夫嗜欲不能勞其目淫邪不能惑其心不妄作勞是為清靜以其清靜故能肉腠閉皮膚密真正內拒虛邪不侵然大風苛毒不必常求於人蓋由人之冒犯爾故清淨則肉腠閉陽氣拒大風苛毒弗能害之清靜者但因循四時氣序養生調節之宜不妄作勞起居有度則生氣不竭永保康寧

故病久則傳化。上下不并。良醫弗為。并謂氣交通也然病之深久變化相傳上下不通陰陽否隔雖醫良法妙亦何以為之陰陽應象大論曰夫善用鍼者從陰引陽從陽引陰以右治左以左治右若是氣相格拒故良醫弗可為也

故陽畜積病死。而陽氣當隔。隔者當寫不亟正治。粗乃敗之。言三陽畜積怫結不通不急寫之亦病而死何者畜積不已亦上下不并矣何以驗之隔塞不便則其證也若不急寫粗工輕侮必見敗亡也陰陽別論曰三陽結謂之隔又曰剛與剛陽氣破散陰氣乃消亡淖則剛柔不和經氣乃絕

故陽氣者。一日而主外。晝則陽氣在外周身行二十五度靈樞經曰目開則氣上行於頭衛氣行於陽二十五度也

平旦人氣生。日中而陽氣隆。日西而陽氣已虛。氣門乃閉。隆猶高也盛也夫氣之有者皆自少而之壯積暖以成炎炎極又涼物之理也故陽氣平曉生日中盛日西而已減虛也氣門謂玄府也所以發泄經脈營衛之氣故謂之氣門也

是故暮而收拒。無擾筋骨。無見霧露。反此三時。形乃困薄。皆所以順陽氣也陽出則出陽藏則藏暮陽氣衰內行陰分故宜收斂以拒虛邪擾筋骨則逆陽精耗見霧露則寒濕俱侵故順此三時乃天真久遠也

岐伯曰。新校正云詳篇首云帝曰此岐伯曰非相對問也

陰者藏精而起亟也。陽者衛外而爲固也。言在人之用也亟數也

陰不勝其陽。則脈流薄疾。并乃狂。薄疾謂極虛而急數也并謂盛實也狂謂狂走或妄攀登也陽并於四支則狂陽明脈解曰四支者諸陽之本也陽盛則四支實實則能登高而歌也熱盛於身故棄衣欲走也夫如是者皆爲陰不勝其陽也

陽不勝其陰。則五藏氣爭。九竅不通。九竅者內屬於藏外設爲官故五藏氣爭則九竅不通也言九竅謂前陰後陰不通兼言上七竅也若兼則目爲肝之官鼻爲肺之官口爲脾之官耳爲腎之官舌爲心之官舌非通竅也金匱眞言論曰南方赤色入通於心開竅於耳北方黑色入通於

腎開竅於二陰故也是以聖人陳陰陽。筋脉和同。骨髓堅固。氣血皆從。從順也言循陰陽法近養生道則筋脉骨髓各得其宜故氣血皆能順時和氣也如是則內外調和。邪不能害。耳目聰明。氣立如故。邪氣不能害故真氣獨立而如常若失聖人之道則致疾於身故下文引曰風客淫氣。精乃亡。邪傷肝也。自此已下四科並謂失聖人之道也風氣應肝故風淫精亡則傷肝也陰陽應象大論曰風氣通於肝也風薄則熱起熱盛則水乾水乾則腎氣不營故精乃无也亡無也　新校正云按全元起云淫氣者陰陽之亂氣因其相亂而風客之則傷精傷精則邪入於肝也因而飽食。筋脉橫解。腸澼為痔。甚飽則腸胃橫滿腸胃滿則筋脉解而不屬故腸澼而為痔也痺論曰飲食自倍腸胃乃傷此傷之信也因而大飲。則氣逆。飲多則肺布葉舉故氣逆而上奔也因而強力。腎氣乃傷。高骨乃壞。強力謂強力入房也高骨謂腰高之骨也然強力入房則精耗精耗則腎傷腎傷則髓氣內枯故高骨壞而不用也聖人交會則不如此當如下句云凡陰陽之要。陽密乃固。陰陽交會之要者正在於陽氣閉密而不妄泄爾密不妄泄乃生氣強固而能久長此聖人之道也兩者不和。若春無秋若冬無夏。兩謂陰陽和謂和合則交會也若如也言絶陰陽和合之道者如天四時有春無秋有冬無夏也所以然者絶廢於生成也故聖人不絶和合之道但貴於閉密以守固天真法也因而和之是謂聖度。因陽氣盛發中外相應賈勇有餘乃相交合則聖人交會之制度也故陽強不能密。陰氣乃絶。陽自強而不能閉密則陰泄寫而精氣竭絶矣陰平陽祕精神乃治。陰氣和平陽氣閉密則精神之用日益治也陰陽離決精氣乃絶。若陰不和平陽不閉密強用施寫損耗天真二氣分離經絡決憊則精氣不化乃絶流通也因於露風乃生寒熱。因於露體觸冒風邪風氣外侵陽氣內拒風陽相薄故寒熱由生是以春傷於風邪氣留連。乃爲洞泄。風氣通肝春肝木王木勝脾土故洞泄生也新校正云按陰陽應象大論曰春傷於風夏生飧泄夏傷於暑。秋爲痎瘧。夏熱已甚秋陽復收陽熱相攻則爲痎瘧痎老也亦曰瘦也秋傷於濕上逆而欬。濕謂地濕氣也秋濕既勝冬水復王水來乘肺故欬逆病生新校正云按陰陽應象大論云秋傷於濕冬生欬嗽發爲痿厥。濕氣內攻於藏府則欬逆外散於筋脉則痿弱也陰陽應象大論曰地之濕氣感則害皮肉筋脉故濕氣之資發爲痿厥厥謂逆氣也冬傷於寒。春必温病。冬寒且凝，春陽氣發，寒不爲釋，陽怫于中，寒怫相持，故爲温病。新校正云：按此與陰陽應象大論重，彼注甚詳。
四時之氣，更傷五藏。寒暑温凉，遞相勝負，故四時之氣更傷五藏之和也。陰之所生，本在
五味；陰之五宫，傷在五味。所謂陰者，五神藏也；宫者，五神之舍也。言五藏所生，本資於五味，五味宣化，各
湊於本宫，雖因五味以生，亦因五味以損，正爲好而過節，乃見傷也。故下文曰：是故味過於酸，肝氣以津，
脾氣乃絶。酸多食之，令人癃，小便不利，則肝多津液，津液内溢，則肝葉舉，肝葉舉則脾經之氣絶而不行。何者？木制土也。味過
於鹹，大骨氣勞，短肌，心氣抑。鹹多食之，令人肌膚縮短，又令心氣抑滯而不行。何者？鹹走血也。大
骨氣勞，鹹歸腎也。味過於甘，心氣喘滿，色黑，腎氣不衡。甘多食之，令人心悶，
甘性滯緩，故令氣喘滿而腎不平。何者？土抑水也。衡，平也。味過於苦，脾氣不濡，胃氣乃厚。苦性
堅燥，又養脾胃，故脾氣不濡，胃氣強厚。味過於辛，筋脉沮弛，精神乃央。沮，潤也；弛，緩
也；央，久也。辛性潤澤，散養於筋，故令筋緩脉潤，精神長久。何者？辛補肝也。藏氣法時論曰：肝欲散，急食辛以散之，用辛補之。新校正云：按此論味過所傷，難作精神長

久之解央乃殃也古文通用如膏粱之作高梁草滋之作草兹之類蓋古文簡略字多假借用者也是故謹和五味骨正筋柔氣血以流湊理以密如是則骨氣以精謹道如法長有天命是所謂修養天真之至道也

金匱真言論篇第四新校正云按全元起注本在第四卷

黃帝問曰天有八風經有五風何謂經謂經脉所以流通營衛血氣者也岐伯對曰八風發邪以為經風觸五藏邪氣發病原其所起則謂八風發邪經脉受之則循經而觸於五藏以邪干正故發病也所謂得四時之勝者春勝長夏長夏勝冬冬勝夏夏勝秋秋勝春所謂四時之勝也春木夏火長夏土秋金冬水皆以所剋殺而為勝也言五時之相勝者不謂八風中人則病各謂隨其不勝則發病也勝謂制剋之也東風生於春病在肝俞在頸項春氣發榮於萬物之上故俞在頸項歷忌日甲乙不治頸此之謂也南風

生於夏病在心俞在胷脇。心少陰脉循胷出脇故俞在焉 西風生於秋病在肺俞在肩背。肺處上焦背爲胷府肩背相次故俞在焉 北風生於冬病在腎俞在腰股。腰爲腎府股接次之以氣相連故兼言也 中央爲土病在脾俞在脊。以脊應土言居中爾 故春氣者病在頭。春氣謂肝氣也各隨其藏氣之所應新校正云按周禮云春時有痟首疾 夏氣者病在藏。心之應也 秋氣者病在肩背。肺之應也 冬氣者病在四支。四支氣少寒毒善傷隨所受邪則爲病處 故春善病鼽衄。以氣在頭也禮記月令曰季秋行夏令則民多鼽嚏 仲夏善病胷脇。心之脉循胷脇故也 長夏善病洞泄寒中。土主於中是爲倉廩糟粕水穀故爲洞泄寒中也 秋善病風瘧。以涼折暑乃爲是病生氣通天論曰魄汗未盡形弱而氣爍穴俞以閉發爲風瘧此謂以涼折暑之義也禮記月令曰孟秋行夏令則民多瘧疾也 冬善病痺厥。血象於水寒則水凝以氣薄流故爲痺厥 故冬不按蹻春不鼽衄。按謂按摩蹻謂如蹻捷者之舉動手足是所謂導引也然擾動筋骨則陽氣不藏春陽氣上升重熱熏肺肺通於鼻病則形之故冬不按蹻春不鼽衄鼽謂鼻中水出衄謂鼻中血出 春不病頸項，仲夏不病胷脇，長夏不病洞泄寒中，秋不病風瘧，冬不病痺厥，飱泄而汗出也。此上五句並爲冬不按蹻之所致也。新校正云：詳飱泄而汗出也六字，上文疑剩。夫精者身之本也，故藏於精者春不病溫。此正謂冬不按蹻則精氣伏藏，以陽不妄升，故春无溫病。夏暑汗不出者，秋成風瘧。此正謂以風涼之氣折暑汗也。新校正云：詳此下義與上文不相接。此平人脉法也。謂平病人之脉法也。故曰：陰中有陰，陽中有陽。言其初起與其王也。平旦至日中，天之陽，陽中之陽也；日中至黃昏，天之陽，陽中之陰也。日中陽盛，故曰陽中之陽；黃昏陰盛，故曰陽中之陰。陽氣主晝，故平旦至黃昏皆爲天之陽，而中復有陰陽之殊耳。合夜至雞鳴，天之陰，陰中之陰也；雞鳴至平旦，天之陰，陰中之陽也。雞鳴陽氣未出，故也天之陰；平旦陽氣已升，故曰陰中之陽。故人亦應之。夫言人之陰陽，則外爲陽。内爲陰。言人身之陰陽。則背爲陽。腹爲陰。言人身之藏府中陰陽。則藏者爲陰。府者爲陽。藏謂五神藏府謂六化府肝心脾肺腎五藏皆爲陰。膽胃大腸小腸膀胱三焦六府皆爲陽。靈樞經曰三焦者上合於手心主又曰足三焦者太陽之別名也正理論曰三焦者有名无形上合於手心主下合右腎主謁道諸氣名爲使者也所以欲知陰中之陰。陽中之陽者何也。爲冬病在陰。夏病在陽。春病在陰。秋病在陽。皆視其所在。爲施鍼石也。故背爲陽。陽中之陽。心也。心爲陽藏位處上焦以陽居陽故爲陽中之陽也靈樞經曰心爲牡藏牡陽也背爲陽。陽中之陰。肺也。肺爲陰藏位處上焦以陰居陽故謂陽中之陰也靈樞經曰肺爲牝藏牝陰也腹爲陰。陰中之陰。腎也。腎爲陰藏位處下焦以陰居陰故謂陰中之陰也靈樞經曰腎爲牝藏牝陰也腹爲陰。陰中之陽。肝也。肝爲陽藏位處中焦以陽居陰故謂陰中之陽也靈樞經曰肝爲牡藏牡陽也腹爲陰陰中之至陰脾也脾爲陰藏位處中焦以太陰居陰故謂陰中之至陰也靈樞經曰脾爲牝藏牝陰也此皆陰陽表裏內外雌雄相輸應也故以應天之陰陽也以其氣象參合故能上應於天帝曰五藏應四時各有收受乎岐伯曰有東方青色入通於肝開竅於目藏精於肝精謂精氣也木精之氣其神魂陽升之方以目爲用故開竅於目其病發驚駭象木屈伸有摇動驚駭也新校正云詳東方云病發驚駭餘方各闕者按五常政大論委和之紀其發驚駭疑此文爲衍其味酸其類草木性柔脆而曲直其畜雞以雞爲畜取巽言之易曰巽爲雞其穀麥五穀之長者麥故東方用之本草曰麥爲五穀之長新校正云按五常政大論云其畜犬其穀麻其應四時上爲歲星木之精氣上爲歲星十二年一周天是以春氣在頭也萬物發榮於上故春氣在頭新校正云詳東方言春氣在頭不言故病在頭餘方言故病在某不言某氣在某者互文也其音角角木聲也孟春之月律中太蔟林鍾所生三分益一管率長八寸仲春之月律中夾鍾夷則所生三分益一管率長七寸五分新校正云按

鄭康成云七寸二千一百八十七分寸之千七十五　季春之月律中姑洗南吕所生三分益一管率長七寸又二十分寸之一　新校正云按鄭康成云九分寸之一　凡是三管皆木氣應之　其數八。木生數三成數八尚書洪範曰三曰木　是以知病之在筋也。木之堅柔類筋氣故　其臭臊。凡氣因木變則爲臊　新校正云詳臊月令作羶　南方赤色。入通於心。開竅於耳。藏精於心。火精之氣其神神舍心之官當言於舌舌用非竅故云耳也繆刺論曰手少陰之絡會於耳中義取此也　故病在五藏。以夏氣在藏也　其味苦。其類火。性炎上而燔灼　其畜羊。以羊爲畜言其未也以土同王故通而言之　新校正云按五常政大論云其畜馬　其穀黍。黍色赤　其應四時。上爲熒惑星。火之精氣上爲熒惑星七百四十日一周天　是以知病之在脉也。火之躁動類於脉氣　其音徵。徵火聲也孟夏之月律中仲吕无射所生三分益一管率長六寸七分　新校正云按鄭康成云六寸萬九千六百八十三分寸之萬二千九百七十四　仲夏之月律中蕤賓應鍾所生三分益一管率長六寸三分　新校正云按鄭康成云六寸八千一分寸之二十六　季夏之月律中林鍾黄鍾所生三分減一管率長六寸凡是三管皆火氣應之　其數七。火生數二成數七尚書洪範曰二曰火　其臭焦。凡氣因火變則爲焦 中央黄色，入通於脾，開竅於口，藏精於脾。土精之氣，其神意。脾爲化穀，口主迎糧，故開竅於口。 故病在舌本。脾脉上連於舌本，故病氣居之。 其味甘，其類土。性安靜而化造 其畜牛。土王四季，故畜取丑牛。又以牛色黄也。 其穀稷。色黄而味甘也。 其應四時，上爲鎮星。土之精氣上爲鎮星，二十八年一周天。 是以知病之在肉也。土之柔厚，類肉氣故。 其音宫。宫，土聲也。律書以黄鍾爲濁宫，林鍾爲清宫。蓋以林鍾當六月管也。五音以宫爲主，律吕初起於黄鍾，爲濁宫，林鍾爲清宫也。 其數五。土數五。尚書洪範曰：五曰土。 其臭香。凡氣因土變則爲香 西方白色，入通於肺，開竅於鼻，藏精於肺。金精之氣，其神魄。肺藏氣，鼻通息，故開竅於鼻。 故病在背。以肺在胷中，背爲胷中之府也。 其味辛，其類金。性音聲而堅勁。 其畜馬。畜馬者，取乾也。易曰：乾爲馬。新校正云：按五常政大論云：其畜雞。 其穀稻。稻堅白。 其應四時，上爲太白星。金之精氣上爲太白星，三百六十五日一周天。 是以知病之在皮毛也。金之堅密，類皮毛也。 其音商。商，金聲也。孟秋之月律中夷則，大吕所生，三分減一，管率長五寸七分，仲秋之月律中南呂太簇所生三分減一管率長五寸三分季秋之月律中元射夾鍾所生三分減一管率長五寸凡是三管皆金氣應之其數九。
金生數四成數九尚書洪範曰四曰金其臭腥。凡氣因金變則爲腥羶之氣也北方黑色。入通於腎。
開竅於二陰。藏精於腎。水精之氣其神志腎藏精陰泄注故開竅於二陰也故病在谿。谿謂
肉之小會也氣穴論曰肉之大會爲谷肉之小會爲谿其味鹹。其類水。性潤下而滲灌其畜彘。彘豕也
其穀豆。豆黑色其應四時。上爲辰星。水之精氣上爲辰星三百六十五日一周天是以
知病之在骨也。腎主幽暗骨體内藏以類相同故病居骨也其音羽。羽水聲也孟冬之月律中應鍾沽洗
所生三分減一管率長四寸七分半仲冬之月律中黃鍾仲呂所生三分益一管率長九寸季冬之月律中太呂蕤賓所生三分益一管率長八寸四分凡是
三管皆水氣應之其數六。水生數一成數六尚書洪範曰一曰水其臭腐。凡氣因水變則爲腐朽之氣也故善
爲脉者。謹察五藏六府。一逆一從。陰陽表裏雌雄之
紀。藏之心意。合心於精。心合精微則深知通變非其人勿教。非其眞

勿授是謂得道隨其所能而與之是謂得師資教授之道也靈樞經曰明目者可使視色耳聰者可使聽音捷疾辭語者可使論語徐而安靜手巧而心審諦者可使行鍼艾理血氣而調諸逆順察陰陽而兼諸方論緩節柔筋而心和調者可使導引行氣痛毒言語輕人者可使唾癰呪病爪苦手毒為事善傷者可使按積抑痺由是則各得其能方乃可行其名乃彰故曰非其人勿教非其真勿授也

重廣補註黃帝内經素問卷第一

序 迺其上音乃

蔵勒棊革切 糅女救切雜也 瀅音瑩 上古天真論 徇徐閏切病也 痺必至切 更齒上古行切下齒更同 恬憺上啼廉切下音淡 頞於葛切 俠口胡夾切下同 額顱落胡切 滲灌上所禁切 解

愷上上聲 壽敝毗祭切 眉睫音接 恚嗔上於桂切 愉音俞 四氣調神大論 予而上音與 獺他達切 鴽音如鶉也 蕃秀上音煩 螻蟈上音樓下古獲切蛙也 蚯蚓上音丘下以志切 鵙古闃切搏勞也 蜩音條 溽暑上音辱 痎音皆瘦瘧也 欲熾尺志切 坏戶

内經一 二十四

上步回切 始 涸胡各切 豺音柴 亟奪上去吏切 鶡苦割切 荔挺上力計切下大頂切 薌音向

雊古豆切雉鳴 爲否符鄙切下不交否同 燠熱上於六切 生氣通天論 分上聲 暴

卒倉没切 荒佚音逸 躁則到切 喝呼葛切 瘀衣倨切 褰攘汝陽切 緛音軟

縮也 潰潰古沒切煩悶不止也 眥在計切又前計切 奔併下去聲 偏沮子魚切潤也 痤昨禾

切 痱方味切 怫符弗切 皶織加切 稸許竹切 瘈尺制切 焫而劣切 大僂

力主切 瘻力闘切癰瘻 瘍音陽下並同 俞音庶 否隔符鄙切塞也 粗千胡切 淖奴教

切下並同 腸澼普擊切 決憊蒲拜切 癃音隆 金匱眞言論 鼽音求 按

蹻音脚 燔灼上音煩 彘直利切 埶

重廣補注黃帝內經素問卷第二

啓玄子次注林億孫奇高保衡等奉敕校正孫兆重改誤

陰陽應象大論　陰陽離合論

陰陽別論

陰陽應象大論篇第五

新校正云按全元起本在第九卷

黃帝曰：陰陽者，天地之道也。謂變化生成之道也老子曰萬物負陰而抱陽沖氣以爲和易繫辭曰一陰一陽之謂道此之謂也萬物之綱紀，滋生之用也陽與之正氣以生陰爲之主持以立故爲萬物之綱紀也陰陽離合論曰陽與之正陰爲之主則謂此也變化之父母，異類之用也何者如鷹化爲鳩田鼠化爲鴽腐草化爲螢雀入大水爲蛤雉入大水爲蜃如此皆異類因變化而成有也生殺之本始，寒暑之用也萬物假陽氣溫而生因陰氣寒而死故知生殺本始是陰陽之所運爲也神明之府也。府宮府也言所以生殺變化之多端者何哉以神明居其中也下文曰天地之動靜神明爲之綱紀故易繫辭曰陰

陽不測之謂神〻謂居其中也　新校正云詳陰陽至神明之府與天元紀大論同注頗異　治病必求於本。陰陽與萬類生

殺變化猶然在於人身同相參合故治病之道必先求之　故積陽爲天。積陰爲地。言陰陽爲天地之道者何以此

陰靜陽躁。言應物類運用之標格也　陽生陰長。陽殺陰藏。明前天地殺生之殊用也神農曰

天以陽生陰長地以陽殺陰藏　新校正云詳陰長陽殺之義或者疑之按周易八卦布四方之義則可見矣坤者陰也位西南隅時在六月七月之交萬物

之所盛長也安謂陰無長之理乾者陽也位戌亥之分時在九月十月之交萬物之所收殺也孰謂陽無殺之理　以是明之陰長陽殺之理可見矣此語又見

天元紀大論其說自異　陽化氣。陰成形。明前萬物滋生之綱紀也　寒極生熱。熱極生寒。

明前之大體也　寒氣生濁。熱氣生清。言正氣也　清氣在下。則生飧泄。濁

氣在上。則生䐜脹。熱氣在下則穀不化故飧泄寒氣在上則氣不散故䐜脹何者以陰靜而陽躁也　此陰

陽反作。病之逆從也。反謂反覆作謂作務反覆作務則病如是　故清陽爲天。濁

陰爲地。地氣上爲雲。天氣下爲雨。雨出地氣。雲出天

氣。陰凝上結則合以成雲陽散下流則注而爲雨雨從雲以施化故言雨出地雲憑氣以交合故言雲出天天地之理且然人身清濁亦如是也

故清陽出上竅。濁陰出下竅。氣本乎天者親上氣本乎地者親下各從其類也上竅謂耳目鼻口下竅謂前陰後陰

清陽發腠理。濁陰走五藏。腠理謂滲泄之門故清陽可以發散五藏爲包藏之所故濁陰可以走之

清陽實四支。濁陰歸六府。四支外動故清陽實之六府內化故濁陰歸之

水爲陰。火爲陽。水寒而靜故爲陰火熱而躁故爲陽

陽爲氣。陰爲味。氣惟散布故陽爲之味曰從形故陰爲之

味歸形。形歸氣。氣歸精。精歸化。形食味故味歸形氣養形故形歸氣精食氣故氣歸精化生精故精歸化故下文曰

精食氣。形食味。氣化則精生味和則形長故云食之也

化生精。氣生形。精微之液惟血化而成形質之有資氣行營立故斯二者各奉生乎

味傷形。氣傷精。過其節也

精化爲氣。氣傷於味。精承化養則食氣精若化生則不食氣精血內結鬱爲穢腐攻胃則五味倨然不得入也女人重身精化百日皆傷於味也

陰味出下竅。陽氣出上竅。味有質故下流於便寫之竅氣無形故上出於呼吸之門

味厚者

爲陰。薄爲陰之陽。氣厚者爲陽，薄爲陽之陰。陽爲氣，氣厚者爲純陽；陰爲味，味厚者爲純陰。故味薄者爲陰中之陽，氣薄者爲陽中之陰。味厚則泄，薄則通。氣薄則發泄，厚則發熱。陰氣潤下，故味厚則泄利；陽氣炎上，故氣厚則發熱。味薄爲陰少，故通泄；氣薄爲陽少，故汗出。發泄，謂汗出也。壯火之氣衰，少火之氣壯。火之壯者，壯已必衰；火之少者，少已則壯。壯火食氣，氣食少火。壯火散氣，少火生氣。氣生壯火，故云壯火食氣；少火滋氣，故云氣食少火。以壯火食氣，故氣得壯火則耗散；以少火益氣，故氣得少火則生長。人之陽氣，壯少亦然。氣味辛甘發散爲陽，酸苦涌泄爲陰。非惟氣味分正陰陽，然辛甘酸苦之中，復有陰陽之殊氣爾。何者？辛散甘緩，故發散爲陽；酸收苦泄，故涌泄爲陰。陰勝則陽病，陽勝則陰病。勝則不病，不勝則病。陽勝則熱，陰勝則寒。是則太過而致也。新校正云：按甲乙經作"陰病則熱，陽病則寒"，文異意同。重寒則熱，重熱則寒。物極則反，亦猶壯火之氣衰，少火之氣壯也。寒傷形，熱傷氣。寒則衛氣不利，故傷形；熱則榮氣內消，故傷氣。雖陰成形，陽化氣，一過其節，則形氣被傷。

氣傷痛。形傷腫。氣傷則熱結於肉分故痛形傷則寒薄於皮腠故腫故先痛而後腫者氣傷形也。先腫而後痛者形傷氣也。先氣證而病形故曰氣傷形先形證而病氣故曰形傷氣風勝則動風勝則庶物皆搖故爲動　新校正云按左傳曰風淫末疾即此義也熱勝則腫。熱勝則陽氣內鬱故洪腫暴作甚則榮氣逆於肉理聚爲癰膿之腫燥勝則乾。燥勝則津液竭涸故皮膚乾燥寒勝則浮。寒勝則陰氣結於玄府玄府閉密陽氣內攻故爲浮濕勝則濡寫。濕勝則內攻於脾胃脾胃受濕則水穀不分水穀相和故大腸傳道而注寫也以濕內盛而寫故謂之濡寫　新校正云按左傳曰雨淫腹疾則其義也風勝則動至此五句與天元紀大論文重彼注頗詳矣天有四時五行以生長收藏。以生寒暑燥濕風。春生夏長秋收冬藏謂四時之生長收藏冬水寒夏火暑秋金燥春木風長夏土濕謂五行之寒暑濕燥風也然四時之氣土雖寄王原其所王則濕屬中央故云五行以生寒暑燥濕風五氣人有五藏化五氣以生喜怒悲憂恐。五藏謂肝心脾肺腎五氣謂喜怒悲憂恐然是五氣更傷五藏之和氣矣　新校正云按天元紀大論悲作思又本篇下文肝在志爲怒心在志爲喜脾在志爲思肺在志爲憂腎在志爲恐玉機真藏論作悲諸論不同皇甫士安甲乙經精神五藏篇具有其說蓋言悲者以悲能勝怒取五志迭相勝而爲言也舉思者以思爲脾之志也各舉一則義俱不足兩見之則互相成義也

故喜怒傷氣。寒暑傷形。喜怒之所生皆生於氣故云喜怒傷氣寒暑之所勝皆勝於形故云寒暑傷形近取舉凡則如斯矣細而言者則熱傷於氣寒傷於形

暴怒傷陰。暴喜傷陽。怒則氣上喜則氣下故暴卒氣上則傷陰暴卒氣下則傷陽

厥氣上行。滿脈去形。厥氣逆也逆氣上行滿於經絡則神氣浮越去離形骸矣

喜怒不節。寒暑過度。生乃不固。靈樞經曰智者之養生也必順四時而適寒暑和喜怒而安居處然喜怒不恒寒暑過度天真之氣何可久長

故重陰必陽。重陽必陰。言傷寒傷暑亦如是

故曰冬傷於寒。春必溫病。夫傷於四時之氣皆能爲病以傷寒爲毒者最爲殺厲之氣中而即病故曰傷寒不即病者寒毒藏於肌膚至春變爲溫病至夏變爲暑病故養生者必慎傷於邪也

春傷於風。夏生飧泄。風中於表則內應於肝肝氣乘脾故飧泄　新校正云按生氣通天論云春傷於風邪氣留連乃爲洞泄

夏傷於暑。秋必痎瘧。夏暑已甚秋熱復壯兩熱相攻故爲痎瘧痎瘦也

秋傷於濕。冬生欬嗽。秋濕既多冬水復王水濕相得肺氣又衰故冬寒甚則爲嗽　新校正云

按生氣通天論云秋傷於濕上逆而欬發爲痿厥

帝曰。余聞上古聖人。論理人形。列別藏府。端絡經脉。會通六合。各從其經。氣穴所發。各有處名。谿谷屬骨。皆有所起。分部逆從。各有條理。四時陰陽。盡有經紀。外内之應。皆有表裏。其信然乎。六合謂十二經脉之合也靈樞經曰太陰陽明爲一合少陰太陽爲一合厥陰少陽爲一合手足之脉各三則爲六合也手厥陰則心包胳脉也氣穴論曰肉之大會爲谷肉之小會爲谿肉分之間谿谷之會以行榮衛以會大氣屬骨者爲骨相連屬處表裏者諸陽經脉皆爲表諸陰經脉皆爲裏　新校正云詳帝曰至信其然乎全元起本及太素在上古聖人之教也上

岐伯對曰。東方生風。陽氣上騰散爲風也風者天之號令風爲教始故生自東方風生木。風鼓木榮則風生木也木生酸。凡物之味酸者皆木氣之所生也尚書洪範曰曲直作酸酸生肝。生謂生長也凡味之酸者皆先生長於肝肝生筋。肝之精氣生養筋也筋生心。陰陽書曰木生火然肝之木氣内養筋已乃生心也肝主目。目見日明類齊同也其在天爲玄。玄謂玄冥言天色高遠尚未盛明也在人爲

道。道謂道化以道而化人則歸從在地爲化。化謂造化也庶類時育皆造化者也化生五味。萬物生五味具皆變化爲母而使生成也道生智。智從正化而有故曰道生智玄生神。玄冥之内神處其中故曰玄生神神在天爲風。飛揚鼓坼風之用也然發而周遠无所不通信乎神化而能爾在地爲木。柔軟曲直木之性也　新校正云詳其在天至爲木與天元紀大論同注頗異在體爲筋。束絡連綴而爲力也在藏爲肝。其神魂也道經義曰魂居肝魂靜則至道不亂在色爲蒼。蒼謂薄青色象木色也在音爲角。角謂木音調而直也樂記曰角亂則憂其民怨在聲爲呼。呼謂叫呼亦謂之嘯在變動爲握。握所以牽就也　新校正云按楊上善云握憂噦欬慄五者改志而有名曰變動也在竅爲目。目所以司見形色在味爲酸。酸可用收斂也在志爲怒。怒所以禁非也怒傷肝。雖志爲怒甚則自傷悲勝怒。悲則肺金并於肝木故勝怒也宣明五藏篇曰精氣并於肺則悲　新校正云詳五志云怒喜思憂恐悲當云憂今變憂爲悲者蓋以恚憂而不解則傷意悲哀而動中則傷魂故不云憂也風傷筋。風勝則筋絡拘急　新校正云按五運行大論曰風傷肝燥勝風。燥爲金氣故勝木風酸傷筋。過節也辛勝酸。辛金味故勝木酸南方生熱。陽氣炎燥故生熱熱生火。鑽燧改火惟熱是生火生苦。凡物之味苦者皆火氣之所生也尚書洪範曰炎上作苦苦生心。凡味之苦者皆先生長於心心生血。心之精氣生養血也血生脾。陰陽書曰火生土然心火之氣內養血已乃生脾土　新校正云按太素血作脈心主舌。心別是非舌以言事故主舌其在天為熱。暄暑熾燠熱之用也在地為火。炎上翕絕火之性也在體為脈。通行榮衛而養血也在藏為心。其神心也道經義曰神處心神守則血氣流通在色為赤。象火色在音為徵。徵謂火音和而美也樂記曰徵亂則哀其事勤在聲為笑。笑喜聲也在變動為憂。憂可以成務　新校正云按楊上善云心之憂在心變動肺之憂在肺之志是則肺主於秋憂為正也心主於夏變而生憂也在竅為舌。舌所以司辨五味也金匱真言論曰南方赤色入通於心開竅於耳尋其為竅則舌義便乎以其主味故云舌也在味為苦。苦可用燥泄也在志為喜。喜所以和樂也喜傷心。雖志為喜甚則自傷恐勝喜。恐則腎水并於心火故勝喜也宣明五藏篇曰精氣并於腎則恐熱傷氣。熱勝則喘息促急寒勝熱。寒為水氣故勝火熱苦傷氣。以火生也　新校正云詳此篇論所傷之旨其例有三東方云風傷筋酸傷筋中央云濕傷肉甘傷肉是自傷者也南方云熱傷氣苦傷氣此方云寒傷血鹹傷血是傷已所勝西方云熱傷皮毛是被勝傷已亦傷皮毛是自傷者也凡此五方所傷有此三例不同太素則俱云自傷鹹勝苦。鹹水味故勝火苦 中央生濕。陽氣盛薄陰氣固升升薄相合故生濕也易義曰陽上薄陰陰能固之然後蒸而爲雨明濕生於固陰之氣也 新校正云按楊上善云六月四陽二陰合蒸以生濕氣也 濕生土。土濕則固明濕生也 新校正云按楊上善云四陽二陰合而爲濕蒸腐萬物成土也 土生甘。凡物之味甘者皆土氣之所生也尚書洪範曰稼穡作甘 甘生脾。凡味之甘者皆先生長於脾 脾生肉。脾之精氣生養肉也 肉生肺。陰陽書曰土生金然脾土之氣内養肉已乃生肺金 脾主口。脾受水穀口納五味故土口 其在天爲濕。雲霧露雨濕之用也 在地爲土。安靜稼穡土之德也 在體爲肉。覆裹筋骨充其形也 在藏爲脾。其神意也道經義曰意託脾意寧則智无散越 在色爲黃。象土色也 在音爲宮。宮謂土音大而和也樂記曰宮亂則荒其君驕 在聲爲歌。歌嘆聲也 在變動爲噦。噦謂噦噫胃寒所生 新校正云詳王謂噦爲噦噫噫非噦也按楊上善云噦氣忤也 在竅爲口。口所以司納水穀 在味爲甘。甘可用寬緩也 在志爲思。思所以知遠也 思傷脾。雖志爲思甚則自傷 怒勝思。怒則不思勝可知矣濕傷肉。脾主肉而惡濕故濕勝則肉傷風勝濕。風爲木氣故能勝土濕甘傷肉。亦過節也新校正云按五運行大論云甘傷脾酸勝甘。酸木味故勝土甘西方生燥。天氣急切故生燥燥生金。金燥有聲則生金也金生辛。凡物之味辛者皆金氣之所生也尚書洪範曰從革作辛辛生肺。凡味之辛者皆先生長於肺肺生皮毛。肺之精氣生養皮毛皮毛生腎。陰陽書曰金生水然肺金之氣養皮毛已乃生腎水肺主鼻。肺藏氣鼻通息故主鼻其在天爲燥。輕急勁強燥之用也在地爲金。堅勁從革金之性也在體爲皮毛。包藏膚腠扞其邪也在藏爲肺。其神魄也道經義曰魄在肺魄安則德修壽延在色爲白。象金色在音爲商。商謂金聲輕而勁也樂記曰商亂則陂其官壞在聲爲哭。哭哀聲也在變動爲欬。欬謂欬嗽所以利咽喉也在竅爲鼻。鼻所以司嗅呼吸在味爲辛。辛可用散潤也在志爲憂。憂深慮也憂傷肺。雖志爲憂過則損也喜勝憂。喜則心火并於肺金故勝憂宣明五氣篇曰精氣并於心則喜熱傷皮毛。熱從火生耗津液故寒勝熱。陰制陽也新校正云按太素作燥傷皮毛熱勝燥又按王注五運行大論云火有二別故此再擧熱傷之形證辛傷皮毛。過而招損苦勝辛。苦火味故勝金辛北方生寒。陰氣凝冽故生寒也寒生水。寒氣盛凝變爲水水生鹹。凡物之味鹹者皆水氣之所生也尚書洪範曰潤下作鹹鹹生腎。凡味之鹹者皆生長於腎腎生骨髓。腎之精氣生養骨髓髓生肝。陰陽書曰水生木然腎水之氣養骨髓已乃生肝木腎主耳。腎屬北方位居幽暗聲入故主耳其在天爲寒。凝清慘列寒之用也在地爲水。清潔潤下水之用也在體爲骨。端直貞幹以立身也在藏爲腎。其神志也道經義曰志藏腎志營則骨髓滿實在色爲黑。象水色在音爲羽。羽謂水音沈而深也樂記曰羽亂則危其財匱在聲爲呻。呻吟聲也在變動爲慄。慄謂戰慄甚寒大恐而悉有之在竅爲耳。耳所以司聽五音新校正云按金匱眞言論云開竅於二陰蓋以心寄竅於耳故與此不同在味爲鹹。鹹可用柔耎也在志爲恐。恐所以懼惡也恐傷腎。恐而不已則内感於腎故傷也靈樞經曰恐懼而不解則傷精明感腎也思勝恐。思深慮遠則見事源故勝恐也寒傷血。寒則血凝傷可知也新校正云按太素血作骨燥勝寒。燥從熱生故勝寒也新校正云按太素燥作濕鹹傷血。食鹹而渴傷血可知新校正云按太素血作骨甘勝鹹。甘土味故

勝水鹹　新校正云詳自前岐伯對曰至此與五運行論同兩注頗異當並用之　故曰天地者萬物之上下
也觀其覆載而萬物之上下可見矣　陰陽者血氣之男女也陰主血陽主氣陰生女陽生男　左右
者陰陽之道路也陰陽間氣左右循環故左右爲陰陽之道路也　新校正云詳間氣之說具六微旨大論中楊上善云陰
氣右行陽氣左行　水火者陰陽之徵兆也觀水火之氣則陰陽徵兆可明矣　陰陽者萬物
之能始也謂能爲變化之生成之元始　新校正云詳天地者至萬物之能始與天元紀大論同注頗異彼无陰陽者血氣之男女一句
又以金木者生成之終始代陰陽者萬物之能始　故曰陰在内陽之守也陽在外陰之
使也陰靜故爲陽之鎮守陽動故爲陰之役使　帝曰法陰陽奈何岐伯曰陽勝則
身熱腠理閉喘麤爲之俛仰汗不出而熱齒乾以煩
冤腹滿死能冬不能夏陽勝故能冬熱甚故不能夏　陰勝則身寒汗出
身常清數慄而寒寒則厥厥則腹滿死厥謂氣逆　能夏不能

冬。陰勝故能夏寒甚故不能冬此陰陽更勝之變病之形能也。帝曰。調
此二者柰何。調謂順天癸性而治身之血氣精氣也岐伯曰。能知七損八益。則
二者可調。不知用此。則早衰之節也。用謂房色也女子以七七為天癸之終丈夫以
八八為天癸之極然知八可益知七可損則各隨氣分脩養天眞終其天年以度百歲上古天眞論曰女子二七天癸至月事以時下丈夫二八天癸至精氣
溢寫然陰七可損則海滿而血自下陽八宜益交會而泄精由此則七損八益理可知矣年四十。而陰氣自半也。
起居衰矣。內耗故陰減中乾故氣力始衰靈樞經曰人年四十腠理始踈榮華稍落髮班白由此之節言之亦起居衰之次也年五
十。體重耳目不聰明矣。衰之漸也年六十。陰痿氣大衰九竅
不利下虛上實涕泣俱出矣。衰之甚矣故曰。知之則強。不知
則老。知謂知七損八益全形保性之道也故同出而名異耳。同謂同於好欲異謂異其老壯之名智者
察同愚者察異。智者察同欲之間而能性道愚者見形容別異方乃效之自性則道益有餘放效則治生不足故下文曰愚

者不足智者有餘先行故有餘後學故不足有餘則耳目聰明身體輕強老者復壯壯者益治夫保性全真蓋由知道之所致也故曰道者不可斯須離可離非道此之謂也是以聖人爲無爲之事樂恬憺之能從欲快志於虛无之守故壽命无窮與天地終此聖人之治身也聖人不爲无益害有益不爲害性而順性故壽命長遠與天地終庚桑楚曰聖人之於聲色滋味也利於性則取之害於性則損之此全性之道也書曰不作无益害有益也天不足西北故西北方陰也而人右耳目不如左明也在上故法天地不滿東南故東南方陽也而人左手足不如右強也在下故法地帝曰何以然歧伯曰東方陽也陽者其精并於上并於上則上明而下虛故使耳目聰明而手足不便也西方陰也陰者其精并於下并於下則

下盛而上虛，故其耳目不聰明而手足便也。故俱感於邪，其在上則右甚，在下則左甚，此天地陰陽所不能全也，故邪居之。夫陰陽之應天地，猶水之在器也，器圓則水圓，器曲則水曲，人之血氣亦如是，故隨不足則邪氣留居之。故天有精，地有形，天有八紀，地有五里。陽為天降精氣以施化，陰為地布和氣以成形，五行為生育之井里，八風為變化之綱紀。八紀謂八節之紀，五里謂五行化育之里。故能為萬物之父母。陽天化氣，陰地成形，五里運行，八風鼓拆，收藏生長，先替時宜，夫如是，故能為萬物變化之父母也。清陽上天，濁陰歸地，所以能為萬物之父母者何？以有是之升降也。是故天地之動靜，神明為之綱紀。清陽上天，濁陰歸地，然其動靜誰所主司？蓋由神明之綱紀爾。上文曰神明之府，此之謂也。故能以生長收藏，終而復始。神明之運為，乃能如是。惟賢人上配天以養頭，下象地以養足，中傍人事以養五藏。頭圓故配天，足方故象地，人事更易，五藏遞遷，故從而養也。天氣通於

肺。居高故地氣通於嗌。次下故風氣通於肝。風生木故雷氣通於心。雷象
火之有聲故谷氣通於脾。谷空虛脾受納故雨氣通於腎。腎主水故　新校正云按千金方云
風氣應於肝雷氣動於心穀氣感於脾雨氣潤於腎六經爲川。流注不息故腸胃爲海。以皆受納也靈樞經曰胃
爲水穀之海九竅爲水注之氣。清明者象水之內明流注者象水之流注以天地爲之陰
陽。以人事配象則近指天地以爲陰陽陽之汗。以天地之雨名之。夫人汗泄於皮腠者是陽氣之發泄爾然
其取類於天地之間則雲騰雨降而相似也故曰陽之汗以天地之雨名之陽之氣。以天地之疾風名
之。陽氣散發疾風飛揚故以應之舊經无名之二字尋前類例故加之暴氣象雷。暴氣鼓擊鳴轉有聲故逆氣象
陽。逆氣陵上陽氣亦然故治不法天之紀。不用地之理。則災害至矣。
背天之紀違地之理則六經反作五氣更傷真氣既傷則災害之至可知矣　新校正云按上文天有八紀地有五里此文注中理字當作里故邪
風之至。疾如風雨。至謂至於身形故善治者。治皮毛。止於萌也其次治

肌膚。救其已生其次治筋脉。攻其已病其次治六府。治其已甚其次治五藏。
治五藏者。半死半生也。治其已成神農曰病勢已成可得半愈然初成者獲愈固久者伐形故治五藏者半生半
死也故天之邪氣感則害人五藏。四時之氣八正之風皆天邪也金匱真言論曰八風發邪以爲經風觸五
藏邪氣發病故天之邪氣感則害人五藏水穀之寒熱感則害於六府。熱傷胃及膀胱寒傷腸及膽氣
地之濕氣感則害皮肉筋脉。濕氣勝則榮衛之氣不行故感則害於皮肉筋脉故善用
鍼者。從陰引陽。從陽引陰。以右治左。以左治右。以我
知彼。以表知裏。以觀過與不及之理。見微得過。用之
不殆。深明故也善診者。察色按脉。先別陰陽。別於陽者則知病處別於陰者則知死生之期
審清濁。而知部分。謂察色之青赤黃白黑也部分謂藏府之位可占候處視喘息。聽音聲。而
知所苦。謂聽聲之宮商角徵羽也視喘息謂候呼吸之長短也觀權衡規矩。而知病所主。

權謂秤權衡謂星衡規謂圓形矩謂方象然權也者所以察中外衡也者所以定高卑規也者所以表柔虛矩也者所以明柔盛脉要精微論曰以春應中規言陽氣柔軟以夏應中矩言陽氣盛強以秋應中衡言陰升陽降氣有高下以冬應中權言陽氣居下也故善診之用必備見焉所主者謂應四時之氣所主生病之在高下中外也按尺寸。觀浮沈滑濇而知病所生以治。浮沈滑濇皆脉象也浮脉者浮於手下也沈脉者按之乃得也滑脉者往來易濇脉者往來難故審尺寸觀浮沈而知病之所生以治之也　新校正云按甲乙經作知病所在以治則无過下无過二字續此爲句無過以診。則不失矣。有過无過皆以診知則所主治无誤失也故曰。病之始起也。可刺而已。以輕微也其盛可待衰而已。病盛取之毀傷真氣故其盛者必可待衰故因其輕而揚之。輕者發揚則邪去因其重而減之。重者節減去之因其衰而彰之。因病氣衰攻令邪去則真氣堅固血色彰明形不足者。溫之以氣。精不足者。補之以味。氣謂衞氣味謂五藏之味也靈樞經曰衞氣者所以溫分肉而充皮膚肥腠理而司開闔故衞氣溫則形分足矣上古天真論曰腎者主水受五藏六府之精而藏之故五藏盛乃能寫由此則精不足者補五藏之味也其高者。因而越之。越謂越揚也其下者。引而竭之。引謂泄引也中滿者寫之於内。内謂腹内其有邪者。漬形以爲汗。邪謂風邪之氣風中於表則汗而發之其在皮者。汗而發之。在外故汗發泄也其慓悍者。按而收之。慓疾也悍利也氣候疾利則按之以收斂也其實者。散而寫之。陽實則發散陰實則宣寫故下文審其陰陽。以別柔剛。陰曰柔陽曰剛陽病治陰。陰病治陽。所謂從陰引陽從陽引陰以右治左以左治右者也定其血氣。各守其鄉。鄉謂本經之氣位血實宜決之。決謂決破其血氣虛宜掣引之。掣讀爲導導引則氣行條暢　新校正云按甲乙經掣作製

陰陽離合論篇第六 新校正云按全元起本在第三卷

黃帝問曰。余聞天爲陽。地爲陰。日爲陽。月爲陰。大小月三百六十日成一歲。人亦應之。以四時五行運用於内故人亦應之　新校正云詳

天爲陽至成一歲與六節藏象篇重今三陰三陽不應陰陽其故何也岐伯對曰陰陽者數之可十推之可百數之可千推之可萬萬之大不可勝數然其要一也一謂離合也雖不可勝數然其要妙以離合推步悉可知之天覆地載萬物方生未出地者命曰陰處名曰陰中之陰處陰之中故曰陰處形未動出亦是爲陰以陰居陰故曰陰中之陰則出地者命曰陰中之陽形動出者是則爲陽以陽居陰故曰陰中之陽陽予之正陰爲之主陽施正氣萬物方生陰爲主持群形乃立故生因春長因夏收因秋藏因冬失常則天地四塞春夏爲陽故生長也秋冬爲陰故收藏也若失其常道則春不生夏不長秋不收冬不藏夫如是則四時之氣閉塞陰陽之氣无所運行矣陰陽之變其在人者亦數之可數天地陰陽雖不可勝數在於人形之用者則數可知之帝曰願聞三陰三陽之離合也岐伯曰聖人南面而立前曰

廣明後曰太衝。廣大也南方丙丁火位主之陽氣盛明故曰大明也嚮明治物故聖人南面而立易曰相見乎離蓋謂此也然在人身中則心藏在南故謂前曰廣明衝脉在北故謂後曰太衝然太衝者腎脉與衝脉合而盛大故曰太衝是以下文云 太衝之地。名曰少陰。此正明兩脉相合而爲表裏也 少陰之上。名曰太陽。腎藏爲陰膀胱府爲陽陰氣在下陽氣在上此爲一合之經氣也靈樞經曰足少陰之脉者腎脉也起於小指之下邪趣足心又曰足太陽之脉者膀胱脉也循京骨至小指外側由此故少陰之上名太陽也是以下文曰 太陽根起於至陰。結於命門。名曰陰中之陽。至陰穴名在足小指外側命門者藏精光照之所則兩目也太陽之脉起於目而下至於足故根於指端結於目也靈樞經曰命門者目也此與靈樞義合以太陽居少陰之地故曰陰中之陽 新校正云按素問太陽言根結餘經不言結甲乙今具 中身而上。名曰廣明。廣明之下。名曰太陰。靈樞經曰天爲陽地爲陰腰以上爲天腰以下爲地分身之旨則中身之上屬於廣明廣明之下屬太陰也又心廣明藏下則太陰脾藏也 太陰之前。名曰陽明。人身之中胃爲陽明脉行在脾脉之前脾爲太陰脉行於胃脉之後靈樞經曰足太陰之脉者脾脉也起於大指之端循指內側白肉際過核骨後上內踝前廉上腨內循胻骨之後足陽明之脉者胃脉也下膝三寸而別以下入中指外間由此故太陰之前名陽明也是以下文曰陽明根起於厲兑名曰陰中之陽。厲兑穴名在足大指次指之端以陽明居太陰之前故曰陰中之陽厥陰之表名曰少陽。人身之中膽少陽脉行肝脉之分外肝厥陰脉行膽脉之位内靈樞經曰足厥陰之脉者肝脉也起於足大指聚毛之際上循足跗上廉足少陽之脉者膽脉也循足跗上出小指次指之端由此則厥陰之表名少陽也故下文曰少陽根起於竅陰名曰陰中之少陽。竅陰穴名在足小指次指之端以少陽居厥陰之表故曰陰中之少陽是故三陽之離合也。太陽爲開陽明爲闔少陽爲樞。離謂別離應用合謂配合於陰別離則正位於三陽配合則表裏而爲藏府矣開闔樞者言三陽之氣多少不等動用殊也夫開者所以司動靜之基闔者所以執禁固之權樞者所以主動轉之微由斯殊氣之用故此三變之也新校正云按九墟太陽爲開陽明爲闔少陽爲樞故關折則肉節瀆緩而暴病起矣故候暴病者取之太陽闔折則氣無所止息悸病起故悸者皆取之陽明樞折則骨摇而不能安於地故骨摇者取之少陽甲乙經同三經者不得相失也搏而勿浮命曰一陽。三經之至搏擊於手而无輕重之異則正可謂一陽之氣无復有三陽差降之爲用也帝曰願聞三陰。岐伯曰。外者爲陽。內者爲陰。言三陽爲外運之離合三陰爲內用之離合也然則中爲陰。其衝在下。名曰太陰。衝脉在脾之下故言其衝在下也靈樞經曰衝脉者與足少陰之絡皆起於腎下上行者過於胞中由此則其衝之上太陰位也太陰根起於隱白。名曰陰中之陰。隱白穴名在足大指端以太陰居陰故曰陰中之陰太陰之後。名曰少陰。藏位及經脉之次也太陰脾也少陰腎也脾藏之下近後則腎之位也靈樞經曰足太陰之脉起於大指之端循指內側及上內踝前廉上腨內循骺骨後足少陰之脉起於小指之下斜趣足心出於然骨之下循內踝之後以上腨內由此則太陰之後名少陰也少陰根起於涌泉。名曰陰中之少陰。涌泉穴名在足心下踡指宛宛中少陰之前。名曰厥陰。亦藏位及經脉之次也少陰腎也厥陰肝也腎藏之前近上則肝之位也靈樞經曰足少陰脉循內踝之後上腨內廉足厥陰脉循足跗上廉去內踝一寸上踝八寸交出太陰之後上膕內由此故少陰之前名厥陰也厥陰根起於大敦。陰之絕陽。名曰陰之絕陰。大敦穴名在足大指之端三毛之中也兩陰相合故曰陰之絕陽厥盡也陰氣至此而盡故名曰陰之絕陰是故三陰之離合也○太陰爲開○厥陰爲闔○少陰爲樞○亦氣之不等也新校正云按九墟云關折則倉廩無所輸膈洞者取之太陰闔折則氣弛而善悲悲者取之厥陰樞折則脉有所結而不通不通者取之少陰甲乙經同三經者不得相失也○搏而勿沈名曰一陰○沈言殊見也陽浮亦然若經氣應至無沈浮之異則悉可謂一陰之氣非復有三陰差降之殊用也陰陽𩆜𩆜積傳爲一周○氣裏形表○而爲相成也○𩆜𩆜言氣之往來也積謂積脉之動也傳謂陰陽之氣流傳也夫脉氣往來動而不止積其所動氣血循環應水下二刻而一周於身故曰積傳爲一周也然滎衛之氣因息遊布周流形表拒捍虛邪中外主司互相成立故言氣裏形表而爲相成也新校正云按別本𩆜𩆜作衝衝

陰陽別論篇第七 新校正云按全元起本在第四卷

黃帝問曰○人有四經十二從○何謂○經謂經脉從謂順從岐伯對曰○四經應四時○十二從應十二月○十二月應十二脉○春脉弦夏脉洪秋脉浮冬脉沈謂四時之經脉也從謂天氣順行十二辰之分故應十二月也十二月謂春建寅卯辰夏建巳午未秋建申酉戌冬建亥子丑之月也十二脉謂手三陰

三陽足三陰三陽之脉也以氣數相應故參合之脉有陰陽、知陽者知陰。知陰者知陽。
深知則備識其變易凡陽有五。五五二十五陽。五陽謂五藏之陽氣也五藏應時各形一脉一脉之内包
總五藏之陽五五相乘故二十五陽也　新校正云按玉機真藏論云故病有五變五五二十五變義與此通所謂陰者真藏
也。見則為敗。敗必死也。五藏為陰故曰陰者真藏也然見者謂肝脉至中外急如循刃責責然如按琴瑟弦心
脉至堅而搏如循薏苡子累累然肺脉至大而虚如以毛羽中人膚腎脉至搏而絶如以指彈石辟辟然脾脉至弱而作數作踈夫如是脉見者皆為藏敗神
去故必死也所謂陽者。胃脘之陽也。胃脘之陽謂人迎之氣也察其氣脉動靜小大與脉口應否也胃為水穀
之海故候其氣而知病處人迎在結喉兩傍脉動應手其脉之動常左小而右大左小常以候藏右大常以候府一云胃胞之陽非也別於陽
者。知病處也。別於陰者。知死生之期。陽者衛外而為固然外邪所中別於陽則知病
處陰者藏神而内守若考真正成敗別於陰則知病者死生之期　新校正云按玉機真藏論云別於陽者知病從來別於陰者知死生之期三陽
在頭。三陰在手。所謂一也。頭謂人迎手謂氣口兩者相應俱往俱來若引繩小大齊等者名曰平人故言

所謂一也氣口在手魚際之後一寸人迎在結喉兩傍一寸五分皆可以候臟府之氣別於陽者知病忌時別
於陰者知死生之期識氣定期故知病忌審明成敗故知死生之期謹熟陰陽無與
衆謀謹量氣候精熟陰陽病忌之準可知生死之疑自決正行無惑何用衆謀議也所謂陰陽者去者為
陰至者為陽靜者為陰動者為陽遲者為陰數者為
陽言脉動之中也凡持眞脉之藏脉者肝至懸絶急十八日死
心至懸絶九日死肺至懸絶十二日死腎至懸絶七
日死脾至懸絶四日死眞脉之藏脉者謂眞藏之脉也十八日者金木成數之餘也九日者水火生成數之餘也
十二日者金火生成數之餘也七日者水土生數之餘也四日者木生數之餘也故平人氣象論曰肝見庚辛死心見壬癸死肺見丙丁死腎見戊己死脾見
甲乙死者以此如是者皆至所期不勝而死也何者以不勝尅賊之氣也曰二陽之病發心脾有不得
隱曲女子不月二陽謂陽明大腸及胃之脉也隱曲謂隱蔽委曲之事也夫腸胃發病心脾受之心受之則血不流脾受之則

味不化血不流故女子不月味不化則男子少精是以隱蔽委曲之事不能爲也陰陽應象大論曰精不足者補之以味由是則味不化而精氣少也奇病論曰胞胎者繫於腎又評熱病論曰月事不來者胞脉閉胞脉者屬於心而絡於胞中今氣上迫肺心氣不得下通故月事不來則其義也又上古天真論曰女子二七天癸至任脉通太衝脉盛月事以時下丈夫二八天癸至精氣溢寫由此則在女子爲不月在男子爲少精 其傳爲風消 其傳爲息賁者死不治 言其深久者也胃病深久傳入於脾故爲風熱以消削大腸病甚傳入於肺爲喘息而上賁然腸胃脾肺兼及於心三藏二府互相剋薄故死不治 曰三陽爲病發寒熱下爲癰腫及爲痿厥腨痟 三陽謂太陽小腸及膀胱之脉也小腸之脉起於手循臂繞肩髆上頭膀胱之脉從頭別下背貫臀入膕中循腨故在上爲病則發寒熱在下爲病則爲癰腫腨痟及爲痿厥痟痠疼也痿無力也厥足冷即氣逆也 其傳爲索澤 其傳爲頹疝 熱甚則精血枯涸故皮膚潤澤之氣皆散盡也然陽氣下墜陰脉上爭上爭則寒多下墜則筋緩故睾垂縱緩內作頹疝 曰一陽發病少氣善欬善泄 一陽謂少陽膽及三焦之脉也膽氣乘胃故善泄三焦內病故少氣陽上熏肺故善欬何故心火內應也 其傳爲心掣 其傳爲隔 隔陽氣乘心心熱故陽氣內掣三焦內結中熱故隔塞不便 二陽一

陰發病主驚駭背痛善噫善欠名曰風厥一陰謂厥陰心主及肝之脉也心主之脉起於胷中出屬心經云心病膺背肩胛間痛又在氣爲噫故背痛善噫心氣不足則腎氣乘之肝主驚駭故驚駭善欠夫肝氣爲風腎氣陵逆旣風又厥故名風厥

二陰一陽發病善脹心滿善氣二陰謂少陰心腎之脉也腎膽同逆三焦不行氣稸於上故心滿下虚上盛故氣泄出也

三陽三陰發病爲偏枯痿易四支不舉三陰不足則發偏枯三陽有餘則爲痿易易謂變易常用而痿弱無力也

鼓一陽曰鉤鼓一陰曰毛鼓陽勝急曰絃鼓陽至而絶曰石陰陽相過曰溜言何以知陰陽之病脉邪一陽鼓動脉見鉤也何以然一陽謂三焦心脉之府然一陽鼓動者則鉤脉當之鉤脉則心脉也此言正見者也一陰厥陰肝木氣也毛肺金脉也金來鼓木其脉則毛金氣内乘木陽尚勝急而内見脉則爲絃也若陽氣至而急脉名曰絃屬肝陽氣至而或如斷絶脉名曰石屬腎陰陽之氣相過无能勝負則脉如水溜也

陰爭於内陽擾於外魄汗未藏四逆而起起則熏肺使人喘鳴若金鼓不已陽氣大勝兩氣相持内爭外擾則流汗不止手足反寒甚則陽氣内燔流汗不藏則熱攻於肺故

起則熏肺使人喘鳴也陰之所生和本曰和陰謂五神藏也言五藏之所以能生而全天真和氣者以各得自從其和性而安靜爾苟乖所適則爲他氣所乘百端之病由斯而起奉生之道可不慎哉是故剛與剛陽氣破散陰氣乃消亡剛謂陽也言陽氣內蒸外爲流汗灼而不已則陽勝又陽故盛不久存而陽氣自散陽已破敗陰不獨存故陽氣破散陰氣亦消亡此乃争勝招敗矣淖則剛柔不和經氣乃絕血淖者陽常勝視人之血淖者宜謹和其氣常使流通若不能深思寡欲使氣序乖衷陽爲重陽內燔藏府則死且可待生其能久乎死陰之屬不過三日而死火乘金也生陽之屬不過四日而死木乘火也新校正云按別本作四日而生全元起注本作四日而已俱通詳上下文義作死者非所謂生陽死陰者肝之心謂之生陽母來親子故曰生陽匪惟以木生火亦自陽氣主生爾心之肺謂之死陰陰主刑殺火復乘金金得火亡故云死肺之腎謂之重陰亦母子也以俱爲陰氣故曰重陰腎之脾謂之辟陰死不治上氣辟併水乃可升土辟水升故云辟陰結陽者腫四支以四支爲諸陽之本故結陰者便血一升陰主血故

再結二升三結三升二盛謂之再結三盛謂之三結陰陽結斜多陰少陽曰石水少腹腫所謂失法二陽結謂之消二陽結謂胃及大腸俱熱結也腸胃藏熱則喜消水穀新校正云詳此少二陰結三陽結謂之隔三陽結謂小腸膀胱熱結也小腸結熱則血脉燥膀胱熱則津液涸故鬲塞而不便寫三陰結謂之水三陰結謂脾肺之脉俱寒結也脾肺寒結則氣化爲水一陰一陽結謂之喉痺一陰謂心主之脉一陽謂三焦之脉也三焦心主脉並絡喉氣熱内結故爲喉痺陰搏陽別謂之有子陰謂尺中也搏謂搏觸於手也尺脉搏擊與寸口殊別陽氣挺然則爲有妊之兆何者陰中有別陽故陰陽虚腸辟死辟陰也然胃氣不留腸開勿禁陰中不廪是眞氣竭絕故死新校正云按全元起本辟作澼陽加於陰謂之汗陽在下陰在上陽氣上搏陰能固之則蒸而爲汗陰虚陽搏謂之崩陰脉不足陽脉盛搏則内崩而血流下三陰俱搏二十日夜半死脾肺成數之餘也搏謂伏鼓異於常候也陰氣盛極故夜半死二陰俱搏十三日夕時死心腎之成數也陰氣未極故死在夕時一陰俱搏十日死肝心生成之數也三陽俱

搏且鼓三日死陽氣急故三陰三陽俱搏心腹滿發盡不得隱曲五日死兼陰氣也隱曲謂便寫也二陽俱搏其病温死不治不過十日死陽明之王數也　新校正云詳此闕一陽搏

重廣補注黄帝内經素問卷第二

陰陽應象大論　䐜脹上昌眞切肉脹起也　滲泄上所禁切　翕艴下許極切　噦噫上乙劣切下烏界切

能冬上奴代切下能夏形能並同　放效上妃兩切　并於上去聲　嗌伊昔切　滑濇下音色　漬即賜切

陰陽離合論　予猶與也　陰陽別論　腨音喘腸也　痟音消瘦也

淖音淘水朝宗于海

宋槧內經素問
第二冊

重廣補注黃帝內經素問卷第三

啓玄子次注林億孫奇高保衡等奉勑校正孫兆重改誤

靈蘭秘典論　六節藏象論

五藏生成篇　五藏別論

靈蘭秘典論篇第八 新校正云按全元起本名十二藏相使在第三卷

黃帝問曰願聞十二藏之相使貴賤何如 藏藏也言腹中之所藏者非復有十二形神之藏也 岐伯對曰悉乎哉問也請遂言之心者君主之官也神明出焉 任治於物故為君主之官清靜栖靈故曰神明出焉 肺者相傅之官治節出焉 位高非君故官為相傅主行榮衛故治節由之 肝者將軍之官謀慮出焉 勇而能斷故曰將軍潛發未萌故謀慮出焉 膽者中正之官決斷出焉 剛正果決故官為中正直而不疑故決斷出焉

膻中者臣使之官喜樂出焉膻中者在胷中兩乳間爲氣之海然心主爲君以敷宣教令膻中主氣以氣布陰陽氣和志適則喜樂由生分布陰陽故官爲臣使也脾胃者倉廩之官五味出焉包容五穀是爲倉廩之官營養四傍故云五味出焉大腸者傳道之官變化出焉傳道謂傳不潔之道變化謂變化物之形故云傳道之官變化出焉小腸者受盛之官化物出焉承奉胃司受盛糟粕受已復化傳入大腸故云受盛之官化物出焉腎者作強之官伎巧出焉强於作用故曰作強造化形容故云伎巧在女則當其伎巧在男則正曰作強三焦者決瀆之官水道出焉引導陰陽開通閉塞故官司決瀆水道出焉膀胱者州都之官津液藏焉氣化則能出矣位當孤府故謂都官居下内空故藏津液若得氣海之氣施化則溲便注泄氣海之氣不及則閟隱不通故曰氣化則能出矣靈樞經曰腎上連肺故將兩藏膀胱是孤府則此之謂也凡此十二官者不得相失也失則災害至故不得相失新校正云詳此乃十一官脾胃二藏共一官故也故主明則下安以此養生則壽歿世不殆以

爲天下則大昌主謂君主心之官也夫生賢明則刑賞一刑賞一則吏奉法吏奉法則民不獲罪於枉濫矣故主明則天下安
也夫心內明則銓善惡銓善惡則察安危察安危則身不夭傷於非道矣故以此養生則壽沒世不至於危殆矣然施之於養生沒世不殆施之於君主天下
獲安以其爲天下主則國祚昌盛矣主不明則十二官危使道閉塞而不通形
乃大傷以此養生則殃以爲天下者其宗大危戒之
戒之使道謂神氣行使之道也夫心不明則邪正一邪正一則損益不分則動之凶咎陷身於羸瘠矣故形乃大傷以此養生則殃也夫
主不明則委於左右委於左右則權勢妄行權勢妄行則吏不得奉法吏不得奉法則人民失所而皆受枉曲矣且人惟邦本本固邦寧本不獲安國將何有
宗廟之立安可不至於傾危乎故曰戒之戒之者言深慎也至道在微變化無窮孰知其原
孰誰也言至道之用也小之則微妙而細無不入大之則廣遠而變化無窮然其淵原誰所知察窘乎哉消者瞿瞿新校
正云按太素作肖者濯濯孰知其要閔閔之當孰者爲良窘要也瞿瞿勤勤也人身之要者道
也然以消息異同求諸物理而欲以此知變化之原本者雖瞿瞿勤勤以求明悟然其要妙誰得知乎既未得知轉成深遠閔閔玄妙復不知誰者爲善知要

妙哉玄妙深遠固不以理求而可得近取諸身則十二官粗可探尋而爲治身之道閔閔深遠也良善也　新校正云詳此四句與氣交變大論文重彼消
字作肖　恍惚之數生於毫氂　恍惚者謂似有似無也忽亦數也似無似有而毫氂之數生其中老子曰恍恍惚惚
其中有物此之謂也筭書曰似有似無爲忽　毫氂之數起於度量千之萬之可以
益大推之大之其形乃制　毫氂雖小積而不已命數乘之則起至於尺度斗量之繩準千之萬之亦可增
益而至載之大數推引其大則應通人形之制度也　黃帝曰善哉余聞精光之道大聖之
業而宣明大道非齋戒擇吉日不敢受也　深敬故也韓康伯曰洗心曰齋
防患曰戒　黃帝乃擇吉日良兆而藏靈蘭之室以傳保焉　秘之至也

六節藏象論篇第九

新校正云按全元起注本在第三卷

黃帝問曰余聞天以六六之節以成一歲人以九九
制會　新校正云詳下文云地以九九制會　計人亦有三百六十五節以爲天地

久矣不知其所謂也六六之節謂六竟於六甲之日以成一歲[illegible]限九九制會謂九周於九野之數以制人形之會通也言人之三百六十五節以應天之六六之節久矣若復以九九爲紀法則兩歲太半乃曰一周不知其法眞原安謂也　新校正云詳王注云兩歲太半乃曰一周按九九制會當云兩歲四分歲之一乃曰一周也岐伯對曰昭乎哉問也請遂言之夫六六之節九九制會者所以正天之度氣之數也六六之節天之度也九九制會氣之數也所謂氣數者生成之氣也周天之分凡三百六十五度四分度之一以十二節氣均之則歲有三百六十日而終兼之小月日又不足其數矣是以六十四氣而常置閏焉何者以其積差分故也天地之生育本阯於陰陽人神之運爲始終於九氣然九之爲用豈不大哉律書曰黄鍾之律管長九寸冬至之日氣應灰飛由此則萬物之生咸因於九氣矣古之九寸即今之七寸三分大小不同以其先秬黍之制而有異也新校正云按別本三分作二分天度者所以制日月之行也氣數者所以紀化生之用也制謂準度紀謂綱紀準日月之行度者所以明日月之行遲速也紀化生之爲用者所以彰氣至而斯應也氣應先者則生成之理不替遲速以度而大小之月生焉故曰異長短月移寒暑收藏生長無失時宜也天爲陽地爲陰日

爲陽月爲陰行有分紀周有道理日行一度月行十三度而有奇焉故大小月三百六十五日而成歲積氣餘而盈閏矣日行遲故晝夜行天之一度而三百六十五日一周天而猶有度之奇分矣月行速故晝夜行天之十三度餘而二十九日一周天也言有奇者謂十三度外復行十九分度之七故云月行十三度而有奇也禮義及漢律曆志云二十八宿及諸星皆從東而循天西行日月及五星皆從西而循天東行今太史說云並循天而東行從東而西轉也諸曆家說月一日至四日月行最疾日夜行十四度餘自五日至八日行次疾日夜行十三度餘自九日至十九日其行遲日夜行十二度餘二十日至二十三日行又小疾日夜行十三度餘二十四日至晦日行又大疾日夜行十四度餘今太史說月行之率不如此矣月行有十五日前疾有十五日後遲者有十五日前遲有十五日後疾者大率一月四分之而皆有遲疾遲速之度固無常準矣雖爾終以二十七日月行一周天凡行三百六十一度二十九日日行二十九度月行三百八十七度少七度而不及日也至三十日日復遷計率至十三分日之八月方及日矣此大盡之月也大率其計率至十三分日之半者亦大盡法也其計率至十三分日之五之六而及日者小盡之月也故云大小月三百六十五日而成歲也正言之者三百六十五日四分日之一乃一歲法以奇不成日故舉大以言之若通以六小爲法則歲止有三百五十四日歲少十

一日餘矣取月所少之辰加歲外餘之日故從閏後三十二日而盈閏焉尚書
曰朞三百有六旬有六日以閏月定四時成歲則其義也積餘盈閏者蓋以月
之大小不盡
天度故也
立端於始表正於中推餘於終而天度畢矣
端首也始初也表彰示也正斗建也中月半也推退位也言立首氣於初節之
日示斗建於月半之辰退餘閏於相望之後是以閏之前則氣不及月閏之後
則月不及氣故常月之制建初立中閏月之紀無初無中縱曆有之皆他節氣
也故曆无云某候閏某月節閏某月中也推終之義斷可知乎故曰立端於始
表正於中推餘於終也由斯
推日成閏故能令天度畢焉
帝曰余已聞天度矣願聞氣數何
以合之岐伯曰天以六六爲節地以九九制會新校正
云詳篇
首云人以
九九制會
天有十日日六竟而周甲甲六復而終歲三百
六十日法也十日謂甲乙丙丁戊巳庚辛壬癸之日也十者天地之至數也
易繫辭曰天九地十則其義也六十日而周甲子之數甲子
六周而復始則終一歲之日是三百六十日之歲法非天度
之數也此蓋十二月各三十日者若除小月其日又差也
夫自古通天
者生之本本於陰陽其氣九州九竅皆通乎天氣通
天

言人之氣即天真也然形假地生命惟天賦故奉生之氣通繫於天禀於陰陽而
爲根本也寶命全形論曰人生於地懸命於天天地合氣命之曰人四氣調神
大論曰陰陽四時者萬物之終始也死生之本也又曰逆其根則伐其本壞其
眞矣此其義也九州謂兾兖青徐楊荆豫梁雍也然地列九州人施九竅精神
往復氣與參同故曰九州九竅也靈樞經曰地有九州人有九竅則其義也先
言其氣者謂天眞之氣常繫屬於中也天氣不絕眞靈內屬行藏動靜悉與天
通故曰皆通乎天氣也

故其生五其氣三形之所存假五行而運用當其本始從三氣以生成故云其生五其氣三也氣之三者亦副三元故下文曰新校正云詳夫自古通天者至此與生氣通天論同注頗異當兩觀之

三而成天三而成地三而成人非唯人獨由三氣以生天地之道亦如是矣故易乾坤諸卦皆必三矣

三而三之合則爲九九分爲九野九野爲九藏九野者應九藏而爲義也爾雅曰邑外爲郊郊外爲甸甸外爲牧牧外爲林林外爲坰坰外爲野則此之謂也 新校正云按今爾雅云邑外謂之郊郊外謂之牧牧外謂之野野外謂之林林外謂之坰與王氏所引有異

故形藏四神藏五合爲九藏以應之也形藏四者一頭角二耳目三口齒四胷中也形分爲藏故以名焉神藏五者一肝二心三脾四肺五腎也神藏於內故以名焉所謂神藏者肝藏魂心藏神脾藏意肺藏魄腎藏志也故此二別爾 新校正

云詳此乃宣明五氣篇文與生氣通天注重又與三部九候論注重所以名神藏形藏之説具三部九候論注帝曰余已聞六六九九之會也夫子言積氣盈閏願聞何謂氣請夫子發蒙解惑焉請宣揚旨要啓所未聞解疑惑者之心開蒙昧者之耳令其曉達咸使深明歧伯曰此上帝所秘先師傳之也上帝謂上古帝君也先師歧伯祖之師僦貸季上古之理色脉者也移精變氣論曰上古使僦貸季理色脉而通神明八素經序云天師對黄帝曰我於僦貸季理色脉已三世矣言可知乎　新校正云詳素一作索或以八爲太按今太素無此文帝曰請遂聞之遂盡也歧伯曰五日謂之候三候謂之氣六氣謂之時四時謂之歲而各從其主治焉日行天之五度則五日也三候正十五日也六氣凡九十日正三月也設其多之矣故十八候爲六氣六氣謂之時也四時凡三百六十日故曰四時謂之歲也各從主治謂一歲之日各歸從五行之一氣而爲之主以王也故下文曰五運相襲而皆治之終朞之日周而復始時立氣布如環無端候亦同法故曰不知年

之所加氣之盛衰虛實之所起不可以爲工矣五運謂五行之氣應天之運而主化者也襲謂承襲如嫡之承襲也言五行之氣父子相承主統一周之日常如是無已周而復始也時謂立春之前當至時也氣謂當王之脉氣也春前氣至脉氣亦至故曰時立氣布也候謂日行五度之候也言一候之日亦五氣相生而直之差則病矣移精變氣論曰上古使僦貸季理色脉而通神明合之金木水火土四時八風六合不離其常此之謂也工謂工於脩養者也言必明於此乃可横行天下矣　新校正云詳王注時立氣布謂立春前當至時當王之脉氣也按此正謂歲立四時時布六氣如環之無端故又曰候亦同法　帝曰五運之始如環無端其太過不及何如岐伯曰五氣更立各有所勝盛虛之變此其常也言盛虛之變見此乃天之常道爾　帝曰平氣何如岐伯曰無過者也不愆常候則無過也　帝曰太過不及奈何岐伯曰在經有也言玉機真藏論篇已具言五氣平和太過不及之旨也　新校正云詳王注言玉機真藏論已具按本篇言脉之太過不及即不論運氣之太過不及與平氣當云氣交變大論五常政大論篇已具言也　帝曰何謂所勝岐伯曰春勝長

夏長夏夏勝冬冬勝夏夏勝秋秋勝春所謂得五行時之勝各以氣命其藏〔春應木木勝土長夏應土土勝水冬應水水勝火夏應火火勝金秋應金金勝木常如是矣四時之中加之長夏故謂得五行時之勝也所謂長夏者六月也土生於火長在夏中既長而王故云長夏也以氣命藏者春之木內合肝長夏土內合脾冬之水內合腎夏之火內合心秋之金內合肺故曰各以氣命其藏也命名也〕帝曰何以知其勝岐伯曰求其至也皆歸始春〔始春謂立春之日也春為四時之長故候氣皆歸於立春前之日也〕未至而至此謂太過則薄所不勝而乘所勝也命曰氣淫不分邪僻內生工不能禁〔此上十字文義不倫應古人錯簡次後五治下乃其義也今朱書之〕至而不至此謂不及則所勝妄行而所生受病所不勝薄之也命曰氣迫所謂求其至者氣至之時也〔凡氣之至皆謂立春前十五日乃候之初也未至而至謂所直之氣未應至而先期至也先期而至是氣有餘故曰太過至而不至謂所直之氣應至不至而後期至後期而至是氣不足故曰不及太

過則薄所不勝而乘所勝不及則所勝妄行而所生受病所不勝薄之者凡五行之氣我剋者爲所勝剋我者爲所不勝生我者爲所生假令肝木有餘是肺金不足金不制木故木太過木氣既餘則反薄肺金而乘於脾土矣故曰太過則薄所不勝而乘所勝也此皆五藏之氣內相淫併爲疾故命曰氣淫也餘太過例同之又如肝木氣少不能制土土氣無畏而遂妄行木被土凌故云所勝妄行而所生受病也肝木之氣不平肺金之氣自薄故曰所不勝薄之然木氣不平土金交薄相迫爲疾故曰氣迫也餘不及例皆同謹候其時氣可與期失時反候五治不分邪僻內生工不能禁也時謂氣至時也候其年則始於立春之日候其氣則始於四氣定期候其日則隨於候日故曰謹候其時氣可與期也反謂反背也五治謂五行所治主統一歲之氣也然不分五治謬引八邪天真氣運尚未該通人病之由安能精達故曰工不能禁也帝曰有不襲乎言五行之氣有不相承襲者乎岐伯曰蒼天之氣不得無常也氣之不襲是謂非常非常則變矣變謂變易天常也帝曰非常而變奈何岐伯曰變至則病所勝則微所不勝則甚因而重感於邪則死矣故非其時則微當

其時則甚也言蒼天布氣尚不越於五行人在氣中豈不應於天道夫人之氣亂不順天常故有病死之微矣左傳曰違天不祥此其類也假令木直之年有火氣至後二歲病矣土氣至後三歲病矣金氣至後四歲病矣水氣至後五歲病矣真氣不足復重感邪真氣內微故重感於邪則死也假令非主直年而氣相干者且為微病不必內傷於神藏故非其時則微而且持也若當所直之歲則易中邪氣故當其直時則病疾甚也諸氣當其王者皆必受邪故曰非其時則微當其時則甚也通評虛實論曰非其時則生當其時則死當謂正直之年也帝曰善余聞氣合而有形因變以正名天地之運陰陽之化其於萬物孰少孰多可得聞乎新校正云詳從前岐伯曰昭乎哉問也至此全元起注本及太素並無疑王氏之所補也岐伯曰悉哉問也天至廣不可度地至大不可量大神靈問請陳其方言天地廣大不可度量而得之造化玄微豈可以人心而徧悉大神靈問讚聖深明舉大說凡粗言綱紀故曰請陳其方草生五色五色之變不可勝視草生五味五味之美不可勝極言物生之衆稟化各殊目視口味尚無能盡之況於人心乃能包括耶嗜欲不同各有

所通言色味之衆雖不可徧盡所由然人所嗜所欲則自隨已心之所愛耳故曰嗜欲不同各有所通天食人以五氣地食人以五味天以五氣食人者臊氣湊肝焦氣湊心香氣湊脾腥氣湊肺腐氣湊腎也地以五味食人者酸味入肝苦味入心甘味入脾辛味入肺鹹味入腎也清陽化氣而上爲天濁陰成味而下爲地故天食人以氣地食人以味也陰陽應象大論曰清陽爲天濁陰爲地又曰陽爲氣陰爲味五氣入鼻藏於心肺上使五色脩明音聲能彰五味入口藏於腸胃味有所藏以養五氣氣和而生津液相成神乃自生心榮面色肺主音聲故氣藏於心肺上使五色脩潔分明音聲彰著氣爲水母故味藏於腸胃内養五氣五氣和化津液方生津液與氣相副化成神氣乃能生而宣化也帝曰藏象何如象謂所見於外可閱者也岐伯曰心者生之本神之變也其華在面其充在血脈爲陽中之太陽通於夏氣心者君主之官神明出焉然君主者萬物繫之以興亡故曰心者生之本神之變也火氣炎上故華在面也心養血其主脈故充在血脈也心王於夏氣合太陽以太陽居夏火之中故曰陽中之太陽通於夏氣也金匱真言論曰平旦至

日中天之陽陽中之陽也　新校正云詳神之變全元起本并太素作神之處　肺者氣之本魄之處也其
華在毛其充在皮爲陽中之太陰通於秋氣肺藏氣其神魄其養
皮毛故曰肺者氣之本魄之處華在毛充在皮也肺藏爲太陰之氣主王於秋
晝日爲陽氣所行位非陰處以太陰居於陽分故曰陽中之太陰通於秋氣也
金匱眞言論曰日中至黃昏天之陽陽中之陰也　新校正云按太陰甲乙經
并太素作少陰當作少陰肺在十二經雖爲太陰然在陽分之中當爲少陰也
腎者主蟄封藏之本精之處也其華在髮其充在骨
爲陰中之少陰通於冬氣地戶封閉蟄蟲深藏腎又主水受五藏六府之精而藏之故曰腎者主蟄封藏
之本精之處也腦者髓之海腎主骨髓髮者腦之所養故華在髮充在骨也以
盛陰居冬陰之分故曰陰中之少陰通於冬氣也金匱眞言論曰合夜至雞鳴
天之陰陰中之陰也　新校正云按全元起本并甲乙經太素少陰
作太陰當作太陰腎在十二經雖爲少陰然在陰分之中當爲太陰　肝者罷
極之本魂之居也其華在爪其充在筋以生血氣其
味酸其色蒼　新校正云詳此六字當去按太素心其味苦其色赤肺其味辛其色白腎其味鹹其色黑今惟肝脾二藏載其味其

色據陰陽應象大論已著色味詳矣此不當出之今更不添心肺腎三藏之色味只去肝脾二藏之色味可矣其注中所引陰陽應象大論文四十一字亦當去之

此爲陽中之少陽通於春氣

夫人之運動者皆筋力之所爲也肝主筋其神魂故曰肝者罷極之本魂之居也爪者筋之餘筋者肝之養故華在爪充在筋也東方爲發生之始故以生血氣也陰陽應象大論曰東方生風風生木木生酸肝合木故其味酸也又曰神在藏爲肝在色爲蒼故其色蒼也以少陽居於陽位而王於春故曰陽中之少陽通於春氣也金匱真言論曰平旦至日中天之陽陽中之陽也新校正云按全元起本并甲乙經太素作陰中之少陽當作陰中之少陽詳王氏引金匱真言論云平旦至日中天之陽陽中之陽也以爲證則王意以爲陽中之少陽也再詳上文心藏爲陽中之太陽王氏以引平旦至日中之説爲證今肝藏又引爲證反不引雞鳴至平旦天之陰陰中之陽爲證則王注之失可見當從全元起本及甲乙經太素作陰中之少陽爲得

脾胃大腸小腸三焦膀胱者倉廩之本營之居也名曰器能化糟粕轉味而入出者也

皆可受盛轉運不息故爲倉廩之本名曰器也營起於中焦中焦爲脾胃之位故去營之居也然水穀滋味入於脾胃脾胃糟粕轉化其味出於三焦膀胱故曰轉味而入出者也

其華在脣四白其充在肌其味甘其色黃

新校正云詳此

六字當去并注中引陰陽應象大論文四十字亦當去已解在前條此至陰之類通於土氣口爲脾官脾主肌肉故曰華在脣四白充在肌也四白謂脣四際之白色肉也陰陽應象大論曰中央生濕濕生土土生甘脾合土故其味甘也又曰在藏爲脾在色爲黃故其色黃也脾藏土氣土合至陰故曰此至陰之類通於土氣也金匱眞言論曰陰中之至陰脾也凡十一藏取決於膽也上從心藏下至於膽爲十一也然膽者中正剛斷無私偏故十一藏取決於膽也故人迎一盛病在少陽二盛病在太陽三盛病在陽明四盛已上爲格陽陽脉法也少陽膽脉也太陽膀胱脉也陽明胃脉也靈樞經曰一盛而躁在手少陽二盛而躁在手太陽三盛而躁在手陽明手小陽三焦脉手太陽小腸脉手陽明大腸脉一盛者謂人迎之脉大於寸口一倍也餘盛同法四倍已上陽盛之極故格拒而食不得入也正理論曰格則吐逆寸口一盛病在厥陰二盛病在少陰三盛病在太陰四盛已上爲關陰陰脉法也厥陰肝脉也少陰腎脉也太陰脾脉也靈樞經曰一盛而躁在手厥陰二盛而躁在手少陰三盛而躁在手太陰手厥陰心包脉也手少陰心脉也手太陰肺脉也盛法同陽四倍已上陰盛之極故關閉而溲不得通也正理論曰閉則不得溺人迎與寸口俱盛四倍

已上爲關格關格之脈羸不能極於天地之精氣則死矣俱盛謂俱大於平常之脈四倍也物不可以久盛極則衰敗故不能極於天地之精氣則死矣靈樞經曰陰陽俱盛不得相營故曰關格關格者不得盡期而死矣此之謂也　新校正云詳羸當作盈脉盛四倍已上非羸也乃盛極也古文羸與盈通用

五藏生成篇第十新校正云詳全元起本在第九卷按此篇云五藏生成篇而不云論者蓋此篇直記五藏生成之事而無問荅論議之辭故不云論後不言論者義皆倣此

心之合脈也火氣動躁脈類齊同心藏應火故合脈也其榮色也火炎上而色赤故榮美於面而赤色　新校正云詳王以赤色爲面榮美未通大抵發見於面之色皆心之榮也豈專爲赤哉其主腎也主謂主與腎相畏也火畏於水水與爲官故畏於腎

肺之合皮也金氣堅定皮象亦然肺藏應金故合皮也其榮毛也毛附皮革故外榮其主心也金畏於火火與爲官故主畏於心也肝之合筋也木性曲直筋體亦然肝藏應木故合筋也其榮爪也爪者筋之餘故外榮也其主肺也木畏於金金與爲官故主畏於肺也脾之合肉也土性柔厚肉體亦然脾藏應土故合肉也其

榮脣也口爲脾之官故榮於脣脣謂四際白色之處非赤色也其主肝也土畏於木木與爲官故土畏於肝也腎之合骨也水性流濕精氣亦然骨通精髓故合骨也其榮髮也腦爲髓海腎氣主之故外榮髮也其主脾也水畏於土土與爲官故主畏於脾也是故多食鹹則脈凝泣而變色心合脈其榮色鹹益腎勝於心心不勝故脈凝泣而顏色變易也多食苦則皮槁而毛拔肺合皮其榮毛苦益心勝於肺肺不勝故皮枯槁而毛拔去也多食辛則筋急而爪枯肝合筋其榮爪辛益肺勝於肝肝不勝故筋急而爪乾枯也多食酸則肉胝䐢而脣揭脾合肉其榮脣酸益肝勝於脾脾不勝故肉胝䐢而脣皮揭舉也多食甘則骨痛而髮落腎合骨其榮髮甘益脾勝於腎腎不勝故骨痛而髮墮落此五味之所傷也五味入口輸於腸胃而內養五藏各有所養有所欲欲則互有所傷故下文曰故心欲苦合火故也肺欲辛合金故也肝欲酸合木故也脾欲甘合土故也腎欲鹹合水故也此五味之所合也各隨其欲而歸養之五藏之氣新校正云按全元起本云此五味之合五藏之氣也連上文太素同故色見

青如草茲者死（茲滋也言如草初生之青色也）黃如枳實者死（色青黃也）黑如炲者死（炲謂炲煤也）赤如衃血者死（衃血謂敗惡凝聚之血色赤黑也）白如枯骨者死（白而枯槁如乾骨之白也）此五色之見死也（藏敗故見死色也三部九候論曰五藏已敗其色必夭夭必死矣此之謂也）青如翠羽者生赤如雞冠者生黃如蟹腹者生白如豕膏者生黑如烏羽者生此五色之見生也（此謂光潤也色雖可愛若見朦朧尤甚矣故下文曰）生於心如以縞裹朱生於肺如以縞裹紅生於肝如以縞裹紺生於脾如以縞裹栝樓實生於腎如以縞裹紫（是乃真見生色也縞白色紺薄青色）此五藏所生之外榮也（榮美色也）色味當五藏白當肺辛赤當心苦青當肝酸黃當脾甘黑當腎鹹（各當其所應而為色味也）故白當皮赤當脈青當筋

黃當肉黑當骨各歸其所養之藏氣也 諸脉者皆屬於目脉者血之府宣明五氣篇曰久視傷血由此明諸脉皆屬於目也 新校正云按皇甫士安云九卷曰心藏脉脉舍神神明通體故云屬目 諸髓者皆屬於腦腦爲髓海故諸髓屬之 諸筋者皆屬於節筋氣之堅結者皆絡於骨節之間也宣明五氣篇曰久行傷筋由此明諸筋皆屬於節也 諸血者皆屬於心血居脉内屬於心也八正神明論曰血氣者人之神然神者心之主由此故諸血皆屬於心也 諸氣者皆屬於肺肺藏主氣故也 此四支八谿之朝夕也谿者肉之小會名也八谿謂肘膝腕也如是氣血筋脉互有盛衰故爲朝夕矣 故人卧血歸於肝肝藏血心行之人動則血運於諸經人靜則血歸於肝藏何者肝主血海故也 肝受血而能視言其用也目爲肝之官故肝受血而能視 足受血而能步氣行乃血流故足受血而能行步也 掌受血而能握以當把握之用 指受血而能攝以當攝受之用也血氣者人之神故所以受血者皆能運用 卧出而風吹之血凝於膚者爲痺謂𤸇痺也 凝於脉者爲泣泣謂血行不利 凝於足者爲厥厥謂足逆冷也 此三

者血行而不得反其空故爲痺厥也空者血流之道大經隧也人有大谷十二分大經所會謂之大谷也十二分者謂十二經脉之部分小谿三百五十四名少十二俞小絡所會謂之小谿也然以三百六十五小絡言之者除十二俞外則當三百五十三名經言三百五十四者傳寫行書誤以三爲四也　新校正云按别本及全元起本太素俞作關此皆衛氣之所留止邪氣之所客也衛氣滿塡以行邪氣不得居止衛氣虧缺留止則爲邪氣所客故言邪氣所客鍼石緣而去之緣謂夤緣行去之貌言邪氣所客衛氣留止鍼其谿谷則邪氣夤緣隨脉而行去也診病之始五決爲紀五決謂以五藏之脉爲決生死之綱紀也欲知其始先建其母建立也母謂應時之王氣也先立應時王氣而後乃求邪正之氣也所謂五決者五脉也謂五藏脉也是以頭痛巔疾下虛上實過在足少陰巨陽甚則入腎足少陰腎脉巨陽膀胱脉膀胱之脉者起於目内眥上額交巔上其支别者從巔至耳上角其直行者從巔入絡腦還出别下項循肩髆内俠脊抵腰中入循膂絡腎屬膀胱然腎虛而不能引巨陽之氣故頭痛而爲上巔之疾也經病甚已則入於藏矣徇蒙招尤

目冥耳聾下實上虛過在足少陽厥陰甚則入肝徇疾也蒙不明也言目暴疾而不明招謂掉也揺掉不定也尤甚也目疾不明首掉尤甚謂暴病也目冥耳聾謂漸病也足少陽膽脉厥陰肝脉也厥陰之脉從少腹上俠胃屬肝絡膽貫鬲布脅肋循喉嚨之後入頏顙上出額與督脉會於巔其支別者從目系下頰裏足少陽之脉起於目銳眥上抵頭角下耳後循頸入缺盆其支別者從耳後入耳中又支別者別目銳眥下顴加頰車下頸合缺盆以下胸中貫鬲絡肝屬膽今氣不足故爲是病　新校正云按王注徇蒙言目暴疾而不明義未甚顯徇蒙者盖謂目瞼瞤動疾數而蒙暗也又少陽之脉下顴甲乙經作下顚　腹滿䐜脹支鬲胠脇下厥上冒過在足太陰陽明胠謂脇上也下厥上冒者謂氣從下逆上而冒於目也足太陰脾脉陽明胃脉也足太陰脉自股內前廉入腹屬脾絡胃上鬲足陽明脉起於鼻交於頞下循鼻外下絡頤頷從喉嚨入缺盆屬胃絡脾其直行者從缺盆下乳內廉下俠齊入氣街中其支別者起胃下口循腹裏至氣街中而合以下髀故爲是病　欬嗽上氣厥在胸中過在手陽明太陰手陽明大腸脉太陰肺脉也手陽明脉自肩髃前廉上出於柱骨之會上下入缺盆絡肺下鬲屬大腸手太陰脉起於中焦下絡大腸還循胃口上鬲屬肺從肺系橫出掖下故爲欬嗽上氣厥在胸中也　新校正云按甲乙經厥作病　心煩頭痛病

在鬲中過在手巨陽少陰手巨陽小腸脉少陰心脉也巨陽之脉從肩上入缺盆絡心循咽下鬲抵胃屬小腸其支別者從缺盆循頸上頰至目鋭眥手少陰之脉起於心中出屬心系下鬲絡小腸故心煩頭痛病在鬲中也　新校正云按甲乙經云胷中痛支滿腰脊相引而痛過在手少陰太陽也夫脉之小大滑濇浮沈可以指別夫脉小者細小大者滿大滑者往來流利濇者往來蹇難浮者浮於手下沈者按之乃得也如是雖衆狀不同然手巧心諦而指可分別也五藏之象可以類推象謂氣象也言五藏雖隱而不見然其氣象性用猶可以物類推之何者肝象木而曲直心象火而炎上脾象土而安靜肺象金而剛決腎象水而潤下夫如是皆大舉宗兆其中隨事變化象法傍通者可以同類而推之尒五藏相音可以意識音謂五音也夫肝音角心音徵脾音宮肺音商腎音羽此其常應也然其互相勝負聲見否藏則耳聰心敏者猶可以意識而知之五色微診可以目察色謂顏色也夫肝色青心色赤脾色黃肺色白腎色黑此其常色也然其氣象交互微見吉凶則目明智遠者可以占視而知之能合脉色可以萬全色青者其脉弦色赤者其脉鈎色黃者其脉代色白者其脉毛色黑者其脉堅此其常色脉也然其參校異同斷言成敗則審而不惑萬舉萬全色脉之病例如下說赤脉之至也喘而堅診曰有

積氣在中時害於食名曰心痹喘謂脈至如卒喘狀也藏居高病則脈爲喘狀故心肺二藏而獨言之爾喘爲心氣不足堅則病氣有餘心脈起於心胷之中故積氣在中時害於食也積謂病氣積聚痹謂藏氣不宣行也得之外疾思慮而心虛故邪從之思慮心虛故外邪因之而居止矣白脈之至也喘而浮上虛下實驚有積氣在胷中喘而虛名曰肺痹寒熱喘爲不足浮者肺虛肺不足是謂心虛上虛則下當滿實矣以其不足故善驚而氣積胷中矣然脈喘而浮是肺自不足喘而虛者是心氣上乘肺受熱而氣不得營故名肺痹而外爲寒熱也得之醉而使內也酒味苦燥內益於心醉甚入房故心氣上勝於肺矣青脈之至也長而左右彈有積氣在心下支胠名曰肝痹脈長而彈是爲弦緊緊爲寒氣中濕乃弦肝主胠脇近於心故氣積心下又支胠也正理論脈名例曰緊脈者如切繩狀言左右彈人手也得之寒濕與疝同法要脊痛足清頭痛脈緊爲寒脈長爲濕疝之爲病亦寒濕所生故言與疝同法也寒濕在下故要脊痛也肝脈者起於足上行至頭出額與督脈會於巔故病則足冷而頭痛也清亦冷也黃脈之至也大

而虛有積氣在腹中有厥氣名曰厥疝（脉大爲氣脉虛爲虛賊氣又虛故脾氣積於腹中也若腎氣逆上則是厥疝腎氣不上則但虛而脾氣積也）女子同法得之疾使四支汗出當風（女子同法言同其候也風氣通於肝故汗出當風則脾氣積滿於腹中）黑脉之至也上堅而大有積氣在小腹與陰名曰腎痺（上謂寸口也腎主下焦故氣積聚於小腹與陰也）得之沐浴清水而卧（濕氣傷下自歸於腎況沐浴而卧得無病乎靈樞經曰身半以下濕之中也）凡相五色之奇脉面黃目青面黃目赤面黃目白面黃目黑者皆不死也（奇脉謂與色不相偶合也凡色見黃皆爲有胃氣故不死也　新校正云按甲乙經無之奇脉三字）面青目赤面赤目白面青目黑面黑目白面赤目青皆死也（無黃色而皆死者以無胃氣也五藏以胃氣爲本故無黃色皆曰死焉）

五藏別論篇第十一（新校正云按全元起本在第五卷）

黃帝問曰：余聞方士或以腦髓爲藏，或以腸胃爲藏，或以爲府。敢問更相反，皆自謂是，不知其道，願聞其說。方士謂明悟方術之士也。言互爲藏府之差異者，經中猶有之矣。靈蘭秘典論以腸胃爲十二藏相使之次，六節藏象論云十一藏取決於膽，五藏生成篇云五藏之象可以類推，五藏相音可以意識，此則互相矛楯爾。腦髓爲藏，應在別經。歧伯對曰：腦、髓、骨、脉、膽、女子胞，此六者地氣之所生也，皆藏於陰而象於地，故藏而不寫，名曰奇恒之府。腦髓骨脉雖名爲府，不正與神藏爲表裏，膽與肝合而不同六府之傳寫，胞雖出納，納則受納精氣，出則化出形容，形容之出謂化極而生，然出納之用有殊於六府，故言藏而不寫，名曰奇恒之府也。夫胃、大腸、小腸、三焦、膀胱，此五者天氣之所生也，其氣象天，故寫而不藏，此受五藏濁氣，名曰傳化之府，此不能久留輸寫者也。言水穀入已，糟粕變化而泄出，不能久久留住於中，但當化已輸寫令去而已，傳寫諸化，故曰傳化之府也。

魄門亦爲五藏使水穀不得久藏謂肛之門也内通於肺故曰魄門受已化物則爲五藏行使然水穀亦不得久藏於中所謂五藏者藏精氣而不寫也故滿而不能實精氣爲滿水穀爲實但藏精氣故滿而不能實新校正云按全元起本及甲乙經太素精氣作精神六府者傳化物而不藏故實而不能滿也以不藏精氣但受水穀故也所以然者水穀入口則胃實而腸虛以未下也食下則腸實而胃虛水穀下也故曰實而不滿滿而不實也帝曰氣口何以獨爲五藏主氣口則寸口也亦謂脉口以寸口可候氣之盛衰故云氣口可以切脉之動靜故云脉口皆同取於手魚際之後同身寸之一寸是則寸口也岐伯曰胃者水穀之海六府之大源也人有四海水穀之海則其一也受水穀已榮養四傍以其當運化之源故爲六府之大源也五味入口藏於胃以養五藏氣氣口亦太陰也氣口在手魚際之後同身寸之一寸氣口之所候脉動者是手太陰脉氣所行故言氣口亦太陰也是以五藏六

府之氣味皆出於胃變見於氣口榮氣之道內穀爲寶　新校正云詳此注出靈樞寶作實穀入於胃氣傳與肺精專者循肺氣行於氣口故云變見於氣口也　新校正云按全元起本出作入故五氣入鼻藏於心肺心肺有病而鼻爲之不利也凡治病必察其下適其脉觀其志意與其病也下謂目下所見可否也調適其脉之盈虛觀量志意之邪正及病深淺成敗之宜乃守法以治之也　新校正云按太素作必察其上下適其脉候觀其志意與其病能拘於鬼神者不可與言至德志意邪則好祈禱言至德則事必違故不可與言至德也惡於鍼石者不可與言至巧惡於鍼石則巧不得施故不可與言至巧病不許治者病必不治治之無功矣心不許人治之是其必死強爲治者功亦不成故曰治之無功矣

重廣補注黃帝內經素問卷第三

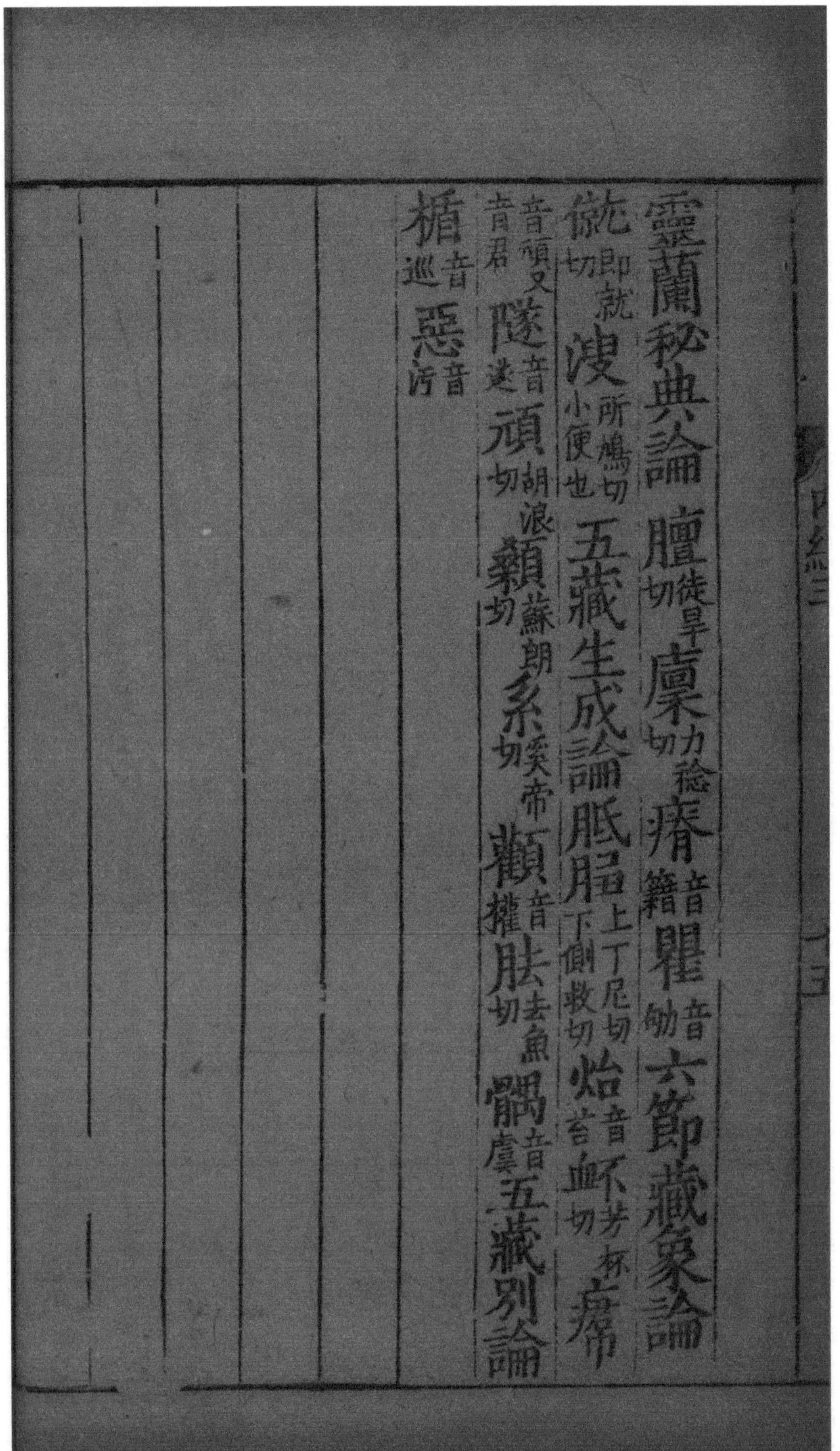

靈蘭秘典論　膻徒旱切　稟力稔切　瘠音籍　瞿音劬　六節藏象論

僦即就切　溲所鳩切小便也　五藏生成論　胝腸上丁尼切下側救切　炲音苔　衃芳杯切　⿸疒帶

音頏又音君　隧音遂　頏胡浪切　顙蘇朗切　系奚帝切　顴音權　胠去魚切　髃音虞　五藏別論

循音巡　惡音汚

重廣補注黄帝内經素問卷第四

啓玄子次注林億孫奇高保衡等奉敕校正孫兆重改誤

異法方宜論篇第十二

新校正云按全元起本在第九卷

黄帝問曰醫之治病也一病而治各不同皆愈何也不同謂鍼石灸焫毒藥導引按蹻也岐伯對曰地勢使然也謂法天地生長收藏及高下燥濕之勢故東方之域天地之所始生也法春氣也魚鹽之地海濱傍水魚鹽之地海之利也濱水際也隨業近之其民食魚而嗜鹹皆安其處美其食豐其利故居安淡其

［味故食美］魚者使人熱中，鹽者勝血［魚發瘡則熱中之信，鹽發渴則勝血之徵］，故其民皆黑色踈理，其病皆為癰瘍［血弱而熱，故喜為癰瘍］，其治宜砭石［砭石謂以石為鍼也。山海經曰：高氏之山有石如玉，可以為鍼，則砭石也。新校正云：按氏一作伐］。故砭石者，亦從東方來［東人今用之］。

西方者，金玉之域，沙石之處，天地之所收引也［法秋氣也。引謂牵引使收斂也］。其民陵居而多風，水土剛強［居室如陵，故曰陵居。金氣肅殺，故水土剛強也。新校正云：詳大抵西方地高，民居高陵，故多風也，不必室如陵矣］，其民不衣而褐薦，其民華食而脂肥［不衣絲綿，故曰不衣。褐謂毛布也。薦謂細草也。華謂鮮美，酥酪骨肉之類也。以食鮮美，故人體脂肥］，故邪不能傷其形體，其病生於内［水土剛強，飲食脂肥，膚腠閉封，血氣充實，故邪不能傷也。内謂喜怒悲憂恐及飲食男女之過甚也。新校正云：詳悲一作思，當作思，已具陰陽應象大論注中］，其治宜毒藥［能攻其病，則謂之毒藥。以其血氣盛，肌肉堅，飲食華，水土強，故病宜毒藥方制御之。藥謂草木蟲魚鳥獸之類，皆能除病者也］。故毒藥者，亦從西方來［西人方術，今奉之］。

北方者，天

地所閉藏之域也其地高陵居風寒冰冽法冬氣也其民樂
野處而乳食藏寒生滿病水寒冰冽故生病於藏寒也新校正云按甲乙經无滿字其治宜
灸焫火艾燒灼謂之灸焫故灸焫者亦從北方來北人正行其法南方者天地
所長養陽之所盛處也其地下水土弱霧露之所聚
也法夏氣也地下則水流歸之水多故土弱而霧露聚其民嗜酸而食胕言其所食不芬香新校正云按全元起云食
魚也故其民皆緻理而赤色其病攣痺酸味收斂故人皆肉理密緻陽盛之處故色赤濕氣內滿
熱氣內薄故筋攣脉痺也其治宜微鍼微細小也細小之鍼調脉衰盛也故九鍼者亦從南方
來南人盛崇之中央者其地平以濕天地所以生萬物也衆法土德之
用故生物衆然東方海南方下西方北方高中央之地平以濕則地形斯異生病殊焉其民食雜而不勞四方輻輳而萬
物交歸故人食紛雜而不勞也故其病多痿厥寒熱濕氣在下故多病痿弱氣逆及寒熱也陰陽應象大論曰地之

濕氣感則害皮肉筋脉居近於濕故爾其治宜導引按蹻導引謂搖筋骨動支節按謂抑按皮肉蹻謂捷舉手足故導引按蹻者亦從中央出也中人用爲養神調氣之正道也故聖人雜合以治各得其所宜隨方而用各得其宜唯聖人法乃能然矣故治所以異而病皆愈者得病之情知治之大體也達性懷故然

移精變氣論篇第十三新校正云按全元起本在第二卷

黃帝問曰余聞古之治病惟其移精變氣可祝由而已今世治病毒藥治其內鍼石治其外或愈或不愈何也移謂移易變謂變改皆使邪不傷正精神復強而內守也生氣通天論曰聖人傳精神服天氣上古天眞論曰精神內守病安從來歧伯對曰往古人居禽獸之閒動作以避寒陰居以避暑內無眷慕之累外無伸官之形新校正云按全元起本伸作臾此恬憺

之世邪不能深入也故毒藥不能治其內鍼石不能治其外故可移精祝由而已古者巢居穴處夕隱朝游禽獸之間斷可知矣然動躁陽盛故身熱足以禦寒涼氣生寒故陰居可以避暑矣夫志捐思想則內无眷慕之累心亡願欲故外无伸宦之形靜保天眞自无邪勝是以移精變氣无假毒藥祝說病由不勞鍼石而已　新校正本按全元起云祝由南方神當今之世不然情慕云爲遠於道也憂患緣其內苦形傷其外又失四時之從逆寒暑之宜賊風數至虛邪朝夕內至五藏骨髓外傷空竅肌膚所以小病必甚大病必死故祝由不能已也帝曰善余欲臨病人觀死生決嫌疑欲知其要如日月光可得聞乎歧伯曰色脉者上帝之所貴也先師之所傳也上帝謂上古之帝先師謂歧伯祖世之師僦貸季也上古使僦貸季理色脉而通神明合之金木

水火土四時八風六合不離其常先師以色白脈毛而合金應秋以色青脈弦而合木應春以色黑脈石而合水應冬以色赤脈洪而合火應夏以色黃脈代而合土應長夏及四季然以是色脈下合五行之休王上副四時之往來故六合之間八風鼓圻不離常候盡可與期何者以見其變化而知之也故下文曰變化相移以觀其妙以知其要欲知其要則色脈是矣言所以知四時五行之氣變化相移之要妙者何以色脈故也色以應日脈以應月常求其要則其要也言脈應月色應日者占候之期準也常求色脈之差忒是則平人之診要也夫色之變化以應四時之脈此上帝之所貴以合於神明也所以遠死而近生觀色脈之臧否曉死生之徵兆故能常遠於死而近於生也生道以長命曰聖王上帝聞道勤而行之生道以長惟聖王乃爾而常用也中古之治病至而治之湯液十日以去八風五痺之病八風謂八方之風五痺謂皮肉筋骨脈之痺也靈樞經曰風從東方來名曰嬰兒風其傷人也外在筋紐內舍肝氣從東南來者名曰弱風其傷人也外在於肌內舍於胃風從南方來名

曰大弱風其傷人也外在於脉内舍於心風從西南來名曰謀風其傷人也外在於肉内舍於脾風從西方來名曰剛風其傷人也外在於皮内舍於肺風從西北來名曰折風其傷人也外在於手太陽之脉内舍於小腸風從北方來名曰大剛風其傷人也外在於骨内舍於腎風從東北來名曰凶風其傷人也外在於掖脇内舍於大腸又痺論曰以春甲乙傷於風者爲筋痺以夏丙丁傷於風者爲脉痺以秋庚辛傷於風者爲皮痺以冬壬癸傷於邪者爲骨痺以至陰遇此者爲肉痺是所謂八風五痺之病也　新校正云按此注引痺論今經中痺論不如此當云風論曰以春甲乙傷於風者爲肝風以夏丙丁傷於風者爲心風季夏戊巳傷於邪者爲脾風以秋庚辛中於邪者爲肺風以冬壬癸中於邪者爲腎風痺論曰風寒濕三氣雜至合而爲痺以冬遇此者爲骨痺以春遇此者爲筋痺以夏遇此者爲脉痺以至陰遇此者爲肌痺以秋遇此者爲皮痺

十日不巳治以草蘇草荄之枝本末爲助標本巳得邪氣乃服

草蘇謂藥煎也草荄謂草根也枝謂莖也言以諸藥根苗合成其煎俾相佐助而以服之凡藥有用根者有用莖者有用枝者有用華實者有用根莖枝華實者湯液不去則盡用之故云本末爲助也標本巳得邪氣乃服者言工人與病主療相應則邪氣率服而隨時順也湯液醪醴論曰病爲本工爲標標本不得邪氣不服此之謂主療不相應也或謂取標本論末云鍼也　新校正云按全元起本又云得其標本邪氣乃散矣

暮世之治病也則不然治不本

四時不知日月不審逆從【四時之氣各有所在不本其處而即妄攻是反古也四時刺逆從論曰春氣在經脉夏氣在孫絡長夏氣在肌肉秋氣在皮膚冬氣在骨髓工當各隨所在而辟伏其邪爾不知日月者謂日有寒温明暗月有空滿虧盈也八正神明論曰凡刺之法必候日月星辰四時八正之氣氣定乃刺之是故天温日明則人血淖液而衛氣浮故血易寫氣易行天寒日陰則人血凝泣而衛氣沉月始生則血氣始精衛氣始行月郭滿則血氣盛肌肉堅月郭空則肌肉減經絡虛衛氣去形獨居是以因天時而調血氣也是故天寒無刺天温無疑月生無寫月滿無補月郭空無治是謂得時而調之因天之序盛虚之時移光定位正立而待之故曰月生而寫是謂藏虚月滿而補血氣盈溢絡有留血命曰重實月郭空而治是謂亂經陰陽相錯真邪不別沈以留止外虚内亂淫邪乃起此之謂也不審逆從者謂不審量其病可治與不可治故下文曰】病形已成乃欲微鍼治其外湯液治其内【言心意粗略不精審也】粗工兇兇以爲可攻故病未已新病復起【粗謂粗略也兇兇謂不料事宜之可否也何以言之假令飢人形氣羸劣食令極飽能不霍乎豈其與食而爲惡邪蓋爲失時復過節也非病逆鍼石湯液失時過節則其害反增矣　新校正云按别本霍一作害】帝曰願聞要道岐伯曰治之要極無失色脉用之不惑

治之大則【惑謂惑亂則謂法則也言色脉之應昭然不欺但順用而不亂紀綱則治病審當之大法也】逆從到行標本不得亡神失國【逆從到行謂反順爲逆標本不得謂工病失宜夫以反理到行所爲非順豈唯治人而神氣受害若使之輔佐君主亦令國祚不保康寧矣】去故就新乃得真人【標本不得工病失宜則當去故逆理之人就新明悟之士乃得至真精曉之人以全已也】帝曰余聞其要於夫子矣夫子言不離色脉此余之所知也岐伯曰治之極於一帝曰何謂一岐伯曰一者因得之【因問而得之也】帝曰奈何岐伯曰閉戶塞牖繫之病者數問其情以從其意【問其所欲而察是非也】得神者昌失神者亡帝曰善

湯液醪醴論篇第十四【新校正云按全元起本在第五卷】

黄帝問曰爲五穀湯液及醪醴奈何【液謂清液醪醴謂酒之屬也】岐伯對

曰必以稻米炊之稻薪稻米者完稻薪者堅（堅謂資其堅勁完謂取其完全完全則酒清冷堅勁則氣迅疾而效速也）帝曰何以然（言何以能完堅邪）岐伯曰此得天地之和高下之宜故能至完伐取得時故能至堅也（夫稻者生於陰水之精首戴天陽之氣二者和合然乃化成故云得天地之和而能至完秋氣勁切霜露凝結稻以冬採故云伐取得時而能至堅）帝曰上古聖人作湯液醪醴爲而不用何也岐伯曰自古聖人之作湯液醪醴者以爲備耳（言聖人愍念生靈先防萌漸陳其法制以備不虞耳）夫上古作湯液故爲而弗服也（聖人不治已病治未病故但爲備用而不服也）中古之世道德稍衰邪氣時至服之萬全（雖道德稍衰邪氣時至以心猶近道故服用萬全也）帝曰今之世不必已何也（言不必如中古之世何也）岐伯曰當今之世必齊毒藥攻其中鑱石鍼艾治其外也（言法殊於往古也）帝曰形弊血

盡而功不立者何歧伯曰神不使也帝曰何謂神不使歧伯曰鍼石道也言神不能使鍼石之妙用也何者志意違背於師示故也精神不進志意不治故病不可愈動離於道耗散天真故爾　新校正云按全元起本云精神進志意定故病可愈太素云精神越志意散故病不可愈今精壞神去榮衛不可復收何者嗜欲無窮而憂患不止精氣弛壞榮泣衛除故神去之而病不愈也精神者生之源榮衛者氣之主氣主不輔生源復消神不內居病何能愈哉帝曰夫病之始生也極微極精必先入結於皮膚今良工皆稱曰病成名曰逆則鍼石不能治良藥不能及也今良工皆得其法守其數親戚兄弟遠近音聲日聞於耳五色日見於目而病不愈者亦何暇不早乎新校正云按別本暇一作謂　歧伯曰

病爲本工爲標標本不得邪氣不服此之謂也言醫與病不相得也然工人或親戚兄弟該明情疑勿用工先備識不謂知方鍼艾之妙靡容藥石之攻匪預如是則道雖昭著萬舉萬全病不許治欲奚爲療五藏別論曰拘於鬼神者不可與言至德惡於鍼石者不可與言至巧病不許治者病必不治治之無功此皆謂工病不相得邪氣不賓服也豈惟鍼艾之有惡哉藥石亦有之矣　新校正云按移精變氣論曰標本已得邪氣乃服

帝曰其有不從毫毛而生五藏陽以竭也新校正云按全元起本及太素陽作傷義亦通津液充郭其魄獨居孤精於内氣耗於外形不可與衣相保此四極急而動中是氣拒於内而形施於外治之奈何不從毫毛言生於内也陰氣内盛陽氣竭絶不得入於腹中故言五藏陽以竭也津液者水也充滿也郭皮也陰稸於中水氣脹滿上攻於肺肺氣孤危魄者肺神腎爲水害子不救母故云其魄獨居也夫陰精損削於内陽氣耗減於外則三焦閉溢水道不通水滿皮膚身體否腫故云形不可與衣相保也凡此之類皆四支脈數急而内鼓動於肺中也肺動者謂氣急而欬也言如是者皆水氣格拒於腹膜之内浮腫施張於身形之外欲窮標本其可得乎四極言四末則四支也左傳曰風淫末疾靈樞經曰陽受氣

於四末新校正云詳形施於外施字疑誤岐伯曰平治於權衡去宛陳莝新校正云按本素莝作莖微動四極温衣繆刺其處以復其形開鬼門潔淨府精以時服五陽已布疎滌五藏故精自生形自盛骨肉相保巨氣乃平平治權衡謂察脉浮沈也脉浮爲在表脉沈爲在裏在裏者泄之在外者汗之故下次云開鬼門潔淨府也去宛陳莝謂去積久之水物猶如草莝之不可久留於身中也全本作草莝微動四極謂微動四支令陽氣漸以宣行故又曰温衣也經脉滿則絡脉溢絡脉溢則繆刺之以調其絡脉使形容如舊而不腫故云繆刺其處以復其形也開鬼門是啓玄府遺氣也五陽是五藏之陽氣也潔淨府謂寫膀胱水去也脉和則五精之氣以時賓服於腎藏也然五藏之陽漸而宣布五藏之外氣穢復除也如是故精髓自生形肉自盛藏府既和則骨肉之氣更相保抱大經脉氣然乃平復爾帝曰善

玉版論要篇第十五新校正云按全元起本在第二卷

黄帝問曰余聞揆度奇恒所指不同用之柰何岐伯

對曰揆度者度病之淺深也奇恒者言奇病也請言道之至數五色脉變揆度奇恒道在於一一謂色脉之應也知色脉之應則可以揆度奇恒矣 新校正云按全元起本請作謂 神轉不回回則不轉乃失其機血氣者神氣也八正神明論曰血氣者人之神不可不謹養也夫血氣應順四時遞遷囚王循環五氣無相奪倫是則神轉不回也回謂却行也然血氣隨王不合却行却行則反常反常則回而不轉也回而不轉乃失生氣之機矣何以明之夫木衰則火王火衰則土王土衰則金王金衰則水王水衰則木王終而復始循環此之謂神轉不回也若木衰水王水衰金王金衰土王土衰火王火衰木王此之謂回而不轉也然反天常軌生之何有耶 至數之要迫近以微言五色五脉變化之要道迫近於天常而又微妙 著之玉版命曰合玉機玉機篇名也言以此回轉之要旨著之玉版合同於玉機論文也 新校正云詳道之至數至此與玉機眞藏論文相重注頗不同 容色見上下左右各在其要容色者他氣也如肝木部內見赤黃白黑色皆謂他氣也餘藏率如此例所見皆在明堂上下左右要察候處故云各在其要 新校正云按全元起本容 作容視色之法具甲乙經中 其色見淺者湯液主治十日

巳（色淺則病輕故十日乃巳）其見深者必齊主治二十一日巳（色深則病甚故必終齊乃巳）其見大深者醪酒主治百日巳（病深甚故日多）色夭面脫不治（色見大深兼之夭惡面肉又脫不可治也）百日盡巳（色不夭面不脫治之百日盡可巳　新校正云詳色夭面脫雖不治然期當百日乃巳盡也）脈短氣絶死（脈短巳虛加之漸絶眞氣將竭故必死）病溫虛甚死（甚虛而病溫溫氣內涸其精血故死）色見上下左右各在其要上爲逆下爲從（色見於下者病生之氣也故從色見於上者傷神之兆也故逆）女子右爲逆左爲從男子左爲逆右爲從（左爲陽故男子右爲從而左爲逆右爲陰故女子右爲逆而左爲從）易重陽死重陰死（女子色見於左男子色見於右是變易也男子色見於左是曰重陽女子色見於右是曰重陰氣極則反故皆死也）陰陽反他（新校正云按陰陽應象大論云陰陽反作）治在權衡相奪奇恒事也揆度事也（權衡相奪謂陰陽二氣不得高下之宜是奇於恒常之事當揆度其氣隨宜而處療之）搏脈痺躄寒熱之交（脈擊搏於手而病瘅痺及攣躄者皆寒熱之氣交合所爲非邪

氣虛實之所生也脉孤爲消氣虛泄爲奪血夫脉有表無裏有裏無表皆曰孤亡之氣也若有表有裏而氣不足者皆曰虛衰之氣也孤爲逆虛爲從孤無所依故曰逆虛衰可復故曰從行奇恒之法以太陰始凡揆度奇恒之法先以氣口太陰之脉定四時之正氣然後度量奇恒之氣也行所不勝曰逆逆則死木見金脉金見火脉火見水脉水見土脉土見木脉如是皆行所不勝也故曰逆賊勝不已故逆則死焉行所勝曰從從則活木見水火土脉火見金土木脉土見金水火脉金見土木水脉水見金火木脉如是者皆可勝之脉故曰從從則無所尅殺傷敗故從則活也八風四時之勝終而復始以不越於五行故雖相勝猶循環終而復始也逆行一過不復可數論要畢矣過謂遍也言逆行過遍於五氣者不復可數爲平和矣

診要經終論篇第十六新校正云按全元起本在第二卷

黄帝問曰診要何如岐伯對曰正月二月天氣始方地氣始發人氣在肝方正也言天地氣正發生其萬物也木治東方王七十二日猶當三月節後一十二日是木之

肉事以月而取則正月二月人氣在肝三月四月天氣正方地氣定發人氣在脾天氣正方以陽氣明盛地氣定發爲萬物華而欲實也然季終土寄而王土又生於丙故人氣在脾五月六月天氣盛地氣高人氣在頭天陽赫盛地焰高升故言天氣盛地氣高火性炎上故人氣在頭也七月八月陰氣始殺人氣在肺七月三陰支生八月陰始肅殺故云陰氣始殺也然陰氣肅殺類合於金肺氣象金故人氣在肺也九月十月陰氣始冰地氣始閉人氣在心陰氣始凝地氣始閉隨陽而入故人氣在心十一月十二月冰復地氣合人氣在腎陽氣深復故氣在腎也夫氣之變也故發生於木長茂於土盛高而上肅殺於金避寒於火伏藏於水斯皆隨順陰陽氣之升沉也五藏生成論曰五藏之象可以類推此之謂氣類也故春刺散俞及與分理血出而止散俞謂間穴分理謂肌肉分理　新校正云按四時刺逆從論云春氣在經脉此散俞即經脉之俞也又水熱穴論云春取絡脉分肉甚者傳氣間者環也辨疾氣之間甚也傳謂相傳環謂循環也相傳則傳所不勝循環則周迴於五氣也　新校正云按太素環也作環已夏刺絡俞見血而止盡

氣閉環痛病必下盡氣謂出血而盡鍼下取所病脈盛邪之氣也邪氣盡已穴俞閉密則經脈循環而痛病之氣必下去矣以陽氣大盛故爲是法刺之　新校正云按四時刺逆從論云夏氣在孫絡此絡俞即孫絡之俞也又水熱穴論云夏取盛經分腠秋刺皮膚循理上下同法神變而止循理謂循肌肉之分理也上謂手脈下謂足脈神變謂脈氣變易與未刺時異也脈者神之用故爾言之　新校正云按四時刺逆從論云秋氣在皮膚義與此合又水熱穴論云取俞以寫陰邪取合以虛陽邪皇甫士安云是始秋之治變冬刺俞竅於分理甚者直下間者散下直下謂直爾下之散下謂散布下之　新校正云按四時刺逆從論云冬氣在骨髓此俞竅即骨髓之俞竅也又水熱穴論云冬取井滎皇甫士安云是末冬之治變也春夏秋冬各有所刺法其所在春刺夏分脈亂氣微入淫骨髓病不能愈令人不嗜食又且少氣心主脈故脈亂氣微水受氣於夏腎主骨故入淫於骨髓也心火微則胃土不足故不嗜食而少氣也　新校正云按四時刺逆從論云春刺絡脈血氣外溢令人少氣春刺秋分筋攣逆氣環爲欬嗽病不愈令人時驚又且哭木受氣於秋肝主筋故刺

秋分則筋攣也若氣逆環周則爲欬嗽肝主驚故時驚肺主氣故氣逆又且哭也　新校正云按四時刺逆從論云春刺肌肉血氣環逆令人上氣也春刺冬分邪氣著藏令人脹病不愈又且欲言語冬主陽氣伏藏故邪氣著藏腎實則脹故刺冬分則令人脹也火受氣於冬心主言故欲言語也　新校正云按四時刺逆從論云春刺筋骨血氣內著令人腹脹夏刺春分病不愈令人解墮肝養筋肝氣不足故筋力解墮　新校正云按四時刺逆從論云夏刺經脈血氣乃竭令人解墮夏刺秋分病不愈令人心中欲無言惕惕如人將捕之肝主爲語傷秋分則肝木虛故恐如人將捕之肝不足故欲無言而復恐也　新校正云按四時刺逆從論云夏刺肌肉血氣內却令人善恐甲乙經作悶夏刺冬分病不愈令人少氣時欲怒夏傷於腎肝肺散之志內不足故令人少氣時欲怒也　新校正云按四時刺逆從論云夏刺筋骨血氣上逆令人善怒秋刺春分病不已令人惕然欲有所爲起而忘之肝虛故也刺不當也　新校正云按四時刺逆從論云秋刺經脈血氣上逆令人善忘秋刺夏分病不已令人益嗜臥又且善夢心氣少則脾氣孤故令嗜臥心主夢神爲之故令善夢　新校正云按四時刺逆從論云秋刺絡脈氣不外行令

人訫不能動 秋刺冬分病不已令人洒洒時寒 陰氣上干故時寒也洒洒寒貌 新校正云按四時
刺逆從論云秋刺筋骨血氣內令寒慄 冬刺春分病不已令人欲臥不能眠眠而有
見 肝氣少故令欲臥不能眠肝主目故眠而如見有物之形狀也 新校正云按四時刺逆從論云冬刺經脉血氣皆脫令人目不明 冬刺夏分病
不愈氣上發為諸痺 泄脉氣故也 新校正云按四時刺逆從論云冬刺絡脉血氣外泄留為大痺 冬刺秋分
病不已令人善渴 肺氣不足故發渴 新校正云按四時刺逆從論云冬刺肌肉陽氣竭絶令人善渴 凡刺胸腹者
必避五藏 心肺在鬲上腎肝在鬲下脾象土而居中故刺胸腹必避之五藏者所以藏精神魂魄意志損之則五神去神去則死至故不可不慎也 中
心者環死 氣行如環之一周則死也正謂周十二辰也 新校正云按刺禁論云一日死其動為噫四時刺逆從論同此經闕刺中肝死日刺禁論云中肝五
日死其動為語四時刺逆從論同也 中脾者五日死 土數五也 新校正云按刺禁論云中脾十日死其動為吞四時刺逆從論同 中腎
者七日死 水成數六水數畢當至七日而死一云十日死字之誤也 新校正云按刺禁論云中腎六日死其動為嚏四時刺逆從論云中腎六
日死其動為嚏欠 中肺者五日死 金生數四金數畢當至五日而死一云三日死亦字誤也 新校正云按刺禁

論云中肺三日死其動爲欬四時刺逆從論同王注四時刺逆從論云此三論皆岐伯之言而不同者傳之誤也中膈者皆爲傷中其病雖愈不過一歲必死五藏之氣同主一年膈傷則五藏之氣互相剋伐故不過一歲必死刺避五藏者知逆從也所謂從者膈與脾腎之處不知者反之腎著於脊脾藏居中膈連於脇際知者爲順不知者反傷其藏刺胷腹者必以布憿著之乃從單布上刺形定則不誤中於五藏也新校正云按別本憿一作儌又作撽刺之不愈復刺要以氣至爲效也鍼經曰刺之氣不至无問其數刺之氣至去之勿復鍼此之謂也刺鍼必肅肅謂靜肅所以候氣之存亡刺腫搖鍼以出大膿血故經刺勿搖經氣不欲泄故此刺之道也帝曰願聞十二經脉之終奈何終謂盡也岐伯曰太陽之脉其終也戴眼反折瘛瘲其色白絕汗乃出出則死矣戴眼謂睛不轉而仰視也然足太陽脉起於目內眥上額交巔上從巔入絡腦還出別下項循肩髆內俠脊抵腰中其支別者下循足至小指外側手太陽脉起於手小指之

內經四　十二

端循臂上肩入缺盆其支別者上頰至目內眥抵足太陽 新校正云按甲乙經作斜絡於顴 又其支別者從缺盆循頸上頰至目外眥 新校正云按甲乙經外作兌 故戴眼反折瘛瘲色白絕汗乃出也絕汗謂汗暴出如珠而不流旋復乾也太陽極則汗出故出則死 少陽終者耳聾百節皆縱目睘絕系絕系一日半死其死也色先青白乃死矣 足少陽脉起於目銳眥上抵頭角下耳後其支別者從耳後入耳中出走耳前手少陽脉其支別者從耳後亦入耳中出走耳前故終則耳聾目睘絕系也少陽主骨故氣終則百節縱緩色青白者金木相薄也故見死矣睘謂直視如驚貌 陽明終者口目動作善驚妄言色黃其上下經盛不仁則終矣 足陽明脉起於鼻交頞中下循鼻外入上齒縫中還出俠口環脣下交承漿却循頤後下廉出大迎循頰車上耳前過客主人循髮際至額顱其支別者從大迎前下人迎循喉嚨入缺盆下鬲手陽明脉起於手循臂至肩上出於柱骨之會上下入缺盆絡肺其支別者從缺盆上頸貫頰下入齒中還出俠口交人中左之右右之左上俠鼻鼽抵足陽明 新校正云按甲乙經鼽作孔无抵足陽明四字 故終則口目動作也口自動作謂目瞤瞤而鼓頷也胃病則惡人與火聞木音則惕然而驚又罵詈罵詈而不避親踈故善驚妄言也黃者土色上謂手脉下謂足脉也經盛謂面目頸頷足跗腕脛皆躁盛而動也不仁謂不知善惡如

是者皆氣竭之徵也故終矣

少陰終者面黑齒長而垢腹脹閉上下不通而終矣（手少陰氣絕則血不流足少陰氣絕則骨不耎骨硬則斷上宣故齒長而積垢汙血壞則皮色死故面色如漆而不赤也足少陰脈從腎上貫肝鬲入肺中手少陰脈起於心中出屬心系下鬲絡小腸故其終則腹脹閉上下不通也　新校正云詳王注云骨不耎骨硬按難經及甲乙經云骨不濡則肉弗能著當作骨不濡　手少陰脈絡小腸甲乙經作脈絡小腸）太陰終者腹脹閉不得息善噫善嘔（足太陰脈行從股內前廉入腹屬脾絡胃上鬲手太陰脈起於中焦下絡大腸還循胃口上鬲屬肺故終則如是也靈樞經曰足太陰之脈動則病食則嘔腹脹善噫也）嘔則逆逆則面赤（嘔則氣逆故面赤　新校正云按靈樞經作善噫噫則嘔嘔則逆）不逆則上下不通不通則面黑皮毛焦而終矣（嘔則上通故但面赤不嘔則下已閉上復不通心氣外燔故皮毛焦而終矣何者足太陰脈支別者復從胃別上鬲注心中由是則皮毛焦乃心氣外燔而生也）厥陰終者中熱嗌乾善溺心煩甚則舌卷卵上縮而終矣（足厥陰絡循脛上睪結於莖其正經入毛中下過陰器上抵小腹俠胃上循喉嚨之後入頏顙手厥陰脈起於胸中出屬心包故終則中熱嗌乾善溺心煩矣）

靈樞經曰肝者筋之合也筋者聚於陰器而脉絡於舌本故甚則舌卷卵上縮也又以厥陰之脉過陰器故爾　新校正云按甲乙經臯作睪過作環此十二經之所敗也手三陰三陽足三陰三陽則十二經也敗謂氣終盡而敗壞也　新校正云詳十二經又出靈樞經與素問

重廣補注黃帝内經素問卷第四

異法方宜論　蹻巨嬌切　砭普廉切　緻直利切　標必堯切　移精變氣論

荄古哀切草根也　湯液醪醴論醪音勞　莝音剉斬也　滌音迪　穢音畏　玉版論　度徒各切　躄必益切　診要經終論　慠古堯切　瘲音縱　瞏音瓊　睒音閃　跗音閅

重廣補注黃帝內經素問卷第五

啓玄子次注林億孫奇高保衡等奉敕校正孫兆重改誤

脉要精微論　平人氣象論

脉要精微論篇第十七新校正云按全元起本在第六卷

黃帝問曰：診法何如？岐伯對曰：診法常以平旦，陰氣未動，陽氣未散，飲食未進，經脉未盛，絡脉調勻，氣血未亂，故乃可診有過之脉。動謂動而降卑，散謂散布而出也，過謂異於常候也。新校正云：按《脉經》及《千金方》，有過之脉作過此非也。王注陰氣未動謂動而降卑，按《金匱真言論》云：平旦至日中，天之陽，陽中之陽也。則平旦爲一日之中純陽之時，陰氣未動耳，何有降卑之義。切脉動靜而視精明，察五色，觀五藏有餘不足，六府強弱，形之盛衰，以此參伍，決死生之分。切謂以指切近於脉也。精

明穴名也在明堂左右兩目內眥也以近於目故曰精明言以形氣盛衰
脈之多少視精明之間氣色觀藏府不足有餘參其類伍以決死生之分夫
脈者血之府也府聚也言血之多少皆聚見於經脈之中也故刺志論曰脈實血實脈虛血虛此其常也反此者病由是
故也長則氣治短則氣病數則煩心大則病進夫脈長爲氣和故治短爲不足
故病數急爲熱故煩心大爲邪盛故病進也長脈者往來長短脈者往來短數脈者往來急速大脈者往來滿大也上盛則氣高新校
正云按全元起本高作鬲下盛則氣脹代則氣衰細則氣少新校正云按太素細作滑濇
則心痛上謂寸口下謂尺中盛謂盛滿代脈者動而中止不能自還細脈者動如莠蓬濇脈者往來時不利而蹇濇也渾渾革至
如涌泉病進而色弊綿綿其去如弦絕死渾渾言脈氣濁亂也革至者謂
脈來弦而大實而長也如涌泉者言脈汩汩但出而不返也綿綿言微微似有而不甚應手也如弦絕者言脈卒斷如弦之絕去也若病候日進而色弊惡如
此之脈皆必死也　新校正云按甲乙經及脈經作渾渾革革至如涌泉病進而色弊弊綿綿其去如弦絕者死夫精明五色者
氣之華也五氣之精華者上見爲五色變化於精明之間也六節藏象論曰天食人以五氣五氣入鼻藏於心肺上使五色脩明此則明

察五色也赤欲如白裹朱不欲如赭白欲如鵝羽不欲如鹽新校正云按甲乙經作白欲如白璧之澤不欲如堊太素兩出之青欲如蒼璧之澤不欲如藍黃欲如羅裹雄黃不欲如黃土黑欲如重漆色不欲如地蒼新校正云按甲乙經作炭色五色精微象見矣其壽不久也赭色鹽色藍色黃土色地蒼色見者皆精微之敗象故其壽不久夫精明者所以視萬物別白黑審短長以長爲短以白爲黑如是則精衰矣誠其誤也夫如是者皆精明衰乃誤也五藏者中之守也身形之中五神安守之所也此則明觀五藏也新校正云按甲乙經及太素守作府中盛藏滿氣勝傷恐者聲如從室中言是中氣之濕也中謂腹中盛謂氣盛藏謂肺藏氣勝謂勝於呼吸而喘息變易也夫腹中之氣盛肺藏充滿氣勝息變善傷於恐言聲不發如在室中者皆腹中有濕氣乃爾也言而微終日乃復言者此奪氣也若言音微細聲斷不續甚奪其氣乃如是也衣

被不斂言語善惡不避親踈者此神明之亂也倉廩不藏者是門戶不要也倉廩謂脾胃門戶謂魄門靈蘭秘典論曰脾胃者倉廩之官也五藏別論曰魄門亦爲五藏使水穀不得久藏也魄門則肛門也要謂禁要水泉不止者是膀胱不藏也水泉謂前陰之流注也得守者生失守者死夫如是倉廩不藏氣勝傷恐衣被不斂水泉不止者皆神氣得居而守則生失其所守則死也夫何以知神氣之不守耶衣被不斂言語善惡不避親踈則亂之證也亂甚則不守於藏也夫五藏者身之強也藏安則神守神守則身強故曰身之強也頭者精明之府頭傾視深精神將奪矣背者胷中之府背曲肩隨府將壞矣腰者腎之府轉搖不能腎將憊矣膝者筋之府屈伸不能行則僂附新校正云按別本附一作俯太素作附筋將憊矣骨者髓之府不能久立行則振掉骨將憊矣皆以所居所由而爲之府也得強則生失強則死強謂中氣強固

以鎮守也岐伯曰新校正云詳此岐伯曰前无問反四時者有餘爲精不足爲消應太過不足爲精應不足有餘爲消陰陽不相應病名曰關格廣陳其脉應也夫反四時者諸不足皆爲血氣消損諸有餘皆爲邪氣勝精也陰陽之氣不相應合不得相營故曰關格也

帝曰脉其四時動柰何知病之所在柰何知病之所變柰何知病乍在內柰何知病乍在外柰何請問此五者可得聞乎言欲順四時及陰陽相應之狀候也岐伯曰新校正云詳此對與問不甚相應脉四時動病之所在病之所變按文頗對病在內在外之說後文殊不相當請言其與天運轉大也指可見陰陽之運轉以明陰陽之不可見也萬物之外六合之內天地之變陰陽之應彼春之暖爲夏之暑彼秋之忿爲冬之怒四變之動脉與之上下六合謂四方上下也春暖爲夏暑言陽生而至盛秋忿而冬怒言陰少而之壯也忿一爲急言秋氣勁急也新校正云按全元起注本

暖作緩以春應中規春脉耎弱輕虛而滑如規之象中外皆然故以春應中規夏應中矩夏脉洪大兼之滑數如矩之象可正平之故以夏應中矩秋應中衡秋脉浮毛輕濇而散如秤衡之象高下必平故以秋應中衡冬應中權冬脉如石兼沉而滑如秤權之象下遠於衡故以冬應中權也以秋中衡冬中權者言脉之高下異處如此爾此則隨陰陽之氣故有斯四應不同也是故冬至四十五日陽氣微上陰氣微下夏至四十五日陰氣微上陽氣微下陰陽有時與脉爲期期而相失知脉所分分之有期故知死時察陰陽升降之準則知經脉遞遷之象審氣候遞遷之失則知氣血分合之期分期不差故知人死之時節微妙在脉不可不察察之有紀從陰陽始推陰陽升降精微妙用皆在經脉之氣候是以不可不察故始以陰陽爲察候之綱紀始之有經從五行生生之有度四時爲宜言始所以知有經脉之察候司應者何哉蓋從五行衰王而爲準度也徵求太過不及之形診皆以應四時者爲生氣所宜也　新校正云按太素宜作數補冩勿失與天地如一有餘者冩

之不足者補之是則應天地之常道也然天地之道損有餘而補不足是法天地之道也寫補之宜工切審之其治氣亦然得一之情以知死生曉天地之道補寫不差既得一情亦可知生死之準的是故聲合五音色合五行脉合陰陽聲表宮商角徵羽故合五音色見青黃赤白黑故合五行脉彰寒暑之休王故合陰陽之氣也是知陰盛則夢涉大水恐懼陰爲水故夢涉水而恐懼也陰陽應象大論曰水爲陰陽盛則夢大火燔灼陽爲火故夢大火而燔灼也陰陽應象大論曰火爲陽陰陽俱盛則夢相殺毀傷亦類交爭之氣象也上盛則夢飛下盛則夢墮氣上則夢上故飛氣下則夢下故墮甚飽則夢予內有餘故甚飢則夢取內不足故肝氣盛則夢怒肝在志爲怒肺氣盛則夢哭肺聲哀故爲哭新校正云詳是知陰盛則夢涉大水恐懼至此乃靈樞之文誤置於斯仍少心脾腎氣盛所夢今具甲乙經中短蟲多則夢聚衆身中短蟲多則夢聚衆長蟲多則夢相擊毀傷長蟲動則內不安內不安則神躁擾故夢是矣新校正云詳此二句亦不當出此應他經脫簡文也是故持脉有道虛靜

爲保前明脉應此舉持脉所由也然持脉之道必虚其心靜其志乃保定盈虚而不失 新校正云按甲乙經保作實 春日浮如魚之遊在波雖出猶未全浮 夏日在膚泛泛乎萬物有餘泛泛平貌陽氣大盛脉氣亦象萬物之有餘易取而洪大也 秋日下膚蟄蟲將去隨陽氣之漸降故曰下膚何以明陽氣之漸降蟄蟲將欲藏去也 冬日在骨蟄蟲周密君子居室在骨言脉深沈也蟄蟲周密言陽氣伏藏君子居室此人事也 故曰知内者按而紀之知内者謂知脉氣也故按而爲之綱紀 知外者終而始之知外者謂知色象故以五色終而復始 此六者持脉之大法見是六者然後可以知脉之遷變也 新校正云詳此前對帝問脉其四時動奈何之事 心脉搏堅而長當病舌卷不能言搏謂搏擊於手也諸脉搏堅而長者皆爲勞心而藏脉氣虚極也心手少陰脉從心系上俠咽喉故令舌卷短而不能言也 其耎而散者當消環自已諸脉耎散皆爲氣實血虚也消謂消散環謂環周言其經氣如環之周當其火王自消散也 新校正云按甲乙經環作渴

肺脉搏堅而長當病唾血肺虚極則絡逆絡逆則血泄故唾出也 其耎而散者

當病灌汗至今不復散發也 汗出玄府津液奔湊寒水灌洗皮密汗藏因灌汗藏故言灌汗至今不復散發也灌謂灌洗盛暑多爲此也 新校正云詳下文諸藏各言色而心肺二藏不言色者疑闕文也 肝脉搏堅而長色不青當病墜若搏因血在脅下令人喘逆 諸脉見本經之氣而色不應者皆非病從內生是外病來勝也夫肝藏之脉端直以長故言曰色不青當病墜若搏也肝主兩脇故曰因血在脇下也肝厥陰脉布脇肋循喉嚨之後其支別者復從肝別貫鬲上注肺今血在脇下則血氣上熏於肺故令人喘逆也 其耎而散色澤者當病溢飲 溢飲者渴暴多飲而易入肌皮腸胃之外也 面色浮澤是爲中濕血虚中濕水液不消故言當病溢飲也以水飲滿溢故滲溢易而入肌皮腸胃之外也 新校正云按甲乙經易作溢 胃脉搏堅而長其色赤當病折髀 胃虚色赤火氣救之心象於火故色赤也胃陽明脉從氣衝下髀抵伏兔故病則髀如折也 其耎而散者當病食痺 痺痛也胃陽明脉其支別者從大迎前下人迎循喉嚨入缺盆下鬲屬胃絡脾故食則痛悶而氣不散也 新校正云詳謂痺爲痛義則未通 脾脉搏堅而長其色黄當病少氣 脾虚

則肺無所養肺主氣故少氣也其耎而散色不澤者當病足䯒腫若水狀也色氣浮澤爲水之候色不潤澤故言若水狀也脾太陰脉自上內踝前廉上踹內循䯒骨後交出厥陰之前上循膝股內前廉入腹故病足䯒腫也腎脉搏堅而長其色黃而赤者當病折腰色氣黃赤是心脾干腎腎受客陽故腰如折也腰爲腎府故病發於中其耎而散者當病少血至令不復也腎主水以生化津液令腎氣不化故當病少血至令不復也帝曰新校正云詳帝曰至以其勝治之愈全元起本在湯液篇診得心脉而急此爲何病病形何如岐伯曰病名心疝少腹當有形也心爲牡藏其氣應陽今脉反寒故爲疝也諸脉勁急者皆爲寒形謂病形也帝曰何以言之岐伯曰心爲牡藏小腸爲之使故曰少腹當有形也少腹小腸也靈蘭秘典論曰小腸者受盛之官以其受盛故形居于內也帝曰診得胃脉病形何如岐伯曰胃脉實則脹虛則泄脉實者氣有餘故脹滿脉虛者氣不足故泄利 新校正云詳此前對帝問知病之所在帝曰病

成而變何謂岐伯曰風成爲寒熱生氣通天論曰因於露風乃生寒熱故風成爲寒熱也癉成爲消中癉謂濕熱也熱積於內故變爲消中也消中之證善食而瘦新校正云詳王注以善食而瘦爲消中按本經多食數溲爲之消中善食而瘦乃是食㑊之證當云善食而溲數厥成爲巔疾厥謂氣逆也氣逆上而不已則變爲上巔之疾也久風爲飧泄久風不變但在胃中則食不化而泄利也以肝氣內合而乘胃故爲是病焉陰陽應象大論曰風氣通於肝故內應於肝也脉風成爲癘經風論曰風寒客於脉而不去名曰癘風又曰癘者有榮氣熱胕其氣不清故使其鼻柱壞而色敗皮膚瘍潰然此則癘也夫如是者皆脉風成結變而爲也病之變化不可勝數新校正云詳此前對帝問知病之所變柰何曰諸癰腫筋攣骨痛此皆安生安何也言何以生之岐伯曰此寒氣之腫八風之變也八風八方之風也然癰腫者傷東南西南風之變也筋攣骨痛者傷東風北風之變也靈樞經曰風從東方來名曰嬰兒風其傷人也外在筋紐風從東南來名曰弱風其傷人也外在於肌風從西南來名曰謀風其傷人也外在於肉風從北方來名曰大剛風其傷人也外在於骨由此四風之變而三病乃生故下問對是也帝曰治之奈何岐伯曰此四時

之病以其勝治之愈也勝謂勝剋也如金勝木木勝土土勝水水勝火火勝金此則相勝也帝曰有故病五藏發動因傷脉色各何以知其久暴至之病乎重以色氣明前五藏堅長之脉有自病故病及因傷候也岐伯曰悉乎哉問也徵其脉小色不奪者新病也氣乏而神猶強也徵其脉不奪其色奪者此久病也神持而邪衰其氣也徵其脉與五色俱奪者此久病也神與氣俱衰也徵其脉與五色俱不奪者新病也神與氣俱強也肝與腎脉並至其色蒼赤當病毀傷不見血已見血濕若中水也肝色蒼心色赤赤色見當脉洪腎脉見當色黑今腎脉來反見心色故當因傷而血不見也若已見血則是濕氣及水在腹中也何者以心腎脉色中外之候不相應也尺內兩傍則季脅也尺內謂尺澤之內也兩傍各謂尺之外側也季脅近腎尺主之故尺內兩傍則季脅也尺外以候腎尺裏以候腹中尺外謂尺之外側尺裏謂尺之內側也次尺外下兩傍則季脅之分季脅

之上腎之分季脇之内則腹之分也附上左外以候肝内以候鬲肝主賁賁鬲也右外以候胃内以候脾脾居中故以内候之胃爲市故以外候之上附上右外以候肺内以候胷中肺葉垂外故以外候之胷中主氣管故以内候之左外以候心内以候膻中心主鬲中也膻中則氣海也嗌也新校正云詳王氏以膻中爲嗌也疑誤前以候前後以候後上前謂左寸口下前謂胷之前膺及氣海也上後謂右寸口下後謂胷之後背及氣管也上竟上者胷喉中事也下竟下者少腹腰股膝脛足中事也上竟上至魚際也下竟下謂盡尺之脉動處也少腹胞氣海在膀胱腰股膝脛足中之氣動靜皆分其近遠及連接處所名目以候之知其善惡也麤大者陰不足陽有餘爲熱中也麤謂脉洪大也脉洪爲熱故曰熱中來疾去徐上實下虛爲厥巔疾來徐去疾上虛下實爲惡風也亦脉狀也故中惡風者陽氣受也以上虛故陽氣受也有脉俱沉細數者少陰厥也尺中之有脉沉細數者是腎少陰氣逆也何者

尺脉不當見數有數故言厥也俱沉細數者言左右尺中也沉細數散者寒熱也陽干於陰陰氣不足故寒熱也正理論曰數爲陽浮而散者爲眴仆脉浮爲虛散爲不足氣虛而血不足故爲頭眩而仆倒也諸浮不躁者皆在陽則爲熱其有躁者在手言大法也但浮不躁則病在足陽脉之中躁者病在手陽脉之中也故又曰其有躁者在手也陽爲火氣故爲熱諸細而沉者皆在陰則爲骨痛其有静者在足細沉而躁則病生於手陰脉之中静者病生於足陰脉之中也故又曰其有静者在足也陰主骨故骨痛數動一代者病在陽之脉也泄及便膿血代止也數動一代是陽氣之生病故言病在陽之脉所以然者以泄利及膿血脉乃爾諸過者切之濇者陽氣有餘也滑者陰氣有餘也陽有餘則血少故脉濇陰有餘則氣多故脉滑也新校正云詳氣多疑誤當是血多也陽氣有餘爲身熱无汗陰氣有餘爲多汗身寒血少氣多斯可知也陰陽有餘則无汗而寒陽餘无汗陰餘身寒若陰陽有餘則當无汗而寒也推而外之内而不外有心

腹積也（脉附臂筋取之不審推筋令遠使脉外行内而不出外者心腹中有積乃爾）推而内之外而不内身有熱也（脉遠臂筋推之令近遠而不近是陽氣有餘故身有熱也）推而上之上而不下腰脊足清也（推筋按之尋之而上脉上涌盛是陽氣有餘故腰足冷也　新校正云按甲乙經上而不下作下而不上）推而下之下而不上頭項痛也（推筋按之尋之而下脉沈下掣是陽氣有餘故頭項痛也　新校正云按甲乙經下而不上作上而不下）按之至骨脉氣少者腰脊痛而身有痺也（陰氣大過故爾）

平人氣象論篇第十八（新校正云按全元起本在第一卷）

黄帝問曰平人何如（平人謂氣候平調之人也）岐伯對曰人一呼脉再動一吸脉亦再動呼吸定息脉五動閏以太息命曰平人平人者不病也（經脉一周於身凡長十六丈二尺呼吸脉各再動定息脉又一動則五動也計二百七十定息氣可環周然盡五十營以一萬三千五百定息則氣都行八百一十丈如是則應天常度脉氣无不及太過氣象平調故曰平人也）常以不病

調病人醫不病故爲病人平息以調之爲法人一呼脉一動一吸脉一動曰少氣呼吸脉各一動準候减平人之半計二百七十定息氣凡行八丈一尺以一萬三千五百定息氣都行四百五丈少氣之理從此可知人一呼脉三動一吸脉三動而躁尺熱曰病温尺不熱脉滑曰病風脉濇曰痺呼吸脉各三動準過平人之半計二百七十息氣凡行二十四丈三尺病生之兆由斯著矣夫尺者陰分位也寸者陽分位也然陰陽俱熱是則爲温陽獨躁盛則風中陽也脉要精微論曰中惡風者陽氣受也滑爲陽盛故病爲風濇爲无血故爲痺痺也躁謂煩躁　新校正云按甲乙經无脉濇曰痺一句下文亦重人一呼脉四動以上曰死脉絶不至曰死乍踈乍數曰死呼吸脉各四動準候過平人之倍計二百七十息氣凡行三十二丈四尺况其以上耶脉法曰脉四至曰脱精五至曰死然四至以上亦近五至也故死矣然脉絶不至天眞之氣已无乍數乍踈胃穀之精亦敗故皆死之候是以下文曰　新校正云按别本敗一作散平人之常氣稟於胃胃者平人之常氣也常平之氣胃海致之靈樞經曰胃爲水穀之海也正理論曰穀入於胃脉道乃行

人无胃氣曰逆逆者死逆謂反平人之候也　新校正云按甲乙經云人常禀氣於胃脉以胃氣爲本无胃氣曰逆逆者死春胃微弦曰平言微似弦不謂微而弦也鈎及耎弱毛石義並同　弦多胃少曰肝病但弦无胃曰死謂急而益勁如新張弓絃也　胃而有毛曰秋病毛秋脉金氣也　毛甚曰今病木受金邪故今病　藏真散於肝肝藏筋膜之氣也象陽氣之散發故藏真散也藏氣法時論曰肝欲散急食辛以散之取其順氣　夏胃微鈎曰平　鈎多胃少曰心病　但鈎无胃曰死謂前曲後居如操帶鈎也　胃而有石曰冬病石冬脉水氣也　石甚曰今病火被水侵故今病　藏真通於心心藏血脉之氣也象陽氣之炎盛也藏氣法時論曰心欲耎急食鹹以耎之取其順氣　長夏胃微耎弱曰平　弱多胃少曰脾病　但代无胃曰死謂動而中止不能自還也　耎弱有石曰冬病石冬脉水氣也次其勝剋石當爲弦長夏土絶故云石也　弱甚曰今病弱甚爲土氣不足故今病　新校正云按甲乙經弱作石　藏真濡於脾脾藏

肌肉之氣也以金藏水穀故藏眞濡也秋胃微毛曰平毛多胃少曰肺病但毛无胃曰死謂如物之浮如風吹毛也毛而有弦曰春病弦春脉木氣也次其乘剋弦當爲鉤金氣逼肝則脉弦來見故不鉤而反弦也弦甚曰今病木氣逆來乘金則今病藏眞高於肺以行榮衛陰陽也肺處上焦故藏眞高也靈樞經曰榮氣之道内穀爲實穀入於胃迺傳與肺流溢於中而散於外精專者行於經隧以其自肺宣布故云以行榮衛陰陽也新校正云按別本實一作寶冬胃微石曰平石多胃少曰腎病但石无胃曰死謂如奪索辟辟如彈石也石而有鉤曰夏病鉤夏脉火兼土氣也次其乘剋鉤當云弱土王長夏不見正形故石而有鉤兼其土也鉤甚曰今病水受火土之邪故今病藏眞下於腎腎藏骨髓之氣也腎居下焦故云藏眞下也腎化骨髓故藏骨髓之氣也胃之大絡名曰虚里貫鬲絡肺出於左乳下其動應衣脉宗氣也宗尊也主也謂十二經脉之尊主也貫鬲絡肺出於左乳下者自鬲而出於乳下乃絡肺也盛喘數絕

者則病在中[絶謂暫斷絶也]結而橫有積矣絶不至曰死[皆左乳下脉動狀也中謂腹中也]乳之下其動應衣宗氣泄也[泄謂發泄　新校正云按全元起本无此十一字甲乙經亦无詳上下文義多此十一字當去]欲知寸口太過與不及寸口之脉中手短者曰頭痛寸口脉中手長者曰足脛痛[短爲陽氣不及故病於頭長爲陰氣太過故病於足]寸口脉中手促上擊者曰肩背痛[陽盛於上故肩背痛]寸口脉沈而堅者曰病在中寸口脉浮而盛者曰病在外[沈堅爲陰故病在中浮盛爲陽故病在外也]寸口脉沈而弱曰寒熱及疝瘕少腹痛[沈爲寒弱爲熱故曰寒熱也又沈爲陰盛弱爲陽餘餘盛相薄正當寒熱不當爲疝瘕而少腹痛應古之錯簡爾　新校正云按甲乙經无此十五字況下文已有寸口脉沈而喘曰寒熱脉急者曰疝瘕少腹痛此文衍當去]寸口脉沈而橫曰脇下有積腹中有橫積痛[亦陰氣內結也]寸口脉沈而喘曰寒熱[喘爲陽吸沈爲陰爭爭吸相薄]

故寒熱也脉盛滑堅者曰病在外脉小實而堅者病在内盛滑為陽小實為陰陰病病在内陽病病在外也脉小弱以濇謂之久病小為氣虚濇為无血血氣虚弱故云久遠之病也脉滑浮而疾者謂之新病滑浮為陽足脉疾為氣全陽足氣全故云新淺之病也脉急者曰疝瘕少腹痛此覆前疝瘕少腹痛之脉也言沈弱不必為疝瘕沈急乃與診相應脉滑曰風脉濇曰痺滑為陽陽受病則為風濇為陰陰受病則為痺緩而滑曰熱中盛而緊曰脹緩謂縱緩之狀非動之遲緩也陽盛於中故脉滑緩寒氣否滿故脉盛緊也盛緊盛滿也脉從陰陽病易已脉逆陰陽病難已脉病相應謂之從脉病相反謂之逆脉得四時之順曰病无他脉反四時及不間藏曰難已春得秋脉夏得冬脉秋得夏脉冬得四季脉皆謂反四時氣不相應故難已也臂多青脉曰脱血血少脉空客寒因入寒凝血汁故脉色青也尺脉緩濇謂之解㑊尺為陰部腹腎主之緩為熱中濇為无血熱而无血故解㑊並不可名之然寒不寒熱不熱弱不弱壯不壯㑊不可名謂之解㑊也脉要精微論曰尺外以候腎尺

義以候腹中則腹腎主尺之義也

安臥脈盛謂之脫血臥久傷氣氣傷則脈診應微今脈盛而不微則血去而氣無所主乃爾盛謂數急而大鼓也

尺濇脈滑謂之多汗謂尺膚濇而脈滑也膚濇者榮血內涸脈滑爲陽氣內餘血涸而陽氣尚餘多汗而脈乃如是也

尺寒脈細謂之後泄尺主下焦診應腸腹故膚寒脈細泄利乃然脈法曰陰微即下言尺氣虛少

脈尺麤常熱者謂之熱中謂下焦中也

肝見庚辛死庚辛爲金伐肝木也心見壬癸死壬癸爲水滅心火也脾見甲乙死甲乙爲木剋脾土也肺見丙丁死丙丁爲火鑠肺金也腎見戊己死戊己爲土刑腎水也是謂眞藏見皆死此亦通明三部九候論中眞藏脈見者勝死也尺麤而藏見亦然

頸脈動喘疾欬曰水水氣上溢則肺被熱熏陽氣上逆故頸脈盛鼓而欬喘也頸脈謂耳下及結喉傍人迎脈者也

目裹微腫如臥蠶起之狀曰水評熱病論曰水者陰也目下亦陰也腹者至陰之所居也故水在腹中者必使目下腫也

溺黃赤安臥者黃疸疸勞也腎勞胞熱故溺黃赤也正理論曰謂之勞癉以女勞得之也 新校正云詳王注以疸爲勞義非若謂女勞得疸則可若以疸爲勞非矣

已食如飢者

胃疸是則胃熱也熱則消穀故食已如飢也 面腫曰風加之面腫則胃風之診也何者胃陽明脉起於鼻交頞中下循鼻外故爾 足脛腫曰水是謂下焦有水也腎少陰脉出於足心上循脛過陰股從腎上貫肝鬲故下焦有水足脛腫也 目黃者曰黃疸陽怫於上熱積胸中陽氣上燔故目黃也靈樞經曰目黃者病在胸 婦人手少陰新校正云按全元起本作足少陰脉動甚者姙子也手少陰脉謂掌後陷者中當小指動而應手者也靈樞經曰少陰無輸心不病乎岐伯云其外經病而藏不病故獨取其經於掌後銳骨之端此之謂也動謂動脉也動脉者大如豆厥厥動搖也王理論曰脉陰陽相薄名曰動也又經脉別論曰陰薄陽別謂之有子新校正云按經脉別論中無此文 脉有逆從四時未有藏形春夏而脉瘦新校正云按玉機真藏論瘦作沈濇 秋冬而脉浮大命曰逆四時也春夏脉瘦謂沈細也秋冬浮大不應時也大法春夏當浮大而反沈細秋冬當沈細而反浮大故曰不應時也 風新校正云按玉機真藏論風作病 熱而脉靜 泄而脫血脉實新校正云按玉機真藏論作泄而脉大脫血而脉實 病在中脉虛病在外新校正云按玉機真藏論作脉實堅病在外 脉濇堅者新校正云按玉機真藏論作脉不實堅者 皆難治風熱當脉躁而

反歸泄而脫血當脈虛而反實邪氣在内當脈實而反虛病氣在外當脈虛滑而反堅濇故皆難治也命曰反四時也（皆反四時之氣乃如是矣 新校正云詳命曰反四時也此六字應古錯簡當去自前未有藏形春夏至此五十三字與後玉機真藏論文相重）人以水穀爲本故人絕水穀則死脈無胃氣亦死所謂無胃氣者但得真藏脈不得胃氣也所謂脈不得胃氣者肝不弦腎不石也（不弦不石皆謂不微似也）太陽脈至洪大以長（氣盛故能爾 新校正云按扁鵲陰陽脈法云太陽之脈洪大以長其來浮於筋上動搖九分三月四月甲子王呂廣云太陽王五月六月其氣大盛故其脈洪大而長也）少陽脈至乍數乍疏乍短乍長（以氣有暢未暢者也 新校正云按扁鵲陰陽法云少陽之脈乍小乍大乍長乍短動搖六分王十一月甲子夜半正月二月甲子王呂廣云少陽王正月二月其氣尚微故其脈來進退无常）陽明脈至浮大而短（穀氣滿盛故也 新校正云詳无三陰脈應古文闕也按難經云太陰之至緊大而長少陰之至緊細而微厥陰之至沉短以敦呂廣云陽明王三月四月其氣始萌未盛故其脈來浮大而短扁鵲陰陽脈法云少陰之脈緊細動搖六分王五月甲子日中七月八月王太陰之脈緊細以長乘於筋上

動揺九分九月十月甲子王厥陰之脉沆短以緊動揺三分十一月十二月甲子王夫平心脉來累累如連珠如循琅玕曰心平言脉滿而盛微似珠形之中手琅玕珠之類也夏以胃氣爲本脉有胃氣則累累而微似連珠也病心脉來喘喘連屬其中微曲曰心病曲謂中手而偃曲也新校正云詳越人云啄啄連屬其中微曲曰腎病與素問異死心脉來前曲後居如操帶鉤曰心死居不動也操執持也鉤謂革帶之鉤平肺脉來厭厭聶聶如落榆莢曰肺平浮薄而虛者也新校正云詳越人云厭厭聶聶如循榆葉曰春平脉藹藹如車蓋按之益大曰秋平脉與素問少異說不同張仲景云秋脉藹藹如車蓋者名曰陽結春脉聶聶如吹榆莢者名曰數恐越人之說誤也秋以胃氣爲本脉有胃氣則微似榆莢之輕虛也病肺脉來不上不下如循雞羽曰肺病謂中央堅而兩傍虛死肺脉來如物之浮如風吹毛曰肺死如物之浮瞥瞥然如風吹毛紛紛然也新校正云詳越人云按之消索如風吹毛曰死平肝脉來耎弱招招如揭長竿末梢曰肝平如竿末梢言長

耎也春以胃氣爲本脉有胃氣乃長耎如竿之末梢矣病肝脉來盈實而滑如循長竿曰肝病長而不耎故若循竿死肝脉來急益勁如新張弓弦曰肝死勁謂勁強急之甚也平脾脉來和柔相離如雞踐地曰脾平言脉來動數相離緩急和而調長夏以胃氣爲本胃少則脉實脉實數病脾脉來實而盈數如雞舉足曰脾病胃少故脉實急矣舉足謂如雞走之舉足也新校正云詳越人以爲心病死脾脉來鋭堅如烏之喙新校正云按千金方作如雞之喙如烏之距如屋之漏如水之流曰脾死烏喙烏距言鋭堅也水流屋漏言其至也水流謂平至不鼓屋漏謂時動復住平腎脉來喘喘纍纍如鉤按之而堅曰腎平謂如心脉而鉤按之小堅爾新校正云按越人云其來上大下兌濡滑如雀之喙曰平呂廣云上大者足太陽下兌者足少陰陰陽得所爲胃氣強故謂之平雀喙者本大而末兌也冬以胃氣爲本胃少則不按亦堅也病腎脉來如引葛按之益堅曰腎病形如引葛言不按且堅明

按之則尤甚也死腎脈來發如奪索辟辟如彈石曰腎死發如奪索猶蛇之走辟辟如彈石言促又堅也

重廣補注黃帝內經素問卷第五

脈要精微論莠音誘汩古沒切癉都叛切眴音荀又音舜平人氣象論

疝音山瘕音賈㑊音亦儜女耕切喙虛畏切

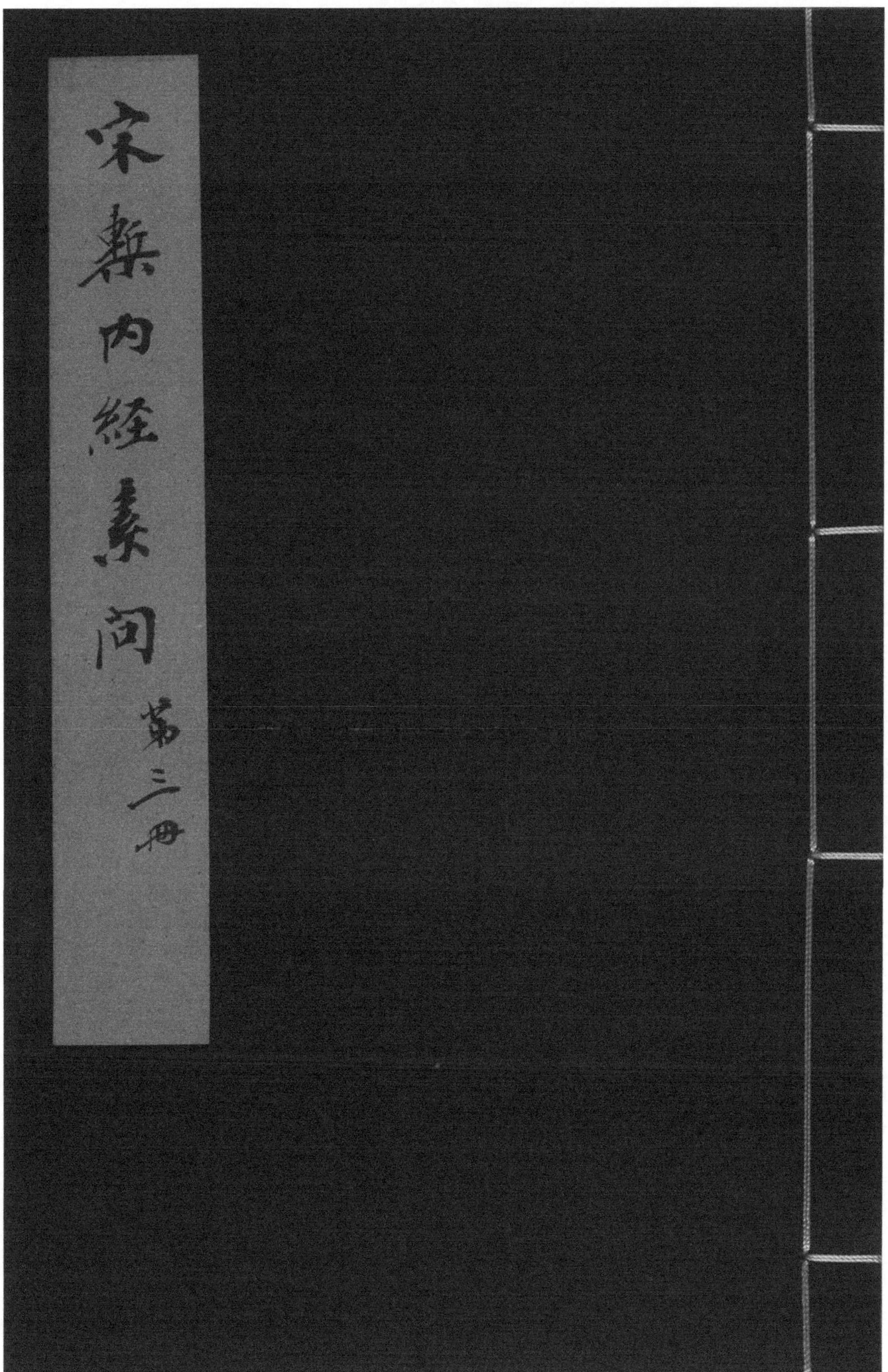
宋槧内經素問
第三冊

重廣補注黄帝内經素問卷第六

啓玄子次注林億孫奇高保衡等奉敕校正孫兆重改誤

玉機真藏論　三部九候論

玉機真藏論篇第十九 新校正云按全元起本在第六卷

黄帝問曰春脉如弦何如而弦岐伯對曰春脉者肝也東方木也萬物之所以始生也故其氣來耎弱輕虚而滑端直以長故曰弦 言端直而長狀如弦也 新校正云按越人云春脉弦者東方木也萬物始生未有枝葉故其脉來濡弱而長四時經輕作寬 反此者病 反爲反常平之候 帝曰何如而反岐伯曰其氣來實而強此謂太過病在外其氣來不實而微此謂不及病在中 氣餘則病形於外氣少則病在於中也 新校正云按呂廣云實強者陽氣盛也少陽當微弱

今其實強謂之太過陽處表故令病在外厥陰之氣養於筋其脉弦今其虛微故曰不及陰處中故令病在内帝曰春脉太過與不及其病皆何如岐伯曰太過則令人善忘忽忽眩冒而巔疾其不及則令人胷痛引背下則兩脇胠滿忽忽不爽也眩謂目眩視如轉也冒謂冒悶也胠謂腋下脇也忘當爲怒字之誤也靈樞經曰肝氣實則怒肝厥陰脉自足而上入毛中又上貫鬲布脇脇循喉嚨之後上入頏顙上出額與督脉會於巔故病如是 新校正云按氣交變大論云木太過甚則忽忽善怒眩冒巔疾則忘當作怒帝曰善夏脉如鉤何如而鉤岐伯曰夏脉者心也南方火也萬物之所以盛長也故其氣來盛去衰故曰鉤言其脉來盛去衰如鉤之曲也 新校正云按越人云夏脉鉤者南方火也萬物之所盛垂枝布葉皆下曲如鉤故其脉來疾去遲吕廣云陽盛故來疾陰虛故去遲脉從下上至寸口疾還尺中遲也反此者病帝曰何如而反岐伯曰其氣來盛去亦盛此謂太過病在外其脉來盛去盛是陽之盛也心氣有餘是爲太過其氣來不

内經六

盛去反盛此謂不及病在中新校正云詳越人肝心肺腎四藏脉俱以強實爲太過虛微爲不及與素問不同帝曰夏脉太過與不及其病皆何如歧伯曰太過則令人身熱而膚痛爲浸淫其不及則令人煩心上見欬唾下爲氣泄心少陰脉起於心中出屬心系下鬲絡小腸又從心系却上肺故心太過則身熱膚痛而浸流布於形分不及則心煩上見欬唾下爲氣泄帝曰善秋脉如浮何如而浮歧伯曰秋脉者肺也西方金也萬物之所以收成也故其氣來輕虛以浮來急去散故曰浮脉來輕虛故名浮也來急以陽未沈下去散以陰氣上升也新校正云按越人云秋脉毛者西方金也萬物之所終草木華葉皆秋而落其枝獨在若毫毛也故其脉來輕虛以浮故曰毛反此者病帝曰何如而反歧伯曰其氣來毛而中央堅兩傍虛此謂太過病在外其氣來毛而微此謂不及病在中

帝曰秋脉太過與不及其病皆何如岐伯曰太過則令人逆氣而背痛慍慍然其不及則令人喘呼吸少氣而欬上氣見血下聞病音肺太陰脉起於中焦下絡大腸還循胃口上鬲屬肺從肺系橫出腋下復藏氣爲欬主喘息故氣盛則肩背痛氣逆不及則喘息變易呼吸少氣而欬上氣見血也下聞病音謂喘息則肺中有聲也帝曰善冬脉如營何如而營脉沈而深如營動也新校正云詳深一作濡又作搏按本經下文云其氣來沈以搏則深字當爲搏又按甲乙經搏字爲濡當從甲乙經爲濡何以言之脉沈而濡濡古軟字乃冬脉之平調脉若沈而搏擊於手則冬脉之太過脉也故言當從甲乙經濡字岐伯曰冬脉者腎也北方水也萬物之所以合藏也故其氣來沈以搏故曰營言沈而搏擊於手也新校正云按甲乙經搏當作濡義如前說又越人云冬脉石者北方水也萬物之所藏盛冬之時水凝如石故其脉來沈濡而滑故曰石也反此者病帝曰何如而反岐伯曰其氣來如彈石者此謂太過病在外其去如

數者此謂不及病在中帝曰冬脉太過與不及其病皆何如岐伯曰太過則令人解㑊新校正云按解㑊之義具第五卷注脊脉痛而少氣不欲言其不及則令人心懸如病飢䏚中清脊中痛少腹滿小便變腎少陰脉自股內後廉貫脊屬腎絡膀胱其直行者從腎上貫肝鬲入肺中循喉嚨俠舌本其支別者從肺出絡心注胷中故病如是也䏚者季脇之下俠脊兩傍空軟處也腎外當䏚故䏚中清冷也帝曰善帝曰四時之序逆從之變異也脉春弦夏鉤秋浮冬營為逆順之變見異狀也然脾脉獨何主主謂主時月岐伯曰脾脉者土也孤藏以灌四傍者也納水穀化津液溉灌於肝心肺腎也以不正主四時故謂之孤藏帝曰然則脾善惡可得見之乎岐伯曰善者不可得見惡者可見不正主時寄王於四季故善不可見惡可見也帝曰惡者何如可見岐伯曰其來如水之流者此謂太過病

在外如鳥之喙者此謂不及病在中新校正云按平人氣象論云如鳥之喙又別本喙作啄帝曰夫子言脾爲孤藏中央土以灌四傍其太過與不及其病皆何如歧伯曰太過則令人四支不舉以主四支故病不舉其不及則令人九竅不通名曰重強脾之孤藏以灌四傍今病則五藏不和故九竅不通也八十一難經曰五藏不和則九竅不通重謂藏氣重疊強謂氣不和順帝瞿然而起再拜而稽首曰善吾得脉之大要天下至數五色脉變揆度奇恒道在於一瞿然忙貌也言以太過不及而一貫之揆度奇恒皆通也神轉不迴迴則不轉乃失其機五氣循環不愆時敘是爲神氣流轉不迴若却行衰王反天之常氣是則却迴而不轉由是却迴不轉乃失生氣之機矣至數之要迫近以微得至數之要道則應用切近以微妙也迫切也著之玉版藏之藏府每旦讀之名曰玉機著之玉版故以爲名言是玉版生氣之機新校正云詳至數至名曰玉機與

前玉版論要文相重彼注頗詳五藏受氣於其所生，傳之於其所勝，氣舍於其所生，死於其所不勝。病之且死，必先傳行至其所不勝，病乃死。受氣所生者，謂受病氣於己之所生者也。傳所勝者，謂傳於己之所剋者也。氣舍所生者，謂舍於生己者也。死所不勝者，謂死於剋己者之分位也。所傳不順，故必死焉。此言氣之逆行也，故死。所爲逆者，次如下說。肝受氣於心，傳之於脾，氣舍於腎，至肺而死。心受氣於脾，傳之於肺，氣舍於肝，至腎而死。脾受氣於肺，傳之於腎，氣舍於心，至肝而死。肺受氣於腎，傳之於肝，氣舍於脾，至心而死。腎受氣於肝，傳之於心，氣舍於肺，至脾而死。此皆逆死也。一日一夜五分之，此所以占死生之早暮也。肝死於肺位，秋庚辛，餘四倣此。然朝主甲乙，晝主丙丁，四季上主戊己，晡主庚辛，夜主壬癸，由此則死生之早

暮可知也　新校正云按甲乙經生作者字云占死者之早暮詳此經文專為言氣之逆行也故死即不言生之早暮王氏改者作生義不若甲乙經中素問本文

黃帝曰五藏相通移皆有次五藏有病則各傳其所勝以上文逆傳而死故言是逆傳所勝之次也　新校正云詳逆傳所勝之次逆當作順上文既言逆傳下文所言乃順傳之次也不治法三月若六月若三日若六日傳五藏而當死是順傳所勝之次三月者謂一藏氣之遷移六月者謂至其所勝之位三月者三陽之數以合日也六日者謂兼三陰以數之爾熱論曰傷寒一日巨陽受二日陽明受三日少陽受四日太陰受五日少陰受六日厥陰受則義也　新校正云詳上文是順傳所勝之次七字乃是次前注誤在此經文之下不惟无義兼校之全元起本素問及甲乙經並无此七字直去之慮未達者致疑今存于注故曰別於陽者知病從來別於陰者知死生之期主辨三陰三陽之候則知中風邪氣之所不勝矣故下曰　新校正云詳舊此段注寫作經合改為注又按陰陽別論云別於陽者知病處也別於陰者知死生之期又云別於陽者知病忌時別於陰者知死生之期義同此言知至其所困而死困謂至所不勝也上文曰死於其所不勝是故風者百病之長也

言先百病而有之　新校正云按生氣通天論云風者百病之始　今風寒客於人使人毫毛畢直皮膚閉而爲熱客謂客止於人形也風擊皮膚寒勝腠理故毫毛畢直玄府閉密而熱生也當是之時可汗而發也邪在皮毛故可汗泄也陰陽應象大論曰善治者治皮毛此之謂也或痹不仁腫痛病生而變故如是也熱中血氣則痟痹不仁寒氣傷形故爲腫痛陰陽應象大論云寒傷形熱傷氣氣傷痛形傷腫當是之時可湯熨及火灸刺而去之皆謂釋散寒邪宣揚正氣弗治病入舍於肺名曰肺痹發欬上氣邪入諸陰則病而爲痹故入於肺名曰痹焉宣明五氣論曰邪入於陽則狂邪入於陰則痹肺在變動爲欬故欬則氣上故上氣也弗治肺即傳而行之肝病名曰肝痹一名曰厥脇痛出食肺金伐木氣下入肝故曰弗治行之肝也肝氣通膽膽善爲怒怒者氣逆故一名厥也肝厥陰脉從少腹屬肝絡膽上貫鬲布脇肋循喉嚨之後上入頏顙故脇痛而食入腹則出故曰出食當是之時可按若刺耳弗治肝傳之脾病名曰脾風發癉腹中熱煩心出黃肝氣應風木勝脾土土受風氣故曰

脾風蓋為風氣通肝而為名也脾之為病善發黃癉故發癉也脾太陰脈入腹屬脾絡胃上鬲俠咽連舌本散舌下其支別者復從胃別上鬲注心中故腹中熱而煩心出黃色於便寫之所也當此之時可按可藥可浴弗治脾傳之腎病名曰疝瘕少腹冤熱而痛出白一名曰蠱腎少陰脈自股內後廉貫脊屬腎絡膀胱故少腹冤熱而痛溲出白液也冤熱內結消鑠脂肉如蟲之食日內損削故一名曰蠱當此之時可按可藥弗治腎傳之心病筋脈相引而急病名曰瘛腎不足則水不生水不生則筋燥急故相引也陰氣內弱陽氣外熾筋脈受熱而自跳掣故名曰瘛當此之時可灸可藥弗治滿十日法當死至心而氣極則如是矣若復傳行當如下說腎因傳之心心即復反傳而行之肺發寒熱法當三歲死因腎傳心心不受病即而復反傳與肺金肺已再傷故寒熱也三歲者肺至腎一歲腎至肝一歲肝至心一歲火又乘肺故云三歲死此病之次也謂傳勝之次第然其卒發者不必治於傳不必依傳之次故不必以傳治之或其傳化有不

以次不以次入者憂恐悲喜怒令不得以其次故令
人有大病矣憂恐悲喜怒發無常分觸遇則發故令病氣亦不次而生因而喜大虛則腎氣
乘矣喜則心氣移於肺心氣不守故腎氣乘矣宣明五氣篇曰精氣并於心則喜怒則肝氣乘矣怒則氣逆故肝
氣乘脾悲則肺氣乘矣悲則肺氣移於肝肝氣受邪故肺氣乘矣宣明五氣篇曰精氣并於肺則悲恐則脾
氣乘矣恐則腎氣移於心腎氣不守故脾氣乘矣宣明五氣篇曰精氣并於腎則恐憂則心氣乘矣憂則肝氣
移於脾肝氣不守故心氣乘矣宣明五氣篇曰精氣并於肝則憂此其道也此其不次之常道故病有五五
五二十五變及其傳化五藏相并而各五之五而乘之則二十五變也然其變化以勝相傳傳而不次變化多端
新校正云按陰陽別論云凡陽有五五五二十五陽義與此通傳乘之名也言傳者何相乘之異名爾大骨枯槁
大肉陷下胸中氣滿喘息不便其氣動形期六月死
真藏脈見乃予之期日皮膚乾著骨間肉陷謂大骨枯槁大肉陷下也諸附骨際及空窳處亦同其類也胸中之

滿喘息不便是肺无主也肺司治節氣息由之其氣動形爲无氣相接故聳舉肩背以遠求報氣矣夫如是皆形藏已敗神藏亦傷見是證者期後一百八十日内死矣候見真藏之脉乃與死日之期爾真藏脉診下經備矣此肺之藏也大骨枯槀大肉陷下胷中氣滿喘息不便内痛引肩項期一月死真藏見乃子之期日火精外出陽氣上燔金受火災故内痛肩項如是者期後三十日内死此心之藏也大骨枯槀大肉陷下胷中氣滿喘息不便内痛引肩項身熱脫肉破䐃真藏見十月之内死陰氣微弱陽氣内燔故身熱也䐃者肉之標脾主肉故肉如脫盡䐃如破敗也見斯證者期後三百日内死䐃謂肘膝後肉如塊者此脾之藏也大骨枯槀大肉陷下肩髓内消動作益衰真藏來見期一歲死見其真藏乃子之期日肩髓内消謂缺盆深也衰於動作謂交接漸微以餘藏尚全故期後三百六十五日内死此腎之藏也　新校正云按全元起本及甲乙經真藏未見作來見来當作未字之誤也大骨枯槀大肉陷下胷中氣滿腹内痛心中不

便肩項身熱破䐃脫肉目匡陷眞藏見目不見人立死其見人者至其所不勝之時則死（木生其火肝氣通心脉抵少腹上布脇肋循喉嚨之後上入頏顙故腹痛心中不便肩項身熱破䐃脫肉也肝主目故目匡陷及不見人立死也不勝之時謂於庚辛之月此肝之藏也）急虛身中卒至五藏絕閉脉道不通氣不往來譬於墮溺不可爲期（言五藏相移傳其不勝則可待眞藏脉見乃與死日之期卒急虛邪中於身內則五藏絕閉脉道不通氣不往來譬於墮墜沒溺不可與爲死日之期也）其脉絕不來若人一息五六至其形肉不脫眞藏雖不見猶死也（是則急虛卒至之脉　新校正云按人一息脉五六至何得爲死必息字誤息當作呼乃是）眞肝脉至中外急如循刀刃責責然如按琴瑟弦色青白不澤毛折乃死眞心脉至堅而搏如循薏苡子累累然色赤黑不澤毛折乃死眞肺脉至大而虛如以

毛羽中人膚色白赤不澤毛折乃死真腎脉至搏而絶如指彈石辟辟然色黑黄不澤毛折乃死真脾脉至弱而乍數乍踈色黄青不澤毛折乃死諸真藏脉見者皆死不治也新校正云按楊上善云无餘物和雜故名真也五藏之氣皆胃氣和之不得獨用如至剛不得獨用獨用則折和柔用之即固也五藏之氣和於胃氣即得長生若真獨見必死欲知五藏真見爲死和胃爲生者於寸口診即可知見者如弦是肝脉也微弦爲平和微弦謂二分胃氣一分弦氣俱動爲微弦三分並是弦而无胃氣爲見真藏餘四藏準此黄帝曰見真藏曰死何也岐伯曰五藏者皆稟氣於胃胃者五藏之本也胃爲水穀之海故五藏稟焉藏氣者不能自致於手太陰必因於胃氣乃至於手太陰也平人之常稟氣於胃胃氣者平人之常氣故藏氣因胃乃能至於手太陰也新校正云詳平人之常至下平人之常氣本平人氣象論文王氏引注此經按甲乙經云人常稟氣於胃脉以胃氣爲本與此小異然甲乙之義爲得故五藏各以其

時自爲而至於手太陰也自爲其狀至於手太陰也故邪氣勝者精氣
衰也故病甚者胃氣不能與之俱至於手太陰故眞
藏之氣獨見獨見者病勝藏也故曰死是所謂脉無胃氣也平人氣象論曰人無
胃氣曰逆逆者死帝曰善新校正云詳自黃帝問至此一段全元起本在第四卷太陰陽明表裏篇中王水移於此處必言此者欲明王
氏之功於素問多矣黃帝曰凡治病察其形氣色澤脉之盛衰病之
新故乃治之無後其時欲必先時而取之形氣相得謂之可治氣盛形盛
氣虛形虛是相得也色澤以浮謂之易已氣色浮潤血氣相營故易已脉從四時謂
之可治脉春弦夏鉤秋浮冬營謂順四時從順也脉弱以滑是有胃氣命曰易治
取之以時候可取之時而取之則萬舉萬全當以四時血氣所在而爲療爾新校正云詳取之以時甲乙經作治之趣之无後其時與王氏之
義兩通形氣相失謂之難治形盛氣虛氣盛形虛皆相失也色夭不澤謂之難

已（夭謂不明而惡不澤謂枯燥也）脉實以堅謂之益甚（脉實以堅是邪氣盛故益甚也）脉逆四時爲不可治（以氣逆故疾上四句是謂四難所以下文曰）必察四難而明告之（此四粗之所易語工之所難爲）所謂逆四時者春得肺脉夏得腎脉秋得心脉冬得脾脉其至皆懸絶沈濇者命曰逆四時（春得肺脉秋來見也夏得腎脉冬來見也秋得心脉夏來見也冬得脾脉春來見也懸絶謂如懸物之絶去也）未有藏形於春夏而脉沈濇（新校正云按平人氣象論云而脉瘦義與此同）秋冬而脉浮大名曰逆四時也（未有謂未有藏脉之形狀也）病熱脉靜泄而脉大脫血而脉實病在中脉實堅病在外脉不實堅者皆難治（皆難治者以其與證不相應也　新校正云按平人氣象論云病在中脉虛病在外脉濇堅與此相反此經誤彼論爲得自未有藏形春夏至此與平人氣象論相重注義備於彼）黃帝曰余聞虛實以決死生願聞其情岐伯曰五實死五虛死

五實謂五藏之實五虛謂五藏之虛帝曰願聞五實五虛岐伯曰脉盛皮熱腹脹前後不通悶瞀此謂五實實謂邪氣盛實然脉盛心也皮熱肺也腹脹脾也前後不通腎也悶瞀肝也脉細皮寒氣少泄利前後飲食不入此謂五虛虛謂真氣不足也然脉細心也皮寒肺也氣少肝也泄利前後腎也飲食不入脾也帝曰其時有生者何也岐伯曰漿粥入胃泄注止則虛者活身汗得後利則實者活此其候也全注飲粥得入於胃胃氣和調其利漸止胃氣得實虛者得活言實者得汗外通後得便利自然調平

三部九候論篇第二十新校正云按全元起本在第一卷篇名決死生

黃帝問曰余聞九鍼於夫子衆多博大不可勝數余願聞要道以屬子孫傳之後世著之骨髓藏之肝肺歃血而受不敢妄泄歃血飲血也令合天道新校正云按全元起本云令合天地必

有終始上應天光星辰歷紀下副四時五行貴賤更
互冬陰夏陽以人應之奈何願聞其方天光謂日月星也歷紀謂日月行歷於天
二十八宿三百六十五度之分紀也言以人形血氣榮衛周流合時候之遷移
應日月之行道然斗極旋運黃赤道差冬時日依黃道近南故陰多夏時日依
黃道近北故陽盛也夫四時五行之氣以王者爲貴相者爲賤也岐伯對曰妙乎哉問也此天地
之至數道貫精微故云妙問至數謂至極之數也帝曰願聞天地之至數合於人
形血氣通決死生爲之奈何岐伯曰天地之至數始
於一終於九焉九奇數也故天地之數斯爲極矣一者天二者地三者人因
而三之三三者九以應九野爾雅曰邑外爲郊郊外爲甸甸外爲牧牧外爲林林外爲坰坰外爲野言其遠
也新校正云詳王引爾雅爲證與今爾雅或不同已具前六節藏象論注中故人有三部部有三候以
決死生以處百病以調虛實而除邪疾所謂三部者言身之上中下部非謂寸關

尺也三部之内經隧由之故察候存亡悉因於是鍼之補寫邪疾可除也帝曰何謂三部岐伯曰有下部有中部有上部部各有三候三候者有天有地有人也必指而導之乃以爲真言必當諮受於師也徵四失論曰受師不卒妄作雜術謬言爲道更名自功妄用砭石後遺身咎此其誡也禮曰疑事無質質成也上部天兩額之動脉在額兩傍動應於手足少陽脉氣所行也上部地兩頰之動脉在鼻孔下兩傍近於巨髎之分動應於手足陽明脉氣之所行上部人耳前之動脉在耳前陷者中動應於手手少陽脉氣之所行也中部天手太陰也謂肺脉也在掌後寸口中是謂經渠穴動應於手中部地手陽明也謂大腸脉也在手大指次指岐骨間合谷之分動應於手也中部人手少陰也謂心脉也在掌後鋭骨之端神門之分動應於手也靈樞經持鍼縱捨論問曰少陰无輸心不病乎對曰其外經病而藏不病故獨取其經於掌後鋭骨之端正謂此也下部天足厥陰也謂肝脉也在毛際外羊矢下一寸半陷中五里之分卧而取之動應於手也女子取太衝在足大指本節後二寸陷中是下部地足少陰也謂腎脉也在足内踝後跟骨上陷中太谿

之分動應手下部人足太陰也謂脾脉也在魚腹上趨筋間直五里下箕門之分寬鞏足單衣沉取乃得之而動應於手也候胃氣者當取足跗之上衝陽之分穴中脉動乃應手也新校正云詳自上部天至此一段舊在當篇之末義不相接此正論三部九候宜處於斯今依皇甫謐甲乙經編次例自篇末移置此也故下部之天以候肝足厥陰脉行其中也地以候腎足少陰脉行其中也人以候脾胃之氣足太陰脉行其中也脾藏與胃以膜相連故以候脾兼候胃也帝曰中部之候奈何岐伯曰亦有天亦有地亦有人天以候肺手太陰脉當其處也地以候胷中之氣手陽明脉當其處也經云腸胃同候故以候胷中也人以候心手少陰脉當其處也帝曰上部以何候之岐伯曰亦有天亦有地亦有人天以候頭角之氣位在頭角之分故以候頭角之氣也地以候口齒之氣位近口齒故以候之人以候耳目之氣以位當耳前脉抵於目外眥故以候之三部者各有天各有地各有人三而成天新校正云詳三而成天至合爲九藏與六節藏象論文重注義具彼篇

三而成地三而成人三而三之合則爲九九分爲九野九野爲九藏以是故應天地之至數故神藏五形藏四合爲九藏所謂神藏者肝藏魂心藏神脾藏意肺藏魄腎藏志也以其皆神氣居之故云神藏五也所謂形藏者皆如器外張虛而不屈含藏於物故云形藏也所謂形藏四者一頭角二耳目三口齒四胷中也　新校正云詳注說神藏宣明五氣篇文又與生氣通天論注六節藏象論注重五藏已敗其色必夭夭必死矣夭謂死色異常之候也色者神之旗藏者神之舍故神去則藏敗藏敗則色見異常之候死也帝曰以候奈何岐伯曰必先度其形之肥瘦以調其氣之虛實實則寫之虛則補之度謂量也實寫虛補此所謂順天之道也老子曰天之道損有餘補不足也必先去其血脈而後調之無問其病以平爲期血脈滿堅謂邪留止故先刺去血而後乃調之不當詢問病者盈虛要以脈氣平調爲之期準爾帝曰決死生奈何度形肥瘦調氣盈虛不問病人以平爲準死生之證以決之也岐伯曰形盛脈細少氣不足以息

者危形氣相反故生氣至危玉機眞藏論曰形氣相得謂之可治今脉氣不足形盛有餘證不相扶故當危也危者言其近死猶有生者也刺志論曰氣實形實氣虛形虛此其常也反此者病今脉細少氣是爲氣弱體壯盛是爲形盛形盛氣弱故生氣傾危　新校正云按全元起注本及甲乙經脉經危作死形瘦脉大胷中多氣者死是則形氣不足脉氣有餘也故死形瘦脉大胷中氣多形藏已傷故云死也凡如是類皆形氣不相得也形氣相得者生參伍不調者病參謂參校伍謂類伍參校類伍而有不調謂不率其常則病也三部九候皆相失者死失謂氣候不相類也相失之候診凡有七七診之狀如下文云上下左右之脉相應如參舂者病甚上下左右相失不可數者死三部九候上下左右凡十八診也如參舂者謂大數而鼓如參舂杵之上下也脉要精微論曰大則病進故病甚也不可數者謂一息十至已上也脉法曰人一呼而脉再至一吸脉亦再至曰平三至曰離經四至曰脫精五至曰死六至曰命盡今相失而不可數者是過十至之外也至五尚死况至十者乎中部之候雖獨調與衆藏相失者死中部之候相減者死中部左右凡六診也上部下部已不相應中部獨調固非其久減於上下是亦氣衰故皆死也減謂偏少也臣

億等詳舊無中部之候相減者死八字按全元起注本及甲乙經添之目注有解藏之說而經闕其文此脫在王注之後也目內陷者死言太陽也太陽之脉起於目內眥目內陷者太陽絕也故死所以言太陽者太陽主諸陽之氣故獨言之帝曰何以知病之所在岐伯曰察九候獨小者病獨大者病獨疾者病獨遲者病獨熱者病獨寒者病獨陷下者病相失之候診凡有七者此之謂也然脉見七診謂參伍不調隨其獨異以言其病爾以左手足上上去踝五寸按之庶右手足當踝而彈之手足皆取之然手踝之上手太陰脉足踝之上足太陰脉足太陰脉主肉應於下部手太陰脉主氣應於中部是以下文云脫肉身不去者死中部乍疎乍數者死臣億等按甲乙經及全元起注本並云以左手足上去踝五寸而按之右手當踝而彈之全元起注云內踝之上陰交之出通於膀胱係於腎腎為命門是以取之以明吉凶今文少一而字多一庶字及足字王注以手足皆取為解殊為穿鑿當從全元起注舊本及甲乙經為正其應過五寸以上蠕蠕然者不病氣和故也其應疾中手渾渾然者病中手徐徐然者病渾渾亂也徐徐緩也其應上不

能至五寸彈之不應者死氣絕故不應也是以脫肉身不去者死穀氣外衰則肉如脫盡天真內竭故身不能行真穀並衰故死之至矣去猶行去也中部乍踈乍數者死乍踈乍數氣之衰亂也故死其脉代而鈎者病在絡脉鈎為夏脉又夏氣在絡故病在絡脉也絡脉受邪則經脉滯否故代止也九候之相應也上下若一不得相失上下若一言遲速小大等也一候後則病二候後則病甚三候後則病危所謂後者應不俱也俱猶同也一也察其府藏以知死生之期夫病入府則愈入藏則死故死生期準察以知之矣必先知經脉然後知病脉經脉四時五藏之脉真藏脉見者勝死所謂真藏脉者真肝脉至中外急如循刀刃責責然如按琴瑟絃真心脉至堅而搏如循意苡子累累然真脾脉至弱而乍數乍踈真肺脉至大而虛如毛羽中人膚真腎脉至搏而絕如指彈石辟辟然凡此五者皆謂得真藏脉而無胃氣也平人氣象論曰胃者平人之常氣也人無胃氣曰逆逆者死此之謂也勝死者謂勝剋於己之時則死也平人氣象論曰肝見庚辛死心見壬癸死脾見甲乙死肺見丙丁死腎見戊巳死是謂勝死也足太陽氣絕

者其足不可屈伸死必戴眼足太陽脉起於目内眥上額交巔上從巔入絡腦還出别下項循肩髆内侠脊抵腰中其支者復從肩髆别下貫臀過髀樞下合膕中貫腨循踵至足外側太陽氣絶死如是矣　新校正云按診要經終論載三陽三隂脉終之證此獨犯足太陽氣絶一證餘應闕文也又注貫臀甲乙經作貫胂王氏注厥論刺瘧論各作貫胂又注刺腰論作貫臀詳甲乙經注臀當作胂　帝曰冬隂夏陽奈何言死時也岐伯曰九候之脉皆沈細懸絶者爲隂主冬故以夜半死盛躁喘數者爲陽主夏故以日中死位无常居物極則反也乾坤之義隂極則龍戰于野陽極則亢龍有悔是以隂陽極脉死於夜半日中也是故寒熱病者以平旦死亦物極則變也平曉木王木氣爲風故木王之時寒熱病死生氣通天論曰因於露風乃生寒熱由此則寒熱之病風薄所爲也熱中及熱病者以日中死陽之極也病風者以日夕死卯酉衝也病水者以夜半死水王故也其脉乍踈乍數乍遲乍疾者日乘四季死辰戌丑未土寄王之脾氣内絶故日乘四季而死也形肉已脱九候雖調猶

死亦謂形氣不相得也證前脫肉身不去者九候雖平調亦死也七診雖見九候皆從者不死但九候順四時之令雖七診互見亦生矣從謂順從也所言不死者風氣之病及經月之病似七診之病而非也故言不死風病之脉診大而數月經之病脉小以微雖候與七診之狀略同而死生之證乃異故不死也若有七診之病其脉候亦敗者死矣言雖七診見九候從者不死若病同七診之狀而脉應敗亂縱九候皆順猶不得生也必發噦噫胃精內竭神不守心故死之時發斯噦噫宣明五氣篇曰心為噫胃為噦也必審問其所始病與今之所方病方正也言必當原其始而要終也而後各切循其脉視其經絡浮沉以上下逆從循之其脉疾者不病氣強盛故其脉遲者病氣不足故脉不往來者死精神去也皮膚著者死骨乾枯也帝曰其可治者奈何岐伯曰經病者治其經求有過者孫絡病者治其孫絡血有血留止刺而去之新校正云按甲乙經云絡病者治其絡

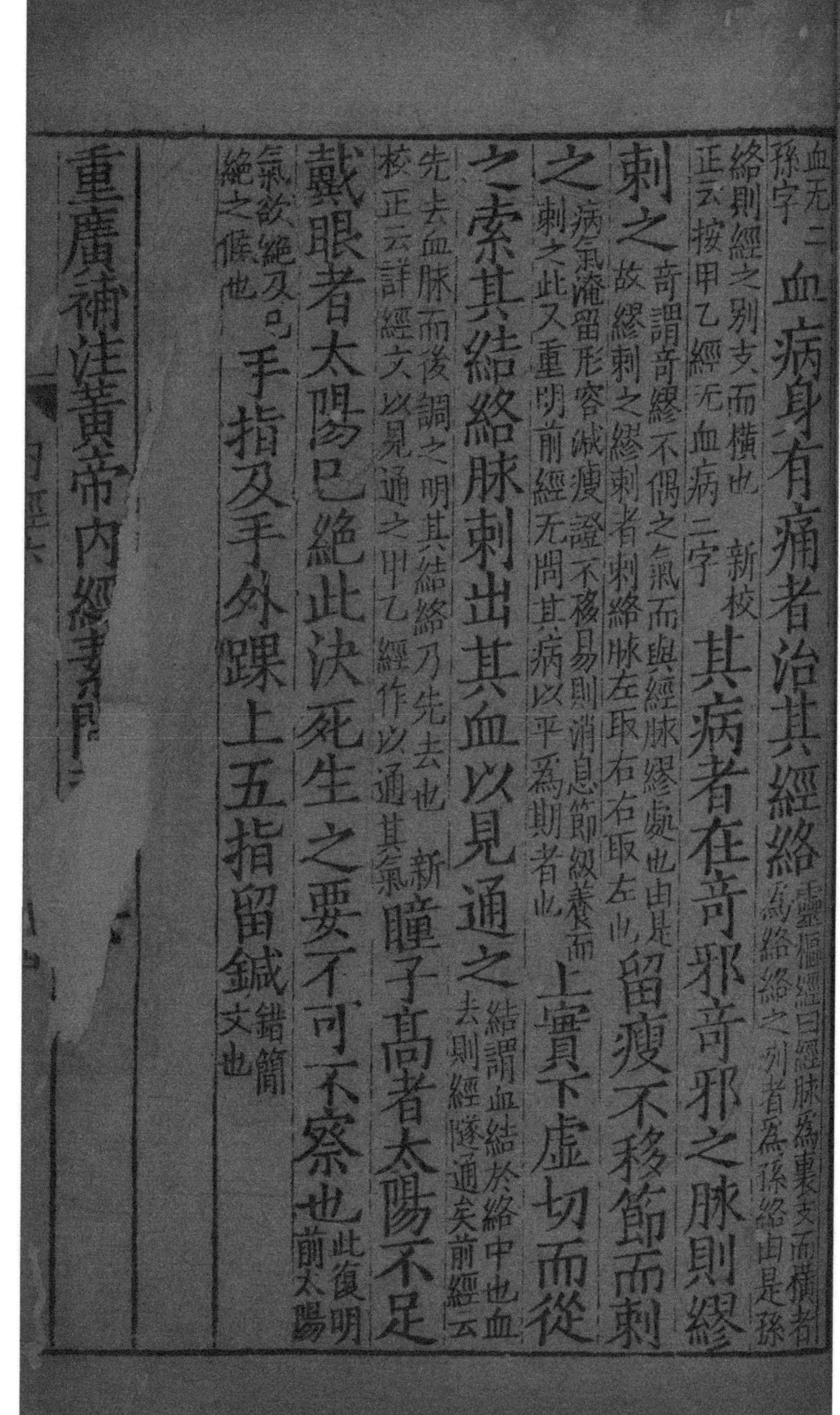

血无二孫字血病身有痛者治其經絡靈樞經曰經脈爲裏支而横者爲絡絡之別者爲孫絡由是孫絡則經之別支而横也　新校正云按甲乙經无血病二字其病者在奇邪奇邪之脈則繆刺之奇謂奇繆不偶之氣而與經脈繆處也由是故繆刺之繆刺者刺絡脈左取右右取左也留瘦不移節而刺之病氣淹留形容減瘦證不移易則消息節級養而刺之此又重明前經无問其病以平爲期者也上實下虛切而從之索其結絡脈刺出其血以見通之結謂血結於絡中也血去則經隧通矣前經云先去血脈而後調之明其結絡乃先去也　新校正云詳經文以見通之甲乙經作以通其氣瞳子高者太陽不足戴眼者太陽已絶此決死生之要不可不察也此復明前太陽氣欲絶及己絶之候也手指及手外踝上五指留鍼錯簡文也

重廣補注黄帝内經素問

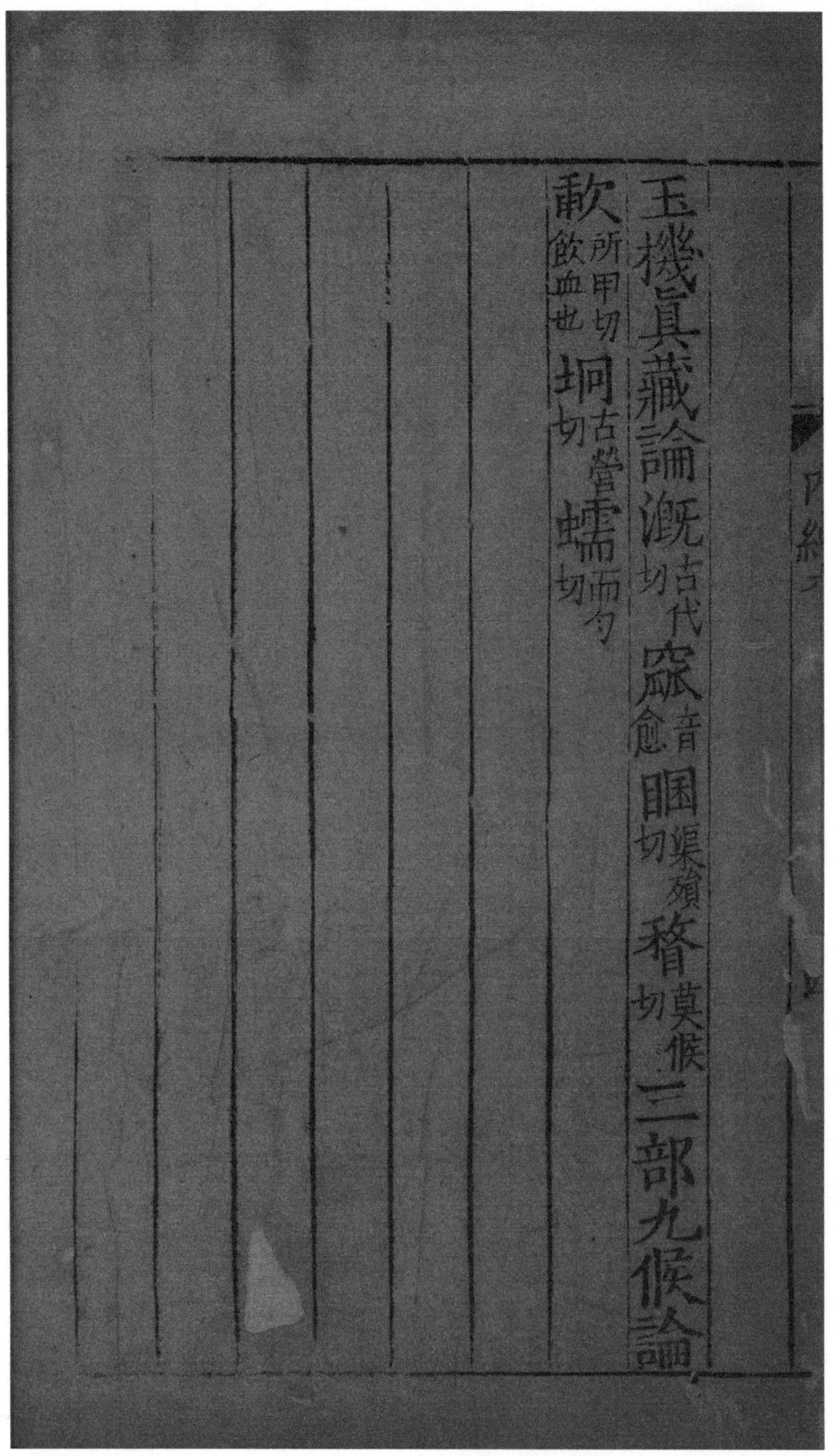
玉機眞藏論 漑古代切 瘲音愈 䐃渠殞切 瞀莫候切 三部九候論
歃所甲切飲血也 坰古營切 蠕而兖切

重廣補注黃帝內經素問卷第七

啓玄子次注林億孫奇高保衡等奉敕校正孫兆重改誤

經脉別論　藏氣法時論

宣明五氣篇　血氣形志篇

經脉別論篇第二十一 新校正云按全元起本在第四卷中

黃帝問曰人之居處動靜勇怯脉亦爲之變乎歧伯對曰凡人之驚恐恚勞動靜皆爲變也 變謂變易常候 是以夜行則喘出於腎 腎王於夜氣合幽冥故夜行則喘息內從腎出也 淫氣病肺 夜行腎勞因而喘息氣淫不久則病肺也 有所墮恐喘出於肝 恐生於肝墮損筋血因而奔喘故出於肝也 淫氣害脾 肝木妄淫害脾土也 有所驚恐喘出於肺 驚則心無所倚神無所歸氣亂胷中故喘出於肺也 淫

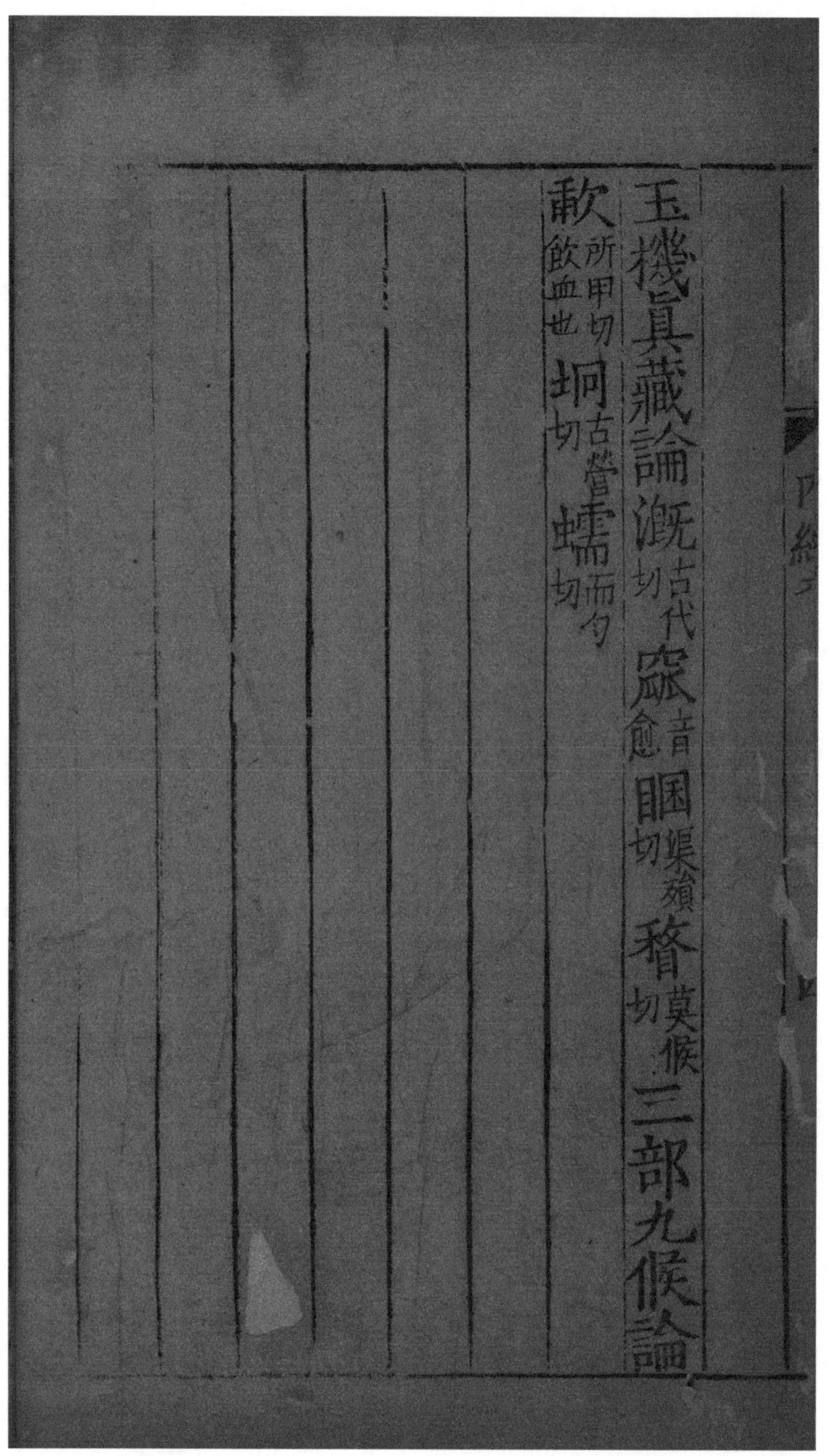

玉機眞藏論 漑古代切 瘉音愈 睏渠殞切 瞀莫候切

三部九候論

歃所甲切 歃血也 坰古營切 蠕而勻切

重廣補注黃帝内經素問卷第七

啓玄子次注林億孫奇高保衡等奉敕校正孫兆重改誤

經脉別論　藏氣法時論

宣明五氣篇　血氣形志篇

經脉別論篇第二十一 新校正云按全元起本在第四卷中

黃帝問曰人之居處動靜勇怯脉亦爲之變乎歧伯對曰凡人之驚恐恚勞動靜皆爲變也變謂變易常候是以夜行則喘出於腎腎王於夜氣合幽冥故夜行則喘息内從腎出也淫氣病肺夜行腎勞因而喘息氣淫不次則病肺也有所墮恐喘出於肝恐生於肝墮損筋血因而奔喘故出於肝也淫氣害脾肝木妄淫害脾土也有所驚恐喘出於肺驚則心無所倚神無所歸氣亂胸中故喘出於肺也淫

氣傷心驚則神越故氣淫反傷心矣度水跌仆喘出於腎與骨濕氣通腎骨腎主之
故度水跌仆喘出腎骨矣跌謂足跌仆謂身倒也當是之時勇者氣行則已怯者則
着而為病也氣有強弱神有壯懦故殊狀也故曰診病之道觀人勇怯骨
肉皮膚能知其情以為診法也通達性懷得其情狀乃為深識診契物宜也故飲
食飽甚汗出於胃飽甚胃滿故汗出於胃也驚而奪精汗出於心驚奪
心精神氣浮越陽內薄之故汗出於心也持重遠行汗出於腎骨勞氣越腎復過疲故持重遠行汗出於腎也疾
走恐懼汗出於肝暴役於筋肝氣罷極故疾走恐懼汗出於肝也搖體勞苦汗出於
脾搖體勞苦謂動作施力非疾走遠行也然動作用力則穀精四布脾化水穀故汗出於脾也故春秋冬夏四時
陰陽生病起於過用此為常也不適其性而強云為過即病生此其常理五臟受氣蓋有常分
用而過耗是以病生故下文曰食氣入胃散精於肝淫氣於筋肝養筋故胃散穀精之氣

入於肝則浸淫滋養於筋絡矣食氣入胃濁氣歸心淫精於脉濁氣穀氣也心居胃上故穀氣歸心淫溢精微入於脉也何者心主脉故脉氣流經經氣歸於肺肺朝百脉輸精於皮毛言脉氣流運乃爲大經經氣歸宗上朝於肺肺爲華蓋位復居高治節由之故受百脉之朝會也平人氣象論曰藏真高於肺以行榮衛陰陽由此故肺朝百脉然乃布化精氣輸於皮毛矣毛脉合精行氣於府府謂氣之所聚處也是謂氣海在兩乳間名曰膻中也府精神明留於四藏氣歸於權衡膻中之布氣者分爲三隧其下者走於氣街上者走於息道宗氣留於海積於胷中命曰氣海也如是分化乃四藏安定三焦平均中外上下各得其所也權衡以平氣口成寸以決死生三世脉法皆以三寸爲寸關尺之分故中外高下氣緒均平則氣口之脉而成寸也夫氣口者脉之大要會也百脉盡朝故以其分決死生也飲入於胃遊溢精氣上輸於脾水飲流下至於中焦水化精微上爲雲霧雲霧散變乃注於脾靈樞經曰上焦如霧中焦如漚此之謂也脾氣散精上歸於肺通調水道下輸膀胱水土合化上滋肺金金氣通腎故調水道轉注下焦膀胱禀化乃爲溲矣靈樞經曰下焦如瀆此之謂也

水精四布五經並行合於四時五藏陰陽揆度以為常也從是水精布經氣行筋骨成血氣順配合四時寒暑證符五藏陰陽揆度盈虛用為常道度量也以用也　新校正云按一本云陰陽動靜太陽藏獨至厥喘虛氣逆是陰不足陽有餘也陰謂腎陽謂膀胱也故下文曰表裏當俱寫取之下俞陽獨至謂陽氣盛至也陽獨至為陽有餘陰不足則陽邪入故表裏俱寫取足六俞也下俞足俞也　新校正云詳六當為穴字之誤也按府有六俞藏止五俞今藏府俱寫不當言六俞六俞則不能兼藏言穴俞則藏府兼舉陽明藏獨至是陽氣重并也當寫陽補陰取之下俞陽氣重并故寫陽補陰少陽藏獨至是厥氣也蹻前卒大取之下俞蹻謂陽蹻脉在足外踝下足少陽脉行抵絕骨之端下出外踝之前循足跗然蹻前卒大則少陽之氣盛也故取足俞少陽也少陽獨至者一陽之過也一陽少陽也過謂太過也以其太過故蹻前卒大焉太陰藏搏者用心省真見太陰之脉伏鼓則當用心省察之若是真藏之脉不當治也五脉氣少胃氣不

平三陰也（三陰太陰脾之脉也五藏脉少胃氣不調是亦太陰之過也）宜治其下俞補陽寫陰（以陰氣太過故）一陽獨嘯少陽厥也（嘯謂耳中鳴如嘯聲也膽及三焦脉皆入耳故氣逆上則耳中鳴新校正云詳此上明三陽此言三陰今此再言少陽而不及少陰者疑此一陽乃二陰之誤也又按全元起本此爲少陰厥顯知此即二陰也）陽并於上四脉爭張氣歸於腎（心脾肝肺四脉爭張陽并於上者是腎氣不足故氣歸於腎也）宜治其經絡寫陽補陰（陰氣足則陽氣不復并於上矣）一陰至厥陰之治也真虚痟心厥氣留薄發爲白汗調食和藥治在下俞（或一作二誤也厥陰一陰也上言二陰至則當少陰治下言厥陰治則當一陰至也然三墳之經俗久淪墜人少披習字多傳寫誤）帝曰太陽藏何象岐伯曰象三陽而浮也帝曰少陽藏何象岐伯曰象一陽也一陽藏者滑而不實也帝曰陽明藏何象岐伯曰象大浮也（新校正云按太素及全元起本云象心之大浮也）太陰藏搏

內經七　三

言伏鼓也二陰搏至腎沈不浮也明前獨至之脉狀也　新校正云詳前脉二陰此無一陰闕文可知

藏氣法時論篇第二十二新校正云按全元起本在第一卷又於第六卷脉要篇末重出

黃帝問曰合人形以法四時五行而治何如而從何如而逆得失之意願聞其事歧伯對曰五行者金木水火土也更貴更賤以知死生以決成敗而定五藏之氣間甚之時死生之期也帝曰願卒聞之歧伯曰肝主春以應木也足厥陰少陽主治厥陰肝脉少陽膽脉肝與膽合故治同其日甲乙甲乙為木東方干也肝苦急急食甘以緩之甘性和緩　新校正云按全元起云肝苦急是其氣有餘心主夏以應火也手少陰太陽主治少陰心脉太陽小腸脉心與小腸合故治同其日丙丁丙丁為火南方干也心苦緩急食酸以收之酸性收斂　新校正云按全元起本云心苦緩是心氣虛脾主

長夏長夏謂六月也夏爲土母土長于中以長而治故云長夏　新校正云按全元起云脾王四季六月是火王之處蓋以脾主中央六月是十二月之中一年之半故脾主六月也　足太陰陽明主治太陰脾脉陽明胃脉脾與胃合故治同　其日戊己戊己爲土中央干也　脾苦濕急食苦以燥之苦性乾燥　肺主秋以應金也　手太陰陽明主治太陰肺脉陽明大腸脉肺與大腸合故治同　其日庚辛庚辛爲金西方干也　肺苦氣上逆急食苦以泄之苦性宣泄故肺用之　新校正云按全元起云肺氣上逆是其氣有餘　腎主冬以應水也　足少陰太陽主治少陰腎脉太陽膀胱脉腎與膀胱合故治同　其日壬癸壬癸爲水北方干也　腎苦燥急食辛以潤之開腠理致津液通氣也辛性津潤也然腠理開津液達則肺氣下流腎與肺通故云通氣也　病在肝愈於夏子制其鬼也餘愈同　夏不愈甚於秋子休鬼復王也餘甚同　秋不死持於冬鬼休而母養故氣執持於父母之鄉也餘持同　起於春自得其位故復起餘起同　禁當風以風氣通於肝故禁而勿犯　肝病者愈在丙丁丙丁應夏　丙丁

不愈，加於庚辛，庚辛應秋。庚辛不死，持於壬癸，壬癸應冬。起於甲乙，甲乙應春木也。肝病者，平旦慧，下晡甚，夜半靜。木王之時故爽慧也，金王之時故加甚也，水王之時故靜退也。餘慧甚同，其靜小異。肝欲散，急食辛以散之，以藏氣常散，故以辛發散也。陰陽應象大論曰：辛甘發散爲陽也。平人氣象論曰：藏真散於肝。言其常發散也。用辛補之，酸寫之。辛味散故補，酸味收故寫。新校正云：按全元起本云：用酸補之，辛寫之，自爲一義。病在心，愈在長夏，長夏不愈，甚於冬，冬不死，持於春，起於夏。如肝例也。禁溫食熱衣。熱則心躁，故禁止之。心病者，愈在戊巳，戊巳應長夏也。戊巳不愈，加於壬癸，壬癸應冬。壬癸不死，持於甲乙，甲乙應春。起於丙丁，應夏火也。心病者，日中慧，夜半甚，平旦靜。亦休王之義也。心欲耎，急食鹹以耎之，以藏氣好耎，故以鹹柔耎也。平人氣象論曰：藏真通於心。言其常欲柔耎也。用鹹補之，甘寫之。鹹補取其柔耎，甘寫取其舒緩。病在脾，愈在秋秋不愈甚於春春不死持於夏起於長夏禁溫食飽食濕地濡衣溫濕及飽並傷脾氣故禁止之脾病者愈在庚辛應秋氣也庚辛不愈加於甲乙應春氣也甲乙不死持於丙丁應夏氣也起於戊己應長夏也脾病者日昳慧日出甚新校正云按甲乙經日出作平旦雖日出與平旦時等按前文言木王之時皆云平旦而不云日出蓋日出於冬夏之期有早晚不若平旦之為得也下晡靜土王則爽慧木尅則增甚金扶則靜退亦休王之義也一本或云日中持者謬也爰五藏之病皆以勝相加至其所不勝而甚至於所生而持自得其位而起由是故皆有間甚之時死生之期也脾欲緩急食甘以緩之甘性和緩順其緩也用苦寫之甘補之苦寫取其堅燥甘補取其安緩病在肺愈在冬冬不愈甚於夏夏不死持於長夏起於秋例如肝也禁寒飲食寒衣肺惡寒氣故衣食禁之靈樞經曰形寒寒飲則傷肺飲尚傷肺其食甚焉肺不獨惡寒亦畏熱也肺病者愈在壬癸應冬水也壬癸不愈加於丙

丁（應夏火也）丙丁不死，持於戊己（長夏土也），起於庚辛（應秋金也）。肺病者，下晡慧，日中甚，夜半靜（金王則慧，水王則靜，火王則甚）。肺欲收，急食酸以收之（以酸性收斂故也），用酸補之，辛寫之（酸收斂故補，辛發散故寫）。病在腎，愈在春，春不愈，甚於長夏，長夏不死，持於秋，起於冬（例如肝也），禁犯焠㶼熱食溫炙衣（腎性惡燥，故此禁之。新校正云：按別本焠作焠）。腎病者，愈在甲乙（應春木也），甲乙不愈，甚於戊己（長夏土也），戊己不死，持於庚辛（應秋金也），起於壬癸（應冬水也）。腎病者，夜半慧，四季甚，下晡靜（水王則慧，土王則甚，金王則靜）。腎欲堅，急食苦以堅之（以苦性堅燥也），用苦補之，鹹寫之（苦補取其堅也，鹹寫取其耎也，耎濕土制也，故用寫之）。夫邪氣之客於身也，以勝相加（邪者，不正之目，風寒暑濕飢飽勞逸皆是邪也，非唯鬼毒疫癘也），至其所生而愈（謂至己所生也），至其所不勝而甚謂至剋已之氣也至於所生而持謂至生已之氣也自得其位而起居所王處謂自得其位也必先定五藏之脉乃可言間甚之時死生之期也五藏之脉者謂肝弦心鉤肺浮腎營脾代知是則可言死生間甚矣三部九候論曰必先知經脉然後知病脉此之謂也

肝病者兩脇下痛引少腹令人善怒肝厥陰脉自足而上環陰器抵少腹又上貫肝鬲布脇肋故兩脇下痛引少腹也其氣實則善怒靈樞經曰肝氣實則怒虛則目䀮䀮無所見耳無所聞善恐如人將捕之肝厥陰脉自脇肋循喉嚨入頏顙連目系膽少陽脉其支者從耳後入耳中出走耳前至目銳眥後故病如是也恐謂恐懼魂不安也取其經厥陰與少陽經謂經脉也非其絡病故取其經也取厥陰以治肝氣取少陽以調氣逆也故下文曰氣逆則頭痛耳聾不聰頰腫肝厥陰脉自目系上出額與督脉會於巔故頭痛膽少陽脉支別者從耳中出走耳前又支別者加頰車又厥陰之脉支別者從目系下頰裏故耳聾不聰頰腫也是以上文兼取少陽也取血者脉中血滿獨異於常乃氣逆之診隨其左右有則刺之

心病者胷中痛脇支滿脇

下痛膺背肩甲間痛兩臂內痛心少陰脉支別者循胷出脇入手心主厥陰之脉起於胷中其支別者亦循胷出脇下腋三寸上抵腋下下循臑內行太陰少陰之間入肘中下循臂行兩筋之間又心少陰之脉直行者復從心系却上肺上出腋下下循臑內後廉行太陰心主之後下肘內循臂內後廉抵掌後銳骨之端又小腸太陽之脉自臂臑上繞肩甲交肩上故病如是虛則胷腹大腸下與腰相引而痛手心主厥陰之脉從胷中出屬心包下鬲歷絡三焦其支別者循胷出脇心少陰之脉自心系下鬲絡小腸故病如是也取其經少陰太陽舌下血者少陰之脉從心系上俠咽喉故取舌本下及經脉血也其變病刺郄中血者其或嘔變則刺少陰之郄血滿者也手少陰之郄在掌後脉中去腕半寸當小指之後脾病者身重善肌肉痿足不收行善瘈脚下痛脾象土而主肉故身重肉痿也痿謂萎無力也脾太陰之脉起於足大指之端循指內側上內踝前廉上腨內腎少陰之脉起於足小指之下斜趣足心上腨內出膕內廉故病則足不收行善瘈脚下痛也故下取少陰　新校正云按甲乙經作善飢肌肉痿千金方云善飢足痿不收氣交變大論云肌肉萎足痿不收行善瘈虛則腹滿腸鳴飧泄食不化脾太陰脉從股內前廉入腹屬脾絡胃故病如是靈樞經曰中

氣不足則腹爲之善滿腸爲之善鳴取其經太陰陽明少陰血者少陰腎脉也以前病行善瘈脚
下痛故取之而出血血滿者出之肺病者喘欬逆氣肩背痛新校正云按千金方作肩息背痛
汗出尻陰股膝新校正云按甲乙經脉經作膝攣髀腨胻足皆痛肺藏氣而主喘息在
變動爲欬故病則喘欬逆氣也背爲胷中之府肩接近之故肩背痛也肺養皮毛邪盛則心液外泄故汗出也腎少陰之脉從足下上循腨內出膕內廉上股
內後廉貫脊屬腎絡膀胱今肺病則腎脉受邪故尻陰股膝髀腨胻足皆痛故下取少陰也虛則少氣不能報
息耳聾嗌乾氣虛少故不足以報入息也肺太陰之絡會於耳中故聾也腎少陰之脉從腎上貫肝鬲入肺中循喉嚨侠舌本今
肺虛則腎氣不足以上潤於嗌故嗌乾也是以下文兼取少陰也取其經太陰足太陽之外厥
陰內血者足太陽之外厥陰內者正謂腨內側內踝後之直上則少陰脉也視左右足脉少陰部分有血滿異於常者即而取之腎
病者腹大脛腫新校正云按甲乙經云脛腫痛喘欬身重寢汗出憎風腎少
陰脉起於足而上循腨復從橫骨中侠齊循腹裏上行而入肺故腹大脛腫而喘欬也腎病則骨不能用故身重也腎邪攻肺心氣內微心液爲汗故寢汗出

也腔既腫矣汗復津泄陰凝玄府陽爍上焦內熱外寒故憎風也憎風謂深惡之也虛則胷中痛大腹小腹痛清厥意不樂腎少陰脉從肺出絡心注胷中然腎氣既虛心無所制心氣熏肺故痛聚胷中也足太陽脉從項下行而至足腎虛則太陽之氣不能盛行於足故足冷而氣逆也清謂氣清冷厥謂氣逆也以清冷氣逆故大腹小腹痛志不足則神躁擾故不樂也　新校正云按甲乙經大腹小腹作大腸小腸取其經少陰太陽血者凡刺之道虛則補之實則寫之不盛不虛以經取之是謂得道經絡有血刺而去之是謂守法猶當揣形定氣先去血脉而後乃平有餘不足焉三部九候論曰必先度其形之肥瘦以調其氣之虛實實則寫之虛則補之必先去其血脉而後調之此之謂也肝色青宜食甘粳米牛肉棗葵皆甘肝性喜急故食甘物而取其寬緩也　新校正云詳肝色青至篇末全元起本在第六卷王氏移於此心色赤宜食酸小豆新校正云按甲乙經太素小豆作麻犬肉李韭皆酸心性喜緩故食酸物而取其收斂也肺色白宜食苦麥羊肉杏薤皆苦肺喜氣逆故食苦物而取其宣泄也脾色黃宜食鹹大豆豕肉栗藿皆鹹究斯宜食乃調利關機之義也腎為胃關脾與胃合故假鹹柔耎以利其關關利而胃氣乃行胃行而脾

氣方化故應脾宜味與衆不同也　新校正云按上文曰肝苦急急食甘以緩之心苦緩急食酸以收之脾苦濕急食苦以燥之肺苦氣上逆急食苦以泄之腎苦燥急食辛以潤之此肝心肺腎食宜皆與前文合獨脾食鹹宜不用苦故王氏特注其義腎色黑宜食辛黄黍雞肉桃葱皆辛腎性喜燥故食辛物而取其津潤也辛散酸收甘緩苦堅鹹耎皆自然之氣也然辛味苦味匪唯堅散而已辛亦能潤能散苦亦能燥能泄故上文曰脾苦濕急食苦以燥之肺苦氣上逆急食苦以泄之則其謂苦之燥泄也又曰腎苦燥急食辛以潤之則其謂辛之濡潤也毒藥攻邪藥謂金玉土石草木菜果蟲魚鳥獸之類皆可以袪邪養正者也然辟邪安正惟毒乃能以其能然故通謂之毒藥也　新校正云按本草云下藥爲佐使主治病以應地多毒不可久服欲除寒熱邪氣破積聚愈疾者本下經故云毒藥攻邪五穀爲養謂粳米小豆麥大豆黄黍也五果爲助謂桃李杏栗棗也五畜爲益謂牛羊豕犬雞也五菜爲充謂葵藿薤葱韭也　新校正云按五常政大論曰大毒治病十去其六常毒治病十去其七小毒治病十去其八無毒治病十去其九穀肉果菜食養盡之無使過之傷其正也氣味合而服之以補精益氣氣爲陽化味曰陰施氣味合和則補益精氣矣陰陽應象大論曰陽爲氣陰爲味味歸形形歸氣氣歸精精歸化精食氣形食味又

曰形不足者温之以氣精不足者補之以味由是則補精益氣其義可知新校正云按孫思邈云精以食氣氣養精以榮色形以食味味養形以生力精顧五氣以為靈也若食氣相惡則傷精也形受味以成也若食味不調則損形也是以聖人先用食禁以存性後制藥以防命氣味温補以存精形此之謂氣味合而服之以補精益氣也此五者有辛酸甘苦鹹各有所利或散或收或緩或急或堅或耎四時五藏病隨五味所宜也用五味而調五藏配肝以甘心以酸脾以鹹肺以苦腎以辛者各隨其宜欲緩欲收欲耎欲泄欲散欲堅而為用非以相生相養而為義也

宣明五氣篇第二十三新校正云按全元起本在第一卷

五味所入酸入肝肝合木而味酸也辛入肺肺合金而味辛也苦入心心合火而味苦也鹹入腎腎合水而味鹹也甘入脾脾合土而味甘也新校正云按太素又云淡入胃是謂五入新校正云按至真要大論云夫五味入胃各歸所喜故酸先入肝苦先入心甘先入脾辛先入肺鹹先入腎

五氣所病心為噫象火炎上煙隨燄出心不受穢故噫出之肺為欬象金堅勁扣之有聲邪擊於肺故為欬也肝為語象木

枝條而形支別語宣委曲故出於肝**脾爲吞**象土包容物歸於内翕如其受故爲吞也**腎爲欠爲嚏**象水下流上生雲霧氣鬱於胃故欠生爲太陽之氣和利而滿於心出於鼻則生嚏也**胃爲氣逆爲噦爲恐**以爲水穀之海腎與爲關關閉不利則氣逆而上行也以包容水穀性喜受寒寒穀相薄故爲噦也寒盛則噦起熱盛則恐生何者胃熱則腎氣微弱故爲恐也下文曰精氣并於腎則恐也**大腸小腸爲泄下焦溢爲水**大腸爲傳道之府小腸爲受盛之府受盛之氣既虚傳道之司不禁故爲泄利也下焦爲分注之所氣窒不寫則溢而爲水**膀胱不利爲癃不約爲遺溺**膀胱爲津液之府水注由之然足三焦脉實約下焦而不通則不得小便足三焦脉虚不約下焦則遺溺也靈樞經曰足三焦者太陽之別也並太陽之正入絡膀胱約下焦實則閉癃虚則遺溺**膽爲怒**中正決斷無私無偏其性剛決故爲怒也六節藏象論曰凡十一藏取決於膽也**是謂五病**

五精所并精氣并於心則喜精氣謂火之精氣也肺虚而心精并之則爲喜靈樞經曰喜樂無極則傷魄魄爲肺神明心火并於肺金也**并於肺則悲**肝虚而肺氣并之則爲悲靈樞經曰悲哀動中則傷魂魂爲肝神明肺金并於肝木也**并於肝則憂**脾虚而肝氣并之則爲憂靈樞經曰愁憂不解則傷意意爲脾神明肝木并於脾土也

并於脾則畏一經云飢也腎虛而脾氣并之則爲畏畏謂畏懼也靈樞經曰恐懼而不解則傷精精爲腎神明脾土并於腎水也并於腎則恐心虛而腎氣并之則爲恐靈樞經曰怵惕思慮則傷神神爲心主明腎水并於心火也怵惕驚懼也此皆正氣不足而勝氣并之乃爲是矣故下文曰是謂五并虛而相并者也

五藏所惡心惡熱熱則脉潰濁肺惡寒寒則氣留滯肝惡風風則筋燥急脾惡濕濕則肉痿腫腎惡燥燥則精竭涸　新校正云按楊上善云若余則云肺惡燥今此肺惡寒腎惡燥者燥在於秋寒之始也寒在於冬燥之終也肺在於秋以肺惡寒之甚故言其終腎在於冬腎惡不甚故言其始也是謂五惡

五藏化液心爲汗泄於皮腠也肺爲涕潤於鼻竅也肝爲淚注於眼目也脾爲涎溢於脣口也腎爲唾生於牙齒也是謂五液

五味所禁辛走氣氣病無多食辛病謂力少不自勝也鹹走血血病無多食鹹苦走骨骨病無多食苦新校正云按皇甫士安云鹹先走腎此云走血

者腎令三焦血脈雖屬肝心而爲中焦之道故鹹入而走血也苦走心此云走骨者水火相濟骨氣通於心也甘走肉肉病無
多食甘酸走筋筋病無多食酸是皆爲行其氣速故不欲多食多食則病甚故病者無多食也
是謂五禁無令多食新校正云按太素五禁云肝病禁辛心病禁鹹脾病禁酸肺病禁苦腎病禁甘名此爲五裁楊
上善云口嗜而欲食之不可多也必自裁之命曰五裁
五病所發陰病發於骨陽病發於血陰病發於肉骨肉
陰靜故陽氣從之血脈陽動故陰氣乘之陽病發於冬陰病發於夏夏陽氣盛故陰病發於夏冬陰
氣盛故陽病發於冬各隨其少也是謂五發
五邪所亂邪入於陽則狂邪入於陰則痺邪居於陽脈之中則四支熱盛
故爲狂邪入於陰脈之內則六經凝泣而不通故爲痺搏陽則爲巔疾邪內搏於陽則脈流薄疾故爲上巔之疾搏陰
則爲瘖邪內搏於陰則脈不流故令瘖不能言新校正云按難經云重陽者狂重陰者癲巢元方云邪入於陰則爲癲脈經云陰附陽則狂陽附

陰則癲孫思邈云邪入於陽則爲狂邪入於陰則爲血痺邪入於陽傳則爲癲痙邪入於陰傳則爲痛瘖全元起云邪已入陰復傳於陽邪氣盛腑藏受邪使其氣不朝榮氣不復周身邪與正氣相擊發動爲癲疾邪已入陽陽今復傳於陰藏府受邪故不能言是勝正也諸家之論不同今具載之

陽入之陰則靜陰出之陽則怒隨所之而爲疾也之往也　新校正云按全元起云陽入陰則爲靜出則爲恐千金方云陽入於陰病靜陰出於陽病怒是謂五亂

五邪所見春得秋脉夏得冬脉長夏得春脉秋得夏脉冬得長夏脉名曰陰出之陽病善怒不治是謂五邪皆同命死不治新校正云按陰出之陽病善怒已見前條此再言之文義不倫必古文錯簡也

五藏所藏心藏神精氣之化成也靈樞經曰兩精相薄謂之神肺藏魄精氣之匡佐也靈樞經曰並精而出入者謂之魄肝藏魂神氣之輔弼也靈樞經曰隨神而往來者謂之魂脾藏意記而不忘者也靈樞經曰心有所憶謂之意腎藏志專意而不移者也靈樞經曰意之所存謂之志腎受五藏六腑之精元氣之本生成之根爲胃之關是以志能則命

（通　新校正云按楊上善云腎有二枝左爲腎藏志右爲命門藏精也）是謂五藏所藏

五藏所主心主脉（壅遏榮氣應息而動也）肺主皮（包裹筋肉間扞諸邪也）肝主筋（束絡機關隨神而運也）脾主肉（覆藏筋骨通行衛氣也）腎主骨（張筋化髓幹以立身也）是謂

五主

五勞所傷久視傷血（勞於心也）久臥傷氣（勞於肺也）久坐傷肉（勞於脾也）久立傷骨（勞於腎也）久行傷筋（勞於肝也）是謂五勞所傷

五脉應象肝脉弦（耎虛而滑端直以長也）心脉鉤（如鉤之偃來盛去衰也）脾脉代（耎而弱也）肺脉毛（輕浮而虛如毛羽也）腎脉石（沉堅而搏如石之投也）是謂五藏之脉

血氣形志篇第二十四（新校正云按全元起本此篇并在前篇王氏分出爲別篇）

夫人之常數太陽常多血少氣少陽常少血多氣陽

明常多氣多血少陰常少血多氣厥陰常多血少氣太陰常多氣少血此天之常數血氣多少此天之常數故用鍼之道常寫其多也　新校正云按甲乙經十二經水篇云陽明多血多氣刺深六分留十呼太陽多血多氣刺深五分留七呼少陽少血多氣刺深四分留五呼太陰多血少氣刺深三分留四呼少陰少血多氣刺深二分留三呼厥陰多血少氣刺深一分留二呼太陽太陰血氣多少與素問不同又陰陽二十五人形性血氣不同篇與素問同蓋皇甫謐疑而兩存之也足太陽與少陰爲表裏少陽與厥陰爲表裏陽明與太陰爲表裏是爲足陰陽也手太陽與少陰爲表裏少陽與心主爲表裏陽明與太陰爲表裏是爲手之陰陽也今知手足陰陽所苦凡治病必先去其血乃去其所苦伺之所欲然後寫有餘補不足失去其血謂見血脉盛滿獨異於常者乃去之不謂常刺則先去其血也欲知背俞先度其兩乳間中

折之更以他草度去半已即以兩隅相拄也乃舉以度其背令其一隅居上齊脊大椎兩隅在下當其下隅者肺之俞也度謂度量也言以草量其乳間四分去一使斜與橫等折為三隅以上隅齊脊大椎則兩隅下當肺俞也復下一度心之俞也謂以上隅齊脊三椎也復下一度左角肝之俞也右角脾之俞也復下一度腎之俞也是謂五藏之俞灸刺之度也靈樞經及中誥咸云肺俞在三椎之傍心俞在五椎之傍肝俞在九椎之傍脾俞在十一椎之傍腎俞在十四椎之傍尋此經草量之法則合度之人其初度兩隅之下約當肺俞再度兩隅之下約當心俞三度兩隅之下約當七椎七椎之傍乃鬲俞之位此經云左角肝之俞右角脾之俞殊與中誥等經不同又四度則兩隅之下約當九椎九椎之傍乃肝俞也經云腎俞未究其源形樂志苦病生於脈治之以灸刺形謂身形志謂心志細而言之則七神殊守通而論之則約形志以為中外爾然形樂謂不甚勞役志苦謂結慮深思不甚勞役則筋骨平調結慮深思則榮衛乖否氣血不順故病生於脈焉夫盛寫虛補是灸刺之道猶當去其血絡而

內經二　十二

後調之故上文曰凡治病必先去其血乃去其所苦伺之所欲然後寫有餘補不足則其義也形樂志樂病生於肉治之以鍼石志樂謂悅懌忘憂也然筋骨不勞心神悅懌則肉理相比氣道滿填衛氣怫結故病生於肉也夫衛氣留滿以鍼寫之結聚膿血石而破之石謂石鍼則砭石也今亦以鈹鍼代之形苦志樂病生於筋治之以熨引形苦謂修業就役也然修業以為就役而作一過其用則致勞傷勞用以傷故病生於筋熨謂藥熨引謂導引形苦志苦病生於咽嗌治之以百藥修業就役結慮深思憂則肝氣并於脾肝與膽合嗌為之使故病生於嗌也宣明五氣篇曰精氣并於肝則憂奇病論曰肝者中之將也取決於膽咽為之使也　新校正云按甲乙經咽嗌作困竭百藥作甘藥形數驚恐經絡不通病生於不仁治之以按摩醪藥驚則脈氣并恐則神不收脈并神游故經絡不通而為不仁之病矣夫按摩者所以開通閉塞導引陰陽醪藥者所以養正祛邪調中理氣故方之為用宜以此焉醪藥謂酒藥也不仁謂不應其用則𤸷痺矣是謂五形志也刺陽明出血氣刺太陽出血惡氣刺少陽出氣惡血刺太陰出氣惡血刺少陰出

氣惡血刺厥陰出血惡氣也明前三陽三陰血氣多少之刺約也　新校正云按太素云刺陽明出血氣刺太陰出血氣楊上善注云陽明太陰雖爲表裏其血氣俱盛故並寫血氣如是則太陰與陽明等俱爲多血多氣前文太陰一云多血少氣二云多氣少血莫可的知詳太素血氣並寫之旨則二說俱未爲得自與陽明同爾又此刺陽明一節宜續前寫有餘補不足下不當隔在草度法五形志後

重廣補注黃帝内經素問卷第七

玉機真藏論　漑古代切　瘀音愈　䐜渠殞切　瞀莫候切

三部九候論　歃所甲切歃血也　垌古螢切　蠕而勻切

經脈別論　跌仆音赴　罷極上音皮　如瀝下音嚦

藏氣法時論　慧音惠　焠千內切　[火矣]烏開切　䀮䀮音荒　臑內人朱切

宣明五氣論　翕音吸　嚏音帝　窒陟栗切　凝泣澁　瘖讀作音

血氣形志論　相柱

重廣補注黄帝内經素問卷第八

啓玄子次注林億孫奇高保衡等奉敕校正孫兆重改誤

寶命全形論篇第二十五 新校正云：按全元起本在第六卷，名刺禁。

黄帝問曰：天覆地載，萬物悉備，莫貴於人。人以天地之氣生，四時之法成，天以德流，地以氣化，德氣相合而乃生焉。易曰：天地絪緼，萬物化醇。此之謂也。則假以温涼寒暑生長收藏，四時運行而方成立。君王衆庶，盡欲全形，貴賤雖殊，然其寶命一矣，故好生惡死者，貴賤之常情也。形之疾病，莫知其情，留淫日深，著於骨髓，心私慮之

新校正云按太素慮作患余欲鍼除其疾病爲之奈何虛邪之中人微先見于色不知于身有形无形
故莫知其情狀也留而不去淫衍日深邪氣襲虛故著於骨髓帝矜不度故請行其鍼　新校正云按別本不度作不庶岐伯對曰夫
塩之味鹹者其氣令器津泄鹹謂塩之味苦浸淫而潤物者也夫鹹爲苦而生鹹從水而有水也
潤下而苦泄故能令器中水津液潤滲泄焉凡虛中而受物者皆謂之器其於體外則謂陰囊其於身中所同則謂膀胱矣然以病配於五藏則心氣伏於腎
中而不去乃爲是矣何者腎象水而味鹹心合火而味苦苦流汗液鹹走脆囊火爲水持故陰囊之外津潤如汗而滲泄不止也凡鹹之爲氣天陰則潤在土
則浮在人則囊濕而皮膚剥起弦絶者其音嘶敗陰囊津泄而脉弦絶者診當言音嘶嗄敗易舊聲爾何者肝氣傷也
肝氣傷則金本缺金本缺則肺氣不全肺主音聲故言音嘶嗄木敷者其葉發敷布也言木氣散布外榮於所部者其病當發
於肺葉之中也何者以木氣發散故也平人氣象論曰藏真散於肝肝又合木也病深者其聲噦噦謂聲濁惡也肺藏
惡血故如是人有此三者是謂壞府府謂胷也以肺處胷中故也壞謂損壞其府而取病也抱朴子云仲景開
胷以納赤餅由此則胷可啓之而取病矣三者謂脉弦絶肺葉發聲濁噦毒藥無治短鍼無取此皆絶

皮傷肉血氣爭黑病內潰於肺中故毒藥無治外不在於經絡故鍼鍼無取是以絕皮傷肉乃可攻之以惡血久與肺
氣交爭故當血見而色黑也　新校正云詳岐伯之對與黃帝所問不相當別按太素云夫鹽之味鹹者其氣令器津泄絃絕者其音嘶敗木陳者其葉落病
深者其聲噦人有此三者是謂壞府毒藥無治短鍼無取此皆絕皮傷肉血氣爭黑三字與此經不同而注意大異楊上善注云言欲知病微者須知其候鹽
之在於器中津液泄於外見津而知鹽之有鹹也聲嘶知琴瑟之絃將絕葉落者知陳木之已盡舉此三物衰壞之微以比聲噦識病深之候人有聲噦同三
譬者是為府壞之候中府壞者病之深也其病既深故鍼藥不能取以其皮肉血氣各不相得故也再詳上善作此等注義方與黃帝上下問荅義相貫穿王
氏解鹽鹹器泄義雖淵微至於注絃絕音嘶木敷葉發殊不與帝問相協考之不若楊義之得多也帝曰余念其痛心
為之亂惑反甚其病不可更代百姓聞之以為殘賊
為之柰何殘謂殘害賊謂損劫言恐涉於不仁致慊於黎庶也岐伯曰夫人生於地懸
命於天天地合氣命之曰人形假物成故生於地命惟天賦故懸於天德氣同歸故謂之人也靈
樞經曰天之在我者德地之在我者氣德流氣薄而生者也然德者道之用氣者生之母也人能應四時者天地

爲之父母 人能應四時和氣而養生者天地恒畜養之故爲父母四氣調神大論曰夫四時陰陽者萬物之根本也所以聖人春夏養陽秋冬養陰以從其根故與萬物沉浮於生長之門也 知萬物者謂之天子 知萬物之根本者天地常育養之故謂曰天之子 天有陰陽人有十二節 節謂節氣外所以應十二月內所以主十二經脉也 天有寒暑人有虛實 寒暑有盛衰之紀虛實表多少之殊故人以虛實應天寒暑也 能經天地陰陽之化者不失四時知十二節之理者聖智不能欺也 經常也言能常應順天地陰陽之道而脩養者則合四時生長之宜能知十二節氣之所遷至者雖聖智亦不欺而奉行之也 能存八動之變五勝更立能達虛實之數者獨出獨入呿吟至微秋毫在目 存謂心存達謂明達呿謂欠呿吟謂吟嘆秋毫在目言細必察也八動謂八節之風變動五勝謂五行之氣相勝立謂當其王時變謂氣至而變易知是三者則應效明著速猶影響皆神之獨出獨入亦非鬼靈能召遣也 新校正云按楊上善云呿謂露齒出氣

帝曰人生有形不離陰陽天地合氣別爲九野分爲

四時月有小大日有短長萬物並至不可勝量虛實呿吟敢問其方請說用鍼之意岐伯曰木得金而伐火得水而滅土得木而達金得火而缺水得土而絕萬物盡然不可勝竭達通也言物類雖不可竭盡而數要之皆如五行之氣而有勝負之性分爾故鍼有懸布天下者五黔首共餘食莫知之也言鍼之道有若高懸示人彰布於天下者五矣而百姓共知餘食咸棄棄之不務於本而崇乎末莫知眞要深在其中所謂五者次如下句新校正云按全元起本餘食作飽食注云人愚不解陰陽不知鍼之妙飽食終日莫能知其妙益又太素作飲食楊上善注云黔首共服用此道然不能得其意一曰治神專精其心不妄動亂也所以云手如握虎神无營於眾物蓋欲調治精神專其心也新校正云按楊上善云存生之道知此五者以為攝養可得長生也魂神意魄志以為神主故皆名神欲為鍼者先須治神故人無悲哀動中則魂不傷肝得無病秋無難也無怵惕思慮則神不傷心得無病冬無難也無愁憂不解則意不傷脾得無病春無難也無喜樂不極則魄不傷肺得無病夏無難也無盛怒者則志不傷腎得無病季夏無難也是以五過不起於心則神清性明五神各安其藏則壽延遐筭也二曰

知養身知養己身之法亦如養人之道矣陰陽應象大論曰用鍼者以我知彼用之不殆此之謂也　新校正云按太素身作形楊上善云飲食男女節之以限風寒暑濕攝之以時有異單豹外凋之害即內養形也實慈恕以愛人和塵勞而不迹有殊張毅高門之傷即外養形也內外之養周備則不求生而久生無期壽而長壽此則鍼布養形之極也玄元皇帝曰太上養神其次養形詳王氏之注專治神養身於用鍼之際其說甚狹不若上善之說爲優若必以此五者解爲用鍼之際則下文知毒藥爲真王氏亦不專用鍼爲解也　三曰知毒藥爲真毒藥攻邪順宜而用正真之道其在茲乎　四曰制砭石小大古者以砭石爲鍼故不舉九鍼但言砭石爾當制其大小者隨病所宜而用之　新校正云按全元起云砭石者是古外治之法有三名一鍼石二砭石三鑱石其實一也古來未能鑄鐵故用石爲鍼故名之鍼石言工必砥礪鋒利制其小大之形與病相當黃帝造九鍼以代鑱石上古之治者各隨方所宜東方之人多癰腫聚結故砭石生於東方　五曰知府藏血氣之診諸陽爲府諸陰爲藏故血氣形志篇曰太陽多血少氣少陽少血多氣陽明多氣多血少陰少血多氣厥陰多血少氣太陰多氣少如是以刺陽明出血氣刺太陽出血惡氣刺少陽出氣惡血刺太陰出氣惡血刺少陰出氣惡血刺厥陰出血惡氣也精知多少則補寫萬全　五法俱立各有所先事宜則應者先用　今末世之刺也虛者實之滿

者泄之此皆衆工所共知也若夫法天則地隨應而動和之者若響隨之者若影道無鬼神獨來獨往 隨應而動言其效也若影若響言其近也夫如影之隨形響之應聲豈復有鬼神之召遣耶蓋由隨應而動之自得爾 帝曰願聞其道岐伯曰凡刺之眞必先治神 專其精神寂無動亂刺之眞要其在斯焉 五藏已定九候已備後乃存鍼 先定五藏之脉備循九候之診而有太過不及者然後乃存意於用鍼之法 衆脉不見衆凶弗聞外內相得無以形先 衆脉謂七診之脉衆凶謂五藏相乘外內相得言形氣相得也無以形先言不以已形之衰盛寒溫料病人之形氣使同於已也故下文曰 可玩往來乃施於人 玩謂玩弄言精熟也標本病傳論曰謹熟陰陽無與衆謀此其類也 新校正云按此文出陰陽別論此云標本病傳論者誤也 人有虛實五虛勿近五實勿遠至其當發間不容瞚 人之虛實非其遠近而有之蓋由血氣一時之盈縮爾然其未發則如雲垂而視之可久至其發也則如電滅而指所不及遲速之殊有如此矣 新校正云按甲

乙經瞋作瞋全元起本及太素作眴手動若務鍼耀而勻手動用鍼心如專務於一事也鍼經曰一其形聽其
動靜而知邪正此之謂也鍼耀而勻謂鍼形光淨而上下勻平靜意視義觀適之變是謂冥冥
莫知其形冥冥言血氣變化之不可見也故靜意視息以義斟酌觀所調適經脈之變易爾雖且鍼下用意精微而測量之猶不知變易
形容誰爲其象也新校正云按八正神明論云觀其冥冥者言形氣榮衛之不形於外而工獨知之以日之寒溫月之虛盛四時氣之浮沈參伍相合而調
之工常先見之然而不形於外故曰觀於冥冥焉見其烏烏見其稷稷從見其飛不
知其誰烏烏嘆其氣至稷稷嗟其已應言所鍼得失如從空中見飛鳥之往來豈復知其所使之元主耶是但見經脈盈虛而爲信亦不知
其誰之所召遣爾伏如橫弩起如發機血氣之未應鍼則伏如橫弩之安靜其應鍼也則起如機發之迅疾
帝曰何如而虛何如而實言血氣既伏如橫弩起如發機然其虛實豈留呼而可爲準定耶虛實之
形何如而約之岐伯曰刺虛者須其實刺實者須其虛言要以氣至有効而
爲約不必守息數而爲定法也經氣已至慎守勿失無變法而失經氣也深淺在志遠

近若一如臨深淵手如握虎神無營於衆物 言精心專一也所鍼經脉雖深淺不同然其補寫皆如一俞之專意故手如握虎神不外營焉 新校正云按鍼解論云刺實須其虛者留鍼陰氣隆至乃去鍼也刺虛須其實者陽氣隆至鍼下熱乃去鍼也經氣已至慎守勿失者勿變更也深淺在志者知病之內外也遠近如一者深淺其候等也如臨深淵者不敢墮也手如握虎者欲其壯也神无營於衆物者靜志觀病人无左右視也

八正神明論篇第二十六 新校正云按全元起本在第二卷又與太素知官能篇大意同文勢小異

黃帝問曰用鍼之服必有法則焉今何法何則 服事也法象也則準也約也 岐伯對曰法天則地合以天光 謂合日月星辰之行度 帝曰願卒聞之岐伯曰凡刺之法必候日月星辰四時八正之氣氣定乃刺之 候日月者謂候日之寒溫月之空滿也星辰者謂先知二十八宿之分應水漏刻者也略而言之常以日加之於宿上則知人氣在太陽否日行一舍人氣在三陽與陰分矣細而言之從房至畢十四宿水下五十刻半日之度也從昴至心亦十四宿水下五十刻終日

之度也是故從房至畢者爲陽從昴至心者爲陰陽主晝陰主夜也凡日行一舍故水下三刻與七分刻之四也靈樞經曰水下一刻人氣在太陽水下二刻人氣在少陽水下三刻人氣在陽明水下四刻人氣在陰分水下不止氣行亦爾又曰日行一舍人氣行於身一周與十分身之八日行二舍人氣行於身三周與十分身之六日行三舍人氣行於身五周與十分身之四日行四舍人氣行於身七周與十分身之二日行五舍人氣行於身九周然日行二十八舍人氣亦行於身五十周與十分身之四由是故必候日月星辰也四時八正之氣者謂四時正氣八節之風來朝於太一者也謹候其氣之所在而刺之氣定乃刺之者謂八節之風氣靜定乃可以刺經脉調虚實也故曆忌云八節前後各五日不可刺灸凶是則謂氣未定故不可灸刺也　新校正云按八節風朝太一具天元玉册中　是故天溫日明則人血淖液而衛氣浮故血易寫氣易行天寒日陰則人血凝泣而衛氣沈泣謂如水中居雪也　月始生則血氣始精衛氣始行月郭滿則血氣實肌肉堅月郭空則肌肉減經絡虚衛氣去形獨居是以因天時而調血氣也是以天寒無刺血凝泣而衛氣沈也　天溫

無疑血淖液而氣易行也月生無寫月滿無補月郭空無治是謂得時而調之謂得天時也因天之序盛虛之時移光定位正立而待之候日遷移定氣所在南面正立待氣至而調之也故日月生而寫是謂藏虛血氣弱也新校正云按全元起本藏作減藏當作減月滿而補血氣揚溢絡有留血命曰重實絡一爲經誤血氣盛也留一爲流非也月郭空而治是謂亂經陰陽相錯眞邪不別沈以留止外虛內亂淫邪乃起氣失紀故淫邪起帝曰星辰八正何候岐伯曰星辰者所以制日月之行也制謂制度定星辰則可知日月行之制度矣略而言之周天二十八宿三十六分人氣行一周天凡一千八分周身十六丈二尺以應二十八宿合漏水百刻都行八百一十丈以分晝夜也故人十息氣行六尺日行二分二百七十息氣行十六丈二尺一周於身水下二刻日行二十分五百四十息氣行再周於身水下四刻日行四十分二千七百息氣行十周於身水下二十刻日行五宿二十分一萬三千五百息氣行五十周

於身水下百刻日行二十八宿也細而言之則常以一十周加之一分又十分分之六乃奇分盡矣是故星辰所以制日月之行度也 新校正云詳周天二十八宿至日行二十八宿也本靈樞文今具甲乙經中 八正者所以候八風之虛邪以時至者也 八正謂八節之正氣也八風者東方嬰兒風南方大弱風西方剛風北方大剛風東北方凶風東南方弱風西南方謀風西北方折風也虛邪謂乘人之虛而爲病者也以時至謂天應太一移居以八節之前後風朝中宮而至者也 新校正云詳太一移居風朝中宮義具天元玉冊 四時者所以分春秋冬夏之氣所在以時調之也八正之虛邪而避之勿犯也 四時之氣所在者謂春氣在經脉夏氣在孫絡秋氣在皮膚冬氣在骨髓也然觸冒虛邪動傷眞氣避而勿犯乃不病焉靈樞經曰聖人避邪如避矢石蓋以其能傷眞氣也 以身之虛而逢天之虛兩虛相感其氣至骨入則傷五藏 以虛感虛同氣而相應也 工候救之弗能傷也 候知而止故弗能傷之救止也 故曰天忌不可不知也 人忌於天故云天忌犯之則病故不可不知也 帝曰善其法星辰者余聞之矣願聞法

往古者岐伯曰法往古者先知鍼經也驗於來今者先知日之寒溫月之虛盛以候氣之浮沈而調之於身觀其立有驗也候氣不差故立有驗觀其冥冥者言形氣榮衛之不形於外而工獨知之明前篇靜意視義觀適之變是謂冥冥莫知其形也雖形氣榮衛不形見於外而工以心神明悟獨得知其衰盛焉善惡悉可明之 新校正云按前篇乃寶命全形論以日之寒溫月之虛盛四時氣之浮沈參伍相合而調之工常先見之然而不形於外故曰觀於冥冥焉工所以常先見者何哉以守法而神通明也通於無窮者可以傳於後世也是故工之所以異也法著故可傳後世後世不絶則應用通於無窮矣以獨見知故工所以異於人也然而不形見於外故俱不能見也工異於粗者以粗俱不能見也視之無形嘗之無味故謂冥冥若神髣

髴[言形氣榮衛不形於外以不可見故視无形甞无味伏如橫弩起如發機窈窈冥冥莫知元主謂如神運髣髴焉若如也]虛邪者八正之虛邪氣也[八正之虛邪謂八節之虛邪也以從虛之鄉來襲虛而入爲病故謂之八正虛邪]正邪者身形若用力汗出腠理開逢虛風其中人也微故莫知其情莫見其形[正邪者不從虛之鄉來也以中人微故莫知其情意莫見其形狀]上工救其萌牙必先見三部九候之氣盡調不敗而救之故曰上工下工救其已成救其已敗救其已成者言不知三部九候之相失因病而敗之也[義備離合眞邪論中]知其所在者知診三部九候之病脉處而治之故曰守其門戶焉莫知其情而見邪形也[三部九候爲候邪之門戶也守門戶故見邪形以中人微故莫知其情狀也]帝曰余聞補寫未得其意岐伯曰寫必用方方

者以氣方盛也以月方滿也以日方温也以身方定也以息方吸而內鍼乃復候其方吸而轉鍼乃復候其方呼而徐引鍼故曰寫必用方其氣而行焉方猶正也寫邪氣出則眞氣流行矣補必用員員者行也行者移也行謂宣不行之氣令必宣行移謂移未復之脉俾其平復刺必中其榮復以吸排鍼也鍼入至血謂之中榮故員與方非鍼也所言方員者非謂鍼形正謂行移之義也

榮衛血氣之盛衰血氣者人之神不可不謹養神安則壽延神去則形弊故不可不謹養也帝曰妙乎哉論也合人形於陰陽四時虛實之應冥冥之期其非夫子孰能通之然夫子數言形與神何謂形何謂神願卒聞之神謂神智通悟形謂形診可觀岐伯

曰請言形形乎形目冥冥問其所病新校正云按甲乙經作捫其所痛義亦通索之於經慧然在前按之不得不知其情故曰形外隱其無形故目冥冥而不見內藏其有象故以診而可索於經也慧然在前按之不得言三部九候之中卒然逢之不可爲之期準也離合真邪論曰在陰與陽不可爲度從而察之三部九候卒然逢之早遏其路此其義也帝曰何謂神岐伯曰請言神神乎神耳不聞目明心開而志先慧然獨悟口弗能言俱視獨見適若昏昭然獨明若風吹雲故曰神耳不聞言神用之微密也目明心開而志先者言心之通如昏昧開卷目之見如氛翳闢明神雖內融志已先往矣慧然謂清爽也悟猶了達也慧然獨悟口弗能言者謂心中清爽而了達口不能宣吐以寫心也俱視獨見適若昏者歎見之異速也言與衆俱視我忽獨見適猶若昏昧爾既獨見了心眼昭然獨能明察若雲隨風卷日麗天明至哉神乎妙用如是不可得而言也三部九候爲之原九鍼之論不必存也以三部九候經脉爲之本原則可通神悟之妙用若以九鍼之論僉議則其旨惟博其知彌遠矣故曰三部九候爲之原九鍼之論不必存也

離合眞邪論篇第二十七 新校正云按全元起本在第一卷名經合第二卷重出名眞邪論

黃帝問曰余聞九鍼九篇夫子乃因而九之九九八十一篇余盡通其意矣經言氣之盛衰左右傾移以上調下以左調右有餘不足補寫於榮輸余知之矣此皆榮衛之傾移虛實之所生非邪氣從外入於經也余願聞邪氣之在經也其病人何如取之奈何岐伯對曰夫聖人之起度數必應於天地故天有宿度地有經水人有經脉宿謂二十八宿度謂天之三百六十五度也經水者謂海水瀆水渭水湖水沔水汝水江水淮水漯水河水漳水濟水也以其內合經脉故名之經水焉經脉者謂手足三陰三陽之脉所以言者以內外參合人氣應通故言之也 新校正云按甲乙經云足陽明外合於海水內屬於胃足太陽外合於瀆水內屬膀胱足少陽外合於渭水內屬於膽足太陰外合於湖水內屬於脾足厥陰外合於沔水內屬於肝足

少陰外合於汝水内屬於腎手陽明外合於江水内屬於大腸手太陽外合於淮水内屬於小腸手少陽外合於漯水内屬於三焦手太陰外合於河水内屬於肺手心主外合於漳水内屬於心包手少陰外合於濟水内屬於心天地温和則經水安靜天寒地凍則經水凝泣天暑地熱則經水沸溢卒風暴起則經水波涌而隴起人經脉亦應之夫邪之入於脉也寒則血凝泣暑則氣淖澤虚邪因而入客亦如經水之得風也經之動脉其至也亦時隴起其行於脉中循循然循循然順動貌言隨順經脉之動息因循呼吸之往來上形狀或異耳循循一爲輴輴其至寸口中手也時大時小大則邪至小則平其行無常處大謂大常平之形診小者非細小之謂也以其比大則謂之小若無大以比則自是平常之經氣爾然邪氣者因其陰氣則入陰經因其陽氣則入陽脉故其行無常處也在陰與陽不可爲度以隨經脉之流運也從而察之三部九候卒然逢

之早遏其路逢謂逢遇遏謂遏絕三部之中九候之位卒然逢遇當按而止之即而寫之逕路既絕則大邪之氣無能爲也所謂
寫者如下文云吸則内鍼無令氣忤靜以久留無令邪布吸則
轉鍼以得氣爲故候呼引鍼呼盡乃去大氣皆出故
命曰寫按經之旨先補眞氣乃寫其邪也何以言之下文補法呼盡内鍼靜以久留此段寫法吸則内鍼又靜以久留然呼盡則次其吸吸
至則不兼呼内鍼之候既同久留之理復一則先補之義昭然可知鍼經云寫
曰迎之迎之意必持而内之放而出之排陽出鍼疾氣得泄補曰隨之隨之意
若忘之若行若悔如蚊虻止如留如還則補之必久留也所以先補者眞氣不
足鍼乃寫之則經脉不滿邪氣無所排遣故先補眞氣令足後乃寫出其邪矣
引謂引出去謂離穴候呼而引至其門呼盡而乃離穴戶則經氣審以平定邪
氣無所勾留故大邪之氣隨鍼而出也呼謂氣出吸謂氣入轉謂轉動也大氣
謂大邪之氣錯亂陰陽者也帝曰不足者補之奈何岐伯曰必先捫而
循之切而散之推而按之彈而怒之抓而下之通而
取之外引其門以閉其神捫循謂手摸切謂指按也捫而循之欲氣舒緩切而散之使經脉宣散推而按

之排蹙其皮也彈而怒之使脉氣䐜滿也抓而下之置鍼準也通而取之以常法也外引其門以閉其神則推而按之者也謂蹙按穴外之皮令當應鍼之處鍼已放去則不破之皮蓋其所刺之門門不開則神氣內守故云以閉其神也 新校正云按王引調經論文今詳非本論之文傍經調論曰外引其皮令當其門戶又曰推闔其門令神氣存此之謂也見甲乙經鍼道篇又曰已下乃當篇之文也

呼盡內鍼靜以久留以氣至為故呼盡內鍼亦同吸也言必以氣至而為去鍼之故不以息之多數而便去鍼也鍼經曰刺之而氣不至無問其數刺之氣至去之勿復鍼此之謂也無問息數以為遲速之約要

如待所貴當以氣至而鍼去不當以鍼下氣未至而鍼出乃更為也

不知日暮諭人事於候氣也暮晚也其氣以至適而自護適謂適也護謂慎守也言氣已平調則當慎守勿令改變使疾更生也鍼經曰經氣已至慎守勿失此其義也所謂慎守當如下說 新校正云詳王引鍼經之言乃素問寶命全形論文兼見于鍼解論耳

候吸引鍼氣不得出各在其處推闔其門令神氣存大氣留止故命曰補正言也外門已閉神氣復存候吸引鍼大氣不泄補之為義斷可知焉然此大氣謂大經之氣流行榮衛者

帝曰候氣奈何謂候可取之氣也岐伯曰夫邪去絡

入於經也舍於血脉之中繆刺論曰邪之客於形也必先舍於皮毛留而不去入舍於孫脉留而不去入舍於絡脉留而不去入舍於經脉故云去絡入於經也其寒温未相得如涌波之起也時來時去故不常在以周遊於十六丈二尺經脉之分故不常在所候之處故曰方其來也必按而止之止而取之無逢其衝而寫之衝謂應水刻數之平氣也靈樞經曰水下一刻人氣在太陽水下二刻人氣在少陽水下三刻人氣在陽明水下四刻人氣在陰分然氣在太陽則太陽獨盛氣在少陽則少陽獨盛夫見獨盛者便謂邪來以鍼寫之則反傷眞氣故下文曰眞氣者經氣也經氣太虛故曰其來不可逢此之謂也經氣應刻乃謂為邪 工若寫之則深誤也故曰其來不可逢故曰候邪不審大氣已過寫之則眞氣脫脫則不復邪氣復至而病益蓄不悟其邪反誅無罪則眞氣泄脫邪氣復侵經氣大虛故病彌蓄積故曰其往不可追此之謂也已隨經脉之流去不可復追召使還不可挂以髮者待邪之

至時而發鍼寫矣言輕微而有尚且知之況若涌波不知其至也若先若後者血
氣已盡其病不可下言不可取而取失時也新校正云按全元起本作血氣已虛盡字當作虛字此字之誤也
故曰知其可取如發機不知其取如扣椎故曰知機
道者不可挂以髮不知機者扣之不發此之謂也機者動之微言貴知其微也
帝曰補寫柰何岐伯曰此攻邪也疾出以
去盛血而復其眞氣視有血者乃取之此邪新客溶溶未有定
處也推之則前引之則止逆而刺之溫血也言邪之新客未有定居推鍼補之則隨補而前進若引鍼致之則隨引而留止也若不出盛血而反溫之則邪氣內勝反增其害故下文曰刺出其血其
病立已帝曰善然眞邪以合波隴不起候之柰何岐
伯曰審捫循三部九候之盛虛而調之盛者寫之虛者補之不盛不虛以經

取之則其法也察其左右上下相失及相減者審其病藏以期之氣之在陰則候其氣之在於陰分而刺之氣之在陽則候其氣之在於陽分而刺之是謂逢時靈樞經曰水下一刻人氣在太陽水下四刻人氣在陰分也積刻不已氣亦隨在周而復始故審其病藏以期其氣而刺之不知三部者陰陽不別天地不分地以候地天以候天人以候人調之中府以定三部故曰刺不知三部九候病脉之處雖有大過且至工不能禁也禁謂禁止也然候邪之處尚未能知豈復能禁止其邪氣耶誅罰無過命曰大惑反亂大經眞不可復用實爲虛以邪爲眞用鍼無義反爲氣賊奪人正氣以從爲逆榮衛散亂眞氣已失邪獨内著絶人長命予人天殃不知三部九候故不能久長識非精辨學未該明且亂大經又爲氣賊動爲殘害安可久乎因不知合之

四時五行因加相勝釋邪攻正絶人長命[非惟昧三部九候之為弊若不知四時五行之氣序亦足以殞絶其生靈也]邪之新客來也未有定處推之則前引之則止逢而寫之其病立已[再言之者其法必然]

通評虛實論篇第二十八[新校正云按全元起本在第四卷]

黃帝問曰何謂虛實岐伯對曰邪氣盛則實精氣奪則虛[奪謂精氣減少如奪去也]帝曰虛實何如[言五藏虛實之大體也]岐伯曰氣虛者肺虛也氣逆者足寒也非其時則生當其時則死[非時謂年直之前後也當時謂正直之年也]餘藏皆如此[五藏同]帝曰何謂重實岐伯曰所謂重實者言大熱病氣熱脉滿是謂重實帝曰經絡俱實何如何以治之岐伯曰經絡皆實是

寸脉急而尺緩也皆當治之故曰滑則從濇則逆也脉急謂脉口也夫虛實者皆從其物類始故五藏骨肉滑利可以長久也物之生則滑利物之死則枯濇故濇爲逆滑爲從從謂順也帝曰絡氣不足經氣有餘何如岐伯曰絡氣不足經氣有餘者脉口熱而尺寒也秋冬爲逆春夏爲從治主病者春夏陽氣高故脉口熱尺中寒爲順也十二經十五絡各隨左右而有太過不足工當尋其至應以施鍼艾故云治主其病者也帝曰經虛絡滿何如岐伯曰經虛絡滿者尺熱滿脉口寒濇也此春夏死秋冬生也秋冬陽氣下故尺中熱脉口寒爲順也帝曰治此者奈何岐伯曰絡滿經虛灸陰刺陽經滿絡虛刺陰灸陽以陰分主絡陽分主經故爾帝曰何謂重虛此反問前重實也岐伯曰脉氣上虛尺虛是謂

重虛言尺寸脉俱虛　新校正云按甲乙經作脉虛氣虛尺虛是謂重虛此少一虛字多一上字王注言尺寸脉俱虛則不兼氣虛也詳前熱病氣熱脉滿爲重實此脉虛氣虛尺虛爲重虛是脉與氣俱實爲重實俱虛爲重虛不但尺寸俱虛爲重虛也

帝曰：何以治之？岐伯曰：所謂氣虛者，言無常也。尺虛者，行步恇然。寸虛則脉動無常尺虛則行步恇然不足　新校正云按楊上善云氣虛者膻中氣不定也王謂寸虛則脉動無常非也脉虛者，不象陰也。不象太陰之候也何以言之氣口者脉之要會手太陰之動也如此者，滑則生，濇則死也。

帝曰：寒氣暴上，脉滿而實何如？言氣熱脉滿已謂重實滑則從濇則逆今氣寒脉滿亦可謂重實乎其於滑濇生死逆從何如岐伯曰：實而滑則生，實而逆則死。逆謂濇也　新校正云詳王氏以逆爲濇大非古文簡略辭多互文上言滑而下言逆舉滑則從可知言逆則濇可見非謂逆爲濇也

帝曰：脉實滿，手足寒，頭熱，何如？岐伯曰：春秋則生，冬夏則死。大略言之夏手足寒非病也是夏行冬令夏得則冬死冬脉實滿頭熱亦非病也是冬行夏令冬得則夏死反冬夏以言之則皆不死春秋得之是病故生死皆在時之孟月也

脈浮而濇濇而身有熱者死新校正云按甲乙經移續於此舊在後帝曰形度骨度脈度筋度何以知其度也下對問義不相類王氏頗知其錯簡而不知皇甫士安嘗移附此也今去後條移從於此帝曰其形盡滿何如歧伯曰其形盡滿者脈急大堅尺濇而不應也形盡滿謂四形藏盡滿也新校正云按甲乙經太素濇作滿如是者故從則生逆則死帝曰何謂從則生逆則死歧伯曰所謂從者手足溫也所謂逆者手足寒也帝曰乳子而病熱脈懸小者何如懸謂如懸物之動也歧伯曰手足溫則生寒則死新校正云按太素无手字楊上善云足溫氣下故生足寒氣不下者逆而致死帝曰乳子中風熱喘鳴肩息者脈何如歧伯曰喘鳴肩息者脈實大也緩則生急則死緩謂如縱緩急謂如弦張之急非往來之緩急也正理傷寒論曰緩則中風故乳子中風脈緩則生急則死帝曰腸澼便血何如

歧伯曰身熱則死寒則生熱爲血敗故死寒爲榮氣在故生也帝曰腸澼下白沫何如歧伯曰脉沈則生脉浮則死陰病而見陽脉與證相反故死帝曰腸澼下膿血何如歧伯曰脉懸絶則死滑大則生帝曰腸澼之屬身不熱脉不懸絶何如歧伯曰滑大者曰生懸濇者曰死以藏期之肝見庚辛死心見壬癸死肺見丙丁死腎見戊己死脾見甲乙死是謂以藏期之帝曰癲疾何如歧伯曰脉搏大滑久自已脉小堅急死不治脉小堅急爲陰陽病而見陰脉故死不治新校正云按巢元方云脉沈小急實死不治小牢急亦不可治帝曰癲疾之脉虚實何如歧伯曰虚則可治實則死以反證故帝曰消癉虚實何如歧伯曰脉實大病久可治脉懸小堅病久不可治久病血氣衰脉不當實大故不可治新校正云詳經言實大病久可治注意以爲

不可治按甲乙經及素全元起本並云可治又按巢元方云脈數大者生細小浮者死又云沈小者生實牢大者死帝曰形度骨度脈度筋度何以知其度也形度具三備經筋度又脈度骨度並具在靈樞經中此問亦合在彼經篇首錯簡也一經以此問爲逆從論首非也帝曰春亟治經絡夏亟治經俞秋亟治六府冬則閉塞閉塞者用藥而少鍼石也亟猶急也閉塞謂氣之門戶閉塞也所謂少鍼石者非癰疽之謂也冬月雖氣門閉塞然癰疽氣烈內作大膿不急寫之則爛筋腐骨故雖冬月亦宜鍼石以開除之癰疽不得頃時回所以癰疽之病冬月猶得用鍼石者何此病頃時回轉之間過而不寫則內爛筋骨穿通藏府癰不知所按之不應手乍來乍已刺手太陰傍三痏與纓脈各二但覺似有癰疽之候不的知發在何處故按之不應手也乍來乍已言不定痛於一處也手太陰傍足陽明脈謂胃部氣戶等六穴之分也纓脈亦足陽明脈也近纓之脈故曰纓脈纓謂冠帶也以有左右故云各二掖癰大熱刺足少陽五刺而熱不止刺手心主三刺手太陰

經絡者大骨之會各三大骨會肩也謂肩貞穴在肩髃後骨解間陷者中暴癰筋緛隨分而痛魄汗不盡胞氣不足治在經俞癰若暴發隨脉所過筋怒緛急肉分中痛汗液滲泄如不盡兼胞氣不足者悉可以本經脉穴俞補寫之　新校正云按此二條舊散在篇中今移使相從腹暴滿按之不下取手太陽經絡者胃之募也太陽爲手太陽也手太陽太陽經絡之所生故取中脘穴即胃之募也中誥曰中脘胃募也居蔽骨與齊中手太陽少陽足陽明脉所生故云經絡者胃募也　新校正云按甲乙經云取太陽經絡血者則已無胃之募也等字又楊上善注云足太陽其說各不同未知孰是少陰俞去脊椎三寸傍五用員利鍼謂取足少陰俞外去脊椎三寸兩傍穴各五痏也少陰俞謂第十四椎下兩傍腎之俞也　新校正云按甲乙經云用員利鍼刺已如食頃久立已必視其經之過於陽者數刺之霍亂刺俞傍五霍亂者取少陰俞傍志室穴　新校正云按楊上善云刺主霍亂輸傍五取之足陽明及上傍三足陽明言胃俞也取胃俞兼取少陰俞外兩傍向上第三穴則胃倉穴也刺癎驚脉五謂陽陵泉在膝下陷者中也鍼手太陰各五刺經太陽五刺

手少陰經絡傍者一足陽明一上踝五寸刺三鍼經大陽謂足太陽也手太陰五謂魚際穴在手大指本節後內側散脉經太陽五謂承山穴在足腨腸下分肉間陷者中也手少陰經絡傍者謂支正穴在腕後同身寸之五寸骨上廉肉分間手太陽絡別走少陰者足陽明一者謂解谿穴在足腕上陷者中也上踝五寸謂足少陽絡光明穴按內經明堂中誥圖經悉主霍亂各具明文　新校正云按別本注云悉不主霍亂未詳所謂又按甲乙經太素刺癇驚脉五至此爲刺驚癇王注爲刺霍亂者王注非也凡治消癉仆擊偏枯痿厥氣滿發逆肥貴人則高梁之疾也隔塞閉絕上下不通則暴憂之病也暴厥而聾偏塞閉不通內氣暴薄也不從內外中風之病故瘦留著也蹠跛寒風濕之病也消謂內消癉謂伏熱厥謂氣逆高膏也梁粱字也蹠謂足也夫肥者令人熱中甘者令人中滿故熱氣內薄發爲消渴偏枯氣滿逆也逆者謂違背常候與平人異也然愁憂者氣閉塞而不行故隔塞否閉氣脉斷絕而上下不通也氣固於內則大小便道偏不得通泄也何者藏府氣不化禁固而不宣散故爾也外風中人伏藏不去則陽氣內受爲熱外燔肌肉消爍故留薄肉分消瘦而皮膚

著於筋骨也濕勝於足則筋不利寒勝於足則攣急風濕寒勝則衛氣結聚衛氣結聚則肉痛故足跛而不可履也黃帝曰黃疸暴痛癲疾厥狂久逆之所生也五藏不平六府閉塞之所生也頭痛耳鳴九竅不利腸胃之所生也足之三陽從頭走足然久厥逆而不下行則氣怫積於上焦故爲黃疸暴痛顚狂氣逆矣食飲失宜吐利過節故六府閉塞而令五藏之氣不和平也腸胃否塞則氣不順序氣不順序則上下中外互相勝負故頭痛耳鳴九竅不利也

太陰陽明論篇第二十九新校正云按全元起本在第四卷

黃帝問曰太陰陽明爲表裏脾胃脉也生病而異者何也脾胃藏府皆合於土病生而異故問不同岐伯對曰陰陽異位更虛更實更逆更從或從内或從外所從不同故病異名也脾藏爲陰胃府爲陽陽脉下行陰脉上行陽脉從外陰脉從内故言所從不同病異名也新校正云按楊上善云春夏陽明爲實太陰爲虛秋冬太陰爲實陽明

爲虚即更實更虚也春夏太陰爲逆陽明爲從秋冬陽明爲逆太陰爲從即更逆更從也帝曰願聞其異狀也岐伯曰陽者天氣也主外陰者地氣也主内是所謂陰陽異位也故陽道實陰道虚是所謂更實更虚也故犯賊風虚邪者陽受之食飲不節起居不時者陰受之是所謂或從内或從外也陽受之則入六府陰受之則入五藏入六府則身熱不時卧上爲喘呼入五藏則䐜滿閉塞下爲飧泄久爲腸澼是所謂所從不同病異名也故喉主天氣咽主地氣故陽受風氣陰受濕氣同氣相求爾故陰氣從足上行至頭而下行循臂至指端陽氣從手上行至頭而下行至足是所謂更逆更從也靈樞經曰手之三陰從藏走手手之三陽從手走頭足之三陽從頭走足足之三陰從足走腹所行而異故更逆更從也故曰陽病者上行極

而下陰病者下行極而上此言其大凡爾然足少陰脉下行則不同諸陰之氣也故傷於風者上先受之傷於濕者下先受之陽氣炎上故受風陰氣潤下故受濕蓋同氣相合爾帝曰脾病而四支不用何也岐伯曰四支皆稟氣於胃而不得至經新校正云按太素至經作徑至楊上善云胃以水穀資四支不能徑至四支要因於脾得水穀津液營衛於四支必因於脾乃得稟也脾氣布化水穀精液四支乃得以稟受也今脾病不能爲胃行其津液四支不得稟水穀氣氣日以衰脉道不利筋骨肌肉皆無氣以生故不用焉帝曰脾不主時何也肝主春心主夏肺主秋腎主冬四藏皆有正應而脾無正主也岐伯曰脾者土也治中央常以四時長四藏各十八日寄治不得獨主於時也脾藏者常著胃土之精也土者生萬物而法天

地故上下至頭足不得主時也治主也著謂常約著於胃也土氣於四時之中各於季終寄王十八日則五行之氣各王七十二日以終一歲之日矣外主四季則在人內應於手足也帝曰脾與胃以膜相連耳新校正云按太素作以募相逆楊上善云脾陰胃陽脾內胃外其位各異故相逆也而能爲之行其津液何也岐伯曰足太陰者三陰也其脉貫胃屬脾絡嗌故太陰爲之行氣於三陰陽明者表也胃是脾之表也五藏六府之海也亦爲之行氣於三陽藏府各因其經而受氣於陽明故爲胃行其津液四支不得禀水穀氣日以益衰陰道不利筋骨肌肉無氣以生故不用焉又復明脾主四支之義也

陽明脉解篇第三十

新校正云按全元起本在第三卷

黃帝問曰足陽明之脉病惡人與火聞木音則惕然
而驚鐘鼓不爲動聞木音而驚何也願聞其故前篇言入六府
則身熱不時卧上爲喘呼然陽明者胃脉也今病不如前篇之言而反聞木音而驚故問其異也岐伯對曰陽明者
胃脉也胃者土也故聞木音而驚者土惡木也陰陽書曰木尅
土故土惡木也帝曰善其惡火何也岐伯曰陽明主肉其脉新校
正云按甲乙經脉作肌血氣盛邪客之則熱熱甚則惡火帝曰其惡
人何也岐伯曰陽明厥則喘而惋惋則惡人惋熱內鬱故惡人耳
新校正云按脉解云欲獨閉戶牖而處何也陰陽相搏陽盡陰盛故獨閉戶牖而處帝曰或喘而死者或喘
而生者何也岐伯曰厥逆連藏則死連經則生經謂經脉藏謂
五神藏所以連藏則死者神去故也帝曰善病甚則棄衣而走登高而歌或

至不食數日踰垣上屋所上之處皆非其素所能也病反能者何也素本也踰垣謂蓋牆也怪其稍異於常歧伯曰四支者諸陽之本也陽盛則四支實實則能登高也陽受氣於四支故四支爲諸陽之本也新校正云按脈解云陰陽爭而外并於陽帝曰其棄衣而走者何也棄不用也歧伯曰熱盛於身故棄衣欲走也帝曰其妄言罵詈不避親踈而歌者何也歧伯曰陽盛則使人妄言罵詈不避親踈而不欲食不欲食故妄走也足陽明胃脈下膈屬胃絡脾足太陰脾脈入腹屬脾絡胃上膈俠咽連舌本散舌下故病如是

重廣補注黄帝内經素問卷第八

寶命全形論嗄所嫁切 呿吟上丘伽切 黔音鉗 棄蔑音滅 容䐜音寅

八正神明論髣髴上音微下音弗 離合眞邪論輴徐倫切 蚊

虻武庚切 捫音門 抓側交切 溶音容 通評虛實論恇去王切 痏榮美

切 蹠之石切 太陰陽明論閉塞蘇則切 陰陽脉解論惋

烏貫切 踰音于

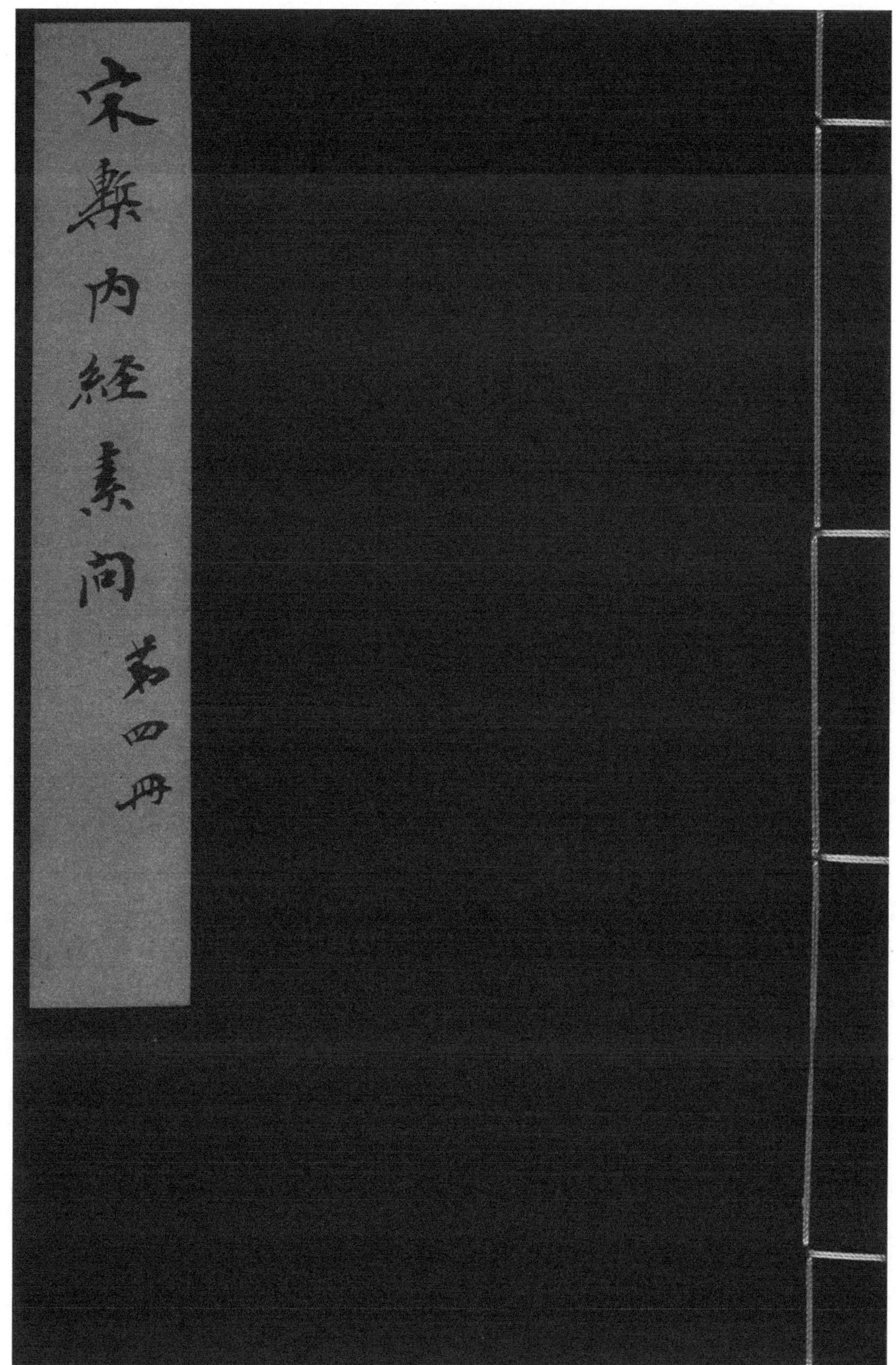
宋槧內經素問
第四冊

重廣補注黃帝內經素問卷第九

啓玄子次注林億孫奇高保衡等奉敕校正孫兆重改誤

熱論　刺熱篇

評熱病論　逆調論

熱論篇第三十一　新校正云按全元起本在第五卷

黃帝問曰今夫熱病者皆傷寒之類也或愈或死其死皆以六七日之間其愈皆以十日以上者何也不知其解願聞其故寒者冬氣也冬時嚴寒萬類深藏君子固密不傷於寒觸冒之者乃名傷寒其傷於四時之氣皆能為病以傷寒為毒者最乘殺厲之氣中而即病名曰傷寒不即病者寒毒藏於肌膚至夏至前變為溫病夏至後變為熱病然其發起皆為傷寒致之故曰熱病者皆傷寒之類也　新校正云按傷寒論云至春變為溫病至夏變為暑病與王注異王注本素問為說傷寒論本陰陽大論為說故此不同　岐伯

對曰巨陽者諸陽之屬也（巨大也太陽之氣經絡氣血榮衛於身故諸陽氣皆所宗屬）其脉連於風府（風府穴名也在項上入髮際同身寸之一寸宛宛中是）故爲諸陽主氣也（足太陽脉浮氣之在頭中者凡五行故統主諸陽之氣）人之傷於寒也則爲病熱熱雖甚不死（寒毒薄於肌膚陽氣不得散發而内怫結故傷寒者反爲病熱）其兩感於寒而病者必不免於死（藏府相應而俱受寒謂之兩感）帝曰願聞其狀（謂非兩感者之形證）岐伯曰傷寒一日巨陽受之（三陽之氣太陽脉浮脉浮者外在於皮毛故傷寒一日太陽先受之）故頭項痛腰脊强（上文云其脉連於風府略言也細而言之者足太陽脉從巔入絡腦還出别下項循肩髆内俠脊抵要中故頭項痛要脊强 新校正云按甲乙經及太素作頭項與要脊皆痛）二日陽明受之（以陽感熱同氣相求故自太陽入陽明也）陽明主肉其脉俠鼻絡於目故身熱目疼而鼻乾不得卧也（身熱者以肉受邪胃中熱煩故不得卧餘隨脉絡之所生也）三日少陽受之少陽主膽（新校正云按全元起本膽作骨元起注云少陽者肝之表肝候筋筋會於骨是

少陽之氣所榮故言主於骨甲乙經太素等並作骨其脉循脇絡於耳故胷脇痛而耳聾三陽經絡皆受其病而未入於藏者故可汗而已以病在表故可汗也　新校正云按全元起云藏作府元起注云傷寒之病始入於皮膚之腠理漸勝於諸陽而未入府故須汗發其寒熱而散之太素亦作府四日太陰受之陽極而陰受也太陰脉布胃中絡於嗌故腹滿而嗌乾五日少陰受之少陰脉貫腎絡於肺繫舌本故口燥舌乾而渴六日厥陰受之厥陰脉循陰器而絡於肝故煩滿而囊縮三陰三陽五藏六府皆受病榮衛不行五藏不通則死矣死猶澌也言精氣皆澌也是故其死皆病六七日閒者以此也其不兩感於寒者七日巨陽病衰頭痛少愈邪氣漸退經氣漸和故少愈八日陽明病衰身熱少愈九日少陽病衰耳聾微聞十日太陰

病衰腹減如故則思飲食十一日少陰病衰渴止不滿舌乾已而嚏十二日厥陰病衰囊縱少腹微下大氣皆去病日已矣大氣謂大邪之氣也是故其愈皆病十日已上者以此也帝曰治之奈何岐伯曰治之各通其藏脉病日衰已矣其未滿三日者可汗而已其滿三日者可泄而已此言表裏之大體也正理傷寒論曰脉大浮數病爲在表可發其汗脉細沈數病在裏可下之由此則雖日過多但有表證而脉大浮數猶宜發汗日數雖少即有裏證而脉沈細數猶宜下之正應隨脉證以汗下之帝曰熱病已愈時有所遺者何也邪氣衰去不盡如遺之在人也岐伯曰諸遺者熱甚而強食之故有所遺也若此者皆病已衰而熱有所藏因其穀氣相薄兩熱相合故有所遺也帝曰善治遺奈何岐伯曰視其虛實調其逆從

可使必已矣（審其虛實而補寫之則必已）帝曰病熱當何禁之岐伯曰病熱少愈食肉則復多食則遺此其禁也（是所謂戒食勞也熱雖少愈猶未盡除脾胃氣虛故未能消化肉堅食駐故熱復生復謂復舊病也）帝曰其病兩感於寒者其脉應與其病形何如岐伯曰兩感於寒者病一日則巨陽與少陰俱病則頭痛口乾而煩滿（新校正云按傷寒論云煩滿而渴）二日則陽明與太陰俱病則腹滿身熱不欲食譫言（譫言謂妄謬而不次也新校正云按楊上善云多言也）三日則少陽與厥陰俱病則耳聾囊縮而厥水漿不入不知人六日死（巨陽與少陰為表裏陽明與太陰為表裏少陽與厥陰為表裏故兩感寒氣同受其邪）帝曰五藏已傷六府不通榮衛不行如是之後三日乃死何也岐伯曰陽明者十二經脉之長也其血氣

盛故不知人三日其氣乃盡故死矣[以上承氣海故三日氣盡乃死]凡病傷寒而成溫者先夏至日者爲病溫後夏至日者爲病暑暑當與汗皆出勿止[此以熱多少盛衰而爲義也陽熱未盛爲寒所制故爲病曰溫陽熱大盛寒不能制故爲病曰暑然暑病者當與汗之令愈勿反止之令其甚也　新校正云按暑病傷寒已下全元起本在奇病論中王氏移於此楊上善云冬傷於寒輕者夏至以前發爲溫病冬傷於寒甚者夏至以後發爲暑病]

刺熱篇第三十二

[新校正云按全元起本在第五卷]

肝熱病者小便先黄腹痛多卧身熱[肝之脉環陰器抵少腹而上故小便不通先黄腹痛多卧也寒薄生熱身故熱焉]熱爭則狂言及驚脇滿痛手足躁不得安卧[經絡雖已受熱而神藏猶未納邪邪正相薄故云爭也餘爭同之又肝之脉從少腹上俠胃貫鬲布脇肋循喉嚨之後絡舌本故狂言脇滿痛也肝性静而主驚駭故病則驚手足躁擾卧不得安]庚辛甚甲乙大汗氣逆則庚辛死[肝主

木庚辛爲金金剋木故甚死於庚辛甲乙爲木故大汗於甲乙刺足厥陰少陽厥陰肝脉少陽膽脉其逆則頭痛員員脉引衝頭也肝之脉自舌本循喉嚨之後上出額與督脉會於巔故頭痛員員然脉引衝於頭中也員員謂似急也心熱病者先不樂數日乃熱夫所以任治於物者謂心病氣入於經絡則神不安治故先不樂數日乃熱也熱爭則卒心痛煩悶善嘔頭痛面赤無汗心手少陰脉起於心中其支別者從心系上俠咽小腸之脉直行者循咽下鬲抵胃其支別者從缺盆循頸上頰至目外眥故卒心痛煩悶善嘔頭痛面赤也心在液爲汗今病熱故無汗以出　新校正云按甲乙經外眥作兌眥王注厥論亦作兌眥外當作兌壬癸甚丙丁大汗氣逆則壬癸死心主火壬癸爲水水滅火故甚死於壬癸也丙丁爲火故大汗於丙丁氣逆之證經闕其文刺手少陰太陽少陰心脉太陽小腸脉脾熱病者先頭重頰痛煩心顏青欲嘔身熱胃之脉起於鼻交頞中下循鼻外入上齒中還出俠口環脣下交承漿卻循頤後下廉出大迎循頰車上耳前過客主人循髮際至額顱故先頭重頰痛顏青也脾之脉支別者從胃別上鬲注心中其直行者上鬲俠咽故煩心欲嘔而身熱也　新校正云按甲乙經太素云脾熱病者先頭重顏痛無顏青二字也熱爭

則脊痛不可用俛仰腹滿泄兩頷痛胃之脉支別者從胃下口循腹裏下至氣街中而合以下髀氣街者腰之前故腰痛也脾之脉入腹屬脾絡胃又胃之脉自交承漿却循頤後下廉出大迎循頰車故腹滿泄而兩頷痛甲乙甚戊已大汗氣逆則甲乙死脾主土甲乙爲木木伐土故甚死於甲乙也戊已爲土故大汗於戊已氣逆之證經所未論刺足太陰陽明太陰脾脉陽明胃脉新校正云按甲乙經熱病下篇云病先頭重頰痛煩心身熱熱爭則腰痛不可用俛仰腹滿兩頷痛甚暴泄善飢而不欲食善噫熱中足清腹脹食不化善嘔泄有膿血若嘔無所出先取三里後取太白章門肺熱病者先淅然厥起毫毛惡風寒舌上黃身熱肺主皮膚外養於毛故熱中之則先淅然惡風寒起毫毛也肺之脉起於中焦下絡大腸還循胃口今肺熱入胃胃熱上升故舌上黃而身熱熱爭則喘欬痛走胷膺背不得大息頭痛不堪汗出而寒肺居鬲上氣主胷膺復在變動爲欬又藏氣而主呼吸背復爲胷中之府故喘欬痛走胷膺背不得大息也肺之絡脉上會耳中今熱氣上熏故頭痛不堪汗出而寒丙丁甚庚辛大汗氣逆則丙丁死肺主金丙丁爲火火爍金故甚死於丙丁也庚辛爲金故大汗於庚辛也氣逆之證經闕未書

刺手太陰陽明出血如大豆立已 太陰肺脈陽明大腸脈當視其絡脈盛者乃刺而出之 腎熱病者先腰痛䯒痠苦渴數飲身熱 膀胱之脈從肩髆內俠脊抵腰中又腰爲腎之府故先腰痛也又腎之脈自循內踝之後上腨內出膕內廉又直行者從腎上貫肝鬲入肺中循喉嚨俠舌本故䯒痠苦渴數飲身熱 熱爭則項痛而強䯒寒且痠足下熱不欲言 膀胱之脈從腦出別下項又腎之脈起於小指之下斜趨足心出於然骨之下循內踝之後別入跟中以上䯒內又其直行者從腎上貫肝鬲入肺中循喉嚨俠舌本故項痛而強䯒寒且痠足下熱不欲言也 新校正云按甲乙經然骨作然谷 其逆則項痛員員澹澹然 腎之筋循脊內俠膂上至項結于枕骨與膀胱之筋合膀胱之脈又並下于項故項痛員員然也澹澹爲似欲不定也 戊己甚壬癸大汗氣逆則戊己死 腎主水戊己爲土土刑水故甚死於戊己也壬癸爲水故大汗於壬癸也 刺足少陰太陽 少陰腎脈太陽膀胱脈 諸汗者至其所勝日汗出也 氣王日爲所勝王則勝邪故各當其王日汗 肝熱病者左頰先赤 肝氣合木木氣應春南面正理之則其左頰也 心熱病者顏先赤 心氣合火

火氣炎上指象明候故候於顏顏額也脾熱病者鼻先赤脾氣合土土王於中鼻處面中故占鼻也肺熱病者右頰先赤肺氣合金金氣應秋南面正[illegible]之則其右頰也腎熱病者頤先赤腎氣合水水惟潤下指象明候故候於頤也病雖未發見赤色者刺之名曰治未病聖人不治已病治未病不治已亂治未亂此之謂也熱病從部所起者至期而已期爲大汗日也如肝甲乙心丙丁脾戊己肺庚辛腎壬癸是爲期日也其刺之反者三周而已反謂反取其氣也如肝病刺脾脾病刺腎腎病刺心心病刺肺肺病刺肝者皆是反刺五藏之氣也三周謂三周於三陰三陽之脉狀也又太陽病而刺寫陽明陽明病而刺寫少陽少陽病而刺寫太陰太陰病而刺寫少陰少陰病而刺寫厥陰如此是爲反取三陰三陽之脉氣也重逆則死先刺已反病氣流傳又反刺之是爲重逆一逆刺之尚至三周乃已況其重逆而得生邪諸當汗者至其所勝日汗大出也王則勝邪故各當其王日汗新校正云按此條文注二十四字與前文重複當從刪去甲乙經太素亦不重出諸治熱病以飲之寒水乃刺之必寒衣之居止寒處身寒而止也寒水在胃陽氣外盛故飲寒乃刺熱退則涼生

故身寒而止針

熱病先胷脇痛手足躁刺足少陽補足太陰

此則舉正取之例然足少陽木病而寫足少陽之木氣補足太陰之土氣者恐木傳於土也胷脇痛丘虚主之丘虚在足外踝下如前陷者中足少陽脉之所過也刺可入同身寸之五分留七呼若灸者可灸三壯熱病手足躁經無所主治之旨然補足太陰之脉當於井滎取之也　新校正云詳足太陰全元起本及太素作手太陰楊上善云手太陰上屬肺從肺出腋下故胷脇痛又按靈樞經云熱病而胷脇痛手足躁取之筋間以第四鍼索筋於肝不得索之於金金肺也以此決知作手太陰者爲是

病甚者爲五十九刺

五十九刺者謂頭上五行行五者以越諸陽之熱逆也大杼膺俞缺盆背俞此八者以寫胷中之熱也氣街三里巨虚上下廉此八者以寫胃中之熱也雲門髃骨委中髓空此八者以寫四支之熱也五藏俞傍五此十者以寫五藏之熱也凡此五十九穴者皆熱之左右也故病甚則爾刺之然頭上五行者當中行謂上星顖會前頂百會後頂次兩傍謂五處承光通天絡却玉枕又次兩傍謂臨泣目窻正營承靈腦空也上星在顱上直鼻中央入髮際同身寸之一寸陷者中容豆刺可入同身寸之四分　新校正云按甲乙經四分作三分水熱穴論注亦作三分詳此注下文云刺如上星法又云刺如顖會法既有二法則當依甲乙經及水熱穴論注上星刺入三分顖會刺入四分顖會在上星後同身寸之一寸陷者刺如上星法前頂在顖會後同身寸之一寸五分骨間陷者中刺如顖會法百會在前頂後同身寸之一寸五分頂中央旋毛中陷容指

督脈足太陽脈之交會刺如上星法後頂在百會後同身寸之一寸五分枕骨
上刺如顖會法然是五者皆督脈氣所發也上星留六呼若灸者並灸五壯次
兩傍穴五處在上星兩傍同身寸之一寸五分承光在五處後同身寸之一寸
通天在承光後同身寸之一寸五分絡却在通天後同身寸之一寸五分玉枕
在絡却後同身寸之七分然是五者並足太陽脈氣所發刺可入同身寸之三
分五處通天各留七呼絡却留五呼玉枕留三呼若灸者可灸三壯　新校正
云按甲乙經承光不可灸玉枕刺入二分　又次兩傍臨泣在頭直目上入髮
際同身寸之五分足太陽少陽陽維三脈之會目窻正營遞相去同身寸之一
寸承靈腦空遞相去同身寸之一寸五分然是五者並足少陽陽維二脈之會
腦空一穴刺可入同身寸之四分餘並可刺入同身寸之三分臨泣留七呼若
灸者可灸五壯大杼在項第一椎下兩傍相去各同身寸之一寸半陷者中督
脈別絡足太陽手太陽三脈氣之會刺可入同身寸之三分留七呼若灸者可
灸五壯　新校正云按甲乙經作七壯氣穴注作七壯刺瘧注熱穴注作五壯
膺俞者膺中俞也正名中府在胷中行兩傍相去同身寸之六寸雲門下一寸
乳上三肋間動脈應手陷者中仰而取之手足太陰脈之會刺可入同身寸之
三分留五呼若灸者可灸五壯缺盆在肩上橫骨陷者中手陽明脈氣所發刺
可入同身寸之二分留七呼若灸者可灸三壯背俞當是風門熱府在第二椎
下兩傍各同身寸之一寸半督脈足太陽之會刺可入同身寸之五分留七呼
若灸者可灸五壯驗今明堂中誥圖經不言背俞未詳果何處也　新校正云
按王注水熱穴論以風門熱府爲背俞又注氣穴論以大杼爲背俞此注云未

詳三注不同蓋疑之也　氣街在腹齊下横骨兩端鼠鼷上同身寸之一寸動
應手足陽明脉氣所發刺可入同身寸之三分留七呼若灸者可灸五壯三里
在膝下同身寸之三寸䯒外廉兩筋肉分間足陽明脉之所入也刺可入同身
寸之一寸留七呼若灸者可灸三壯巨虚上廉足陽明與大腸合在三里下同
身寸之三寸足陽明脉氣所發刺可入同身寸之八分若灸者可灸三壯巨虚
下廉足陽明與小腸合在上廉下同身寸之三寸足陽明脉氣所發刺可入同身寸
之三分若灸者可灸三壯雲門在巨骨下胷中行兩傍　新校正云按氣穴論
注胷中行兩傍作俠任脉傍横去任脉文雖異穴之處所則同　相去同身寸
之六寸動脉應手中府當其下同身寸之一寸雲門手太陰脉氣所發舉臂取
之刺可入同身寸之七分若灸者可灸五壯驗今明堂中誥圖經不載髃骨穴
尋其穴以寫四支之熱恐是肩髃穴穴在肩端兩骨間手陽明蹻脉之會刺可入同身
寸之六分留六呼若灸者可灸三壯委中在足膝後屈處膕中央約文中動脉
新校正云詳委中穴與氣穴注骨空注刺瘧論注并此王氏四處注之彼三注
無足膝後屈處五字與此注異者非實有異蓋注有詳略爾　足太陽脉之所
入也刺可入同身寸之五分留七呼若灸者可灸三壯髓空者正名腰俞在脊
中第二十一椎節下間督脉氣所發刺可入同身寸之二分　新校正云按甲
乙經作二寸水熱穴論注亦作二寸氣府論注骨空論注作一分　留七呼若
灸者可灸三壯五藏俞傍五者謂魄戶神堂魂門意舍志室五穴也在俠脊兩
傍各相去同身寸之三寸並足太陽脉氣所發也魄戶在第三椎下兩傍正坐
取之刺可入同身寸之五分若灸者可灸五壯神堂在第五椎下兩傍刺可入

同身寸之三分若灸者可灸五壯魂門在第九椎下兩傍正坐取之刺可入同身寸之五分若灸者可灸三壯意舍在第十一椎下兩傍正坐取之刺可入同身寸之五分若灸者可灸三壯志室在第十四椎下兩傍正坐取之刺可入同身寸之五分若灸者可灸三壯是所謂此經之五十九刺法也若鍼經所指五十九刺則殊與此經不同雖俱治熱病之要穴然合用之理全向背猶當以病候形證所應經法即隨所證而刺之

熱病始手臂痛者刺手陽明太陰而汗出止手臂痛列缺主之列缺者手太陰之絡去腕上同身寸之一寸半別走陽明者也刺可入同身寸之三分留三呼若灸者可灸五壯欲出汗商陽主之商陽者手陽明脉之井在手大指次指內側去爪甲角如韭葉手陽明脉之所出也刺可入同身寸之一分留一呼若灸者可灸三壯

熱病始於頭首者刺項太陽而汗出止天柱主之天柱在俠項後髮際大筋外廉陷者中足太陽脉氣所發刺可入同身寸之二分留六呼若灸者可灸三壯

熱病始於足脛者刺足陽明而汗出止新校正云按此條素問本無太素亦無今按甲乙經添入

熱病先身重骨痛耳聾好瞑刺足少陰據經無正主穴當補寫井榮爾新校正云按靈樞經云熱病而身重骨痛耳聾而好瞑取之骨以第四鍼索骨於腎不得索之土土脾也

病甚爲五十九刺如古法

熱病

先眩冒而熱胸脇滿刺足少陰少陽亦井榮也太陽之脉色榮顴骨熱病也榮飾也謂赤色見於顴骨如榮飾也顴骨謂目下當外眥也太陽合火故見色赤　新校正云按楊上善云赤色榮顴者骨熱病也與王氏之注不同榮未交新校正云按甲乙經太素作榮未天下文榮未交亦作于曰今且得汗待時而已榮一爲營字之誤也曰者引古經法之端由也言色雖明盛但陰陽之氣不交錯者故法云今且得汗之而已待時者謂肝病待甲乙心病待丙丁脾病待戊巳肺病待庚辛腎病待壬癸是謂待時而已所謂交者次如下句與厥陰脉爭見者死期不過三日外見太陽之赤色内應厥陰之弦脉然太陽受病當傳入陽明今反厥陰之脉來見者是土敗而木賊之也故死然土氣已敗木復狂行木生數三故期不過三日其熱病内連腎少陽之脉色也病或爲氣恐字誤也若赤色氣内連鼻兩傍者是少陽之脉色非厥陰色何者腎部近於鼻也新校正云詳或者欲改腎作鼻按甲乙經太素並作腎楊上善云太陽水也厥陰木也水以生木木盛水衰故太陽水色見時有木爭見者水死以其熱病内連於腎腎爲熱傷故死本舊無少陽之脉色也六字乃王氏所添王注非當從上善之義少陽之脉色榮頰前熱病也頰前即顴骨下近鼻兩傍也新校正云按甲乙經太素並前字

作筋揚上善云足少陽部在頰赤色榮之即知筋熱病也榮未交曰今且得汗待時而已與少陰脈爭見者死期不過三日少陽受病當傳入於太陰今反少陰脈來見亦土敗而木賊之也故死不過三日亦木之數然　新校正云詳或者欲改少陰作厥陰按甲乙經太素作少陰楊上善云少陽爲木少陰爲水少陽色見之時有少陰爭見者是母勝子故木死王作此注亦非舊本及甲乙經太素並無期不過三日六字此是王氏成足此文也熱病氣穴三椎下間主胷中熱四椎下間主鬲中熱五椎下間主肝熱六椎下間主脾熱七椎下間主腎熱榮在骶也脊節之謂椎脊窮之謂骶言腎熱之氣外通尾骶也尋此文椎間所主神藏之熱又不正當其藏俞而云主療在理未詳項上三椎陷者中也此舉數脊椎大法也言三椎下間主胷中熱者何以數之言皆當以陷者中爲氣發之所頰下逆顴爲大瘕下牙車爲腹滿顴後爲脇痛頰上者鬲上也此所以候面部之色發明腹中之病診

評熱病論篇第三十三

新校正云按全元起本在第五卷

黃帝問曰有病溫者汗出輒復熱而脉躁疾不爲汗
衰狂言不能食病名爲何岐伯對曰病名陰陽交交
者死也交謂交合陰陽之氣不分別也帝曰願聞其說岐伯曰人所以汗出
者皆生於穀穀生於精言穀氣化爲精精氣勝乃爲汗今邪氣交爭於骨
肉而得汗者是邪却而精勝也言初汗也精勝則當能食而
不復熱復熱者邪氣也汗者精氣也今汗出而輒復
熱者是邪勝也不能食者精無俾也無俾言無可使爲汗也穀不化則精不生精不
化流故無可使病而留者其壽可立而傾也如是者若汗出疾速留著而不去則其人壽命立至傾危
也新校正云詳病而留者按王注病當作疾又按甲乙經作而熱留者且夫熱論曰汗出而脉尚躁
盛者死熱論謂上古熱論也凡汗後脉當遲靜而反躁急以盛滿者是眞氣竭而邪盛故知必死也今脉不與汗相

應此不勝其病也其死明矣（脉不静而躁盛是不相應）狂言者是失志失志者死（志舍於精今精無可使是志無所居志不留居則失志也）今見三死不見一生雖愈必死也（汗出脉躁盛一死不勝其病二死狂言失志者三死也）帝曰有病身熱汗出煩滿煩滿不爲汗解此爲何病岐伯曰汗出而身熱者風也汗出而煩滿不解者厥也病名曰風厥帝曰願卒聞之岐伯曰巨陽主氣故先受邪少陰與其爲表裏也得熱則上從之從之則厥也（上從之謂少陰隨從於太陽而上也）帝曰治之柰何岐伯曰表裏刺之飲之服湯（謂寫太陽補少陰也飲之湯者謂止逆上之腎氣也）帝曰勞風爲病何如岐伯曰勞風法在肺下（從勞風生故曰勞風勞謂腎勞也腎脉者從腎上貫肝鬲入肺中故腎勞風生上居肺下也）其爲病也使人強上冥視（新校正云按楊上善云強上好

仰也瞑視謂合眼視不明也又千金方瞑視作目眩唾出若涕惡風而振寒此爲勞風之
病膀胱脉起於目内眥上額交巔上入絡腦還出別下項循肩髆内俠脊抵腰中入循膂絡腎今腎精不足外吸膀胱膀胱氣不能上營故使人頭項強而視不明也肺被風薄勞氣上熏故令唾出若鼻涕狀腎氣不足陽氣内攻勞熱相合故惡風而振寒帝曰治之柰何岐伯
曰以救俛仰救猶止也俛仰謂屈伸也言止屈伸於動作不使勞氣滋蔓巨陽引精者三日中
年者五日不精者七日新校正云按甲乙經作三日中若五日千金方作候之三日及五日中不精明者是也與此不同
欬出青黄涕其狀如膿大如彈丸從口中若鼻中出
不出則傷肺傷肺則死也巨陽者膀胱之脉也膀胱與腎爲表裏故巨陽引精也巨大也然太陽之脉吸
引精氣上攻於肺者三日中年者五日素不以精氣用事者七日當欬出稠涕
其色青黄如膿狀平調欬者從咽而上出於口暴卒欬者氣衝突於蓄門而出
於鼻夫如是者皆腎氣勞竭肺氣内虚陽氣奔迫之所爲故不出則傷肺也肺
傷則榮衛散解魄不内治故死　新校正云按王氏云卒暴欬者氣衝突於蓄
門而出於鼻按難經云衝門無蓄門之名疑是賁門楊操云賁者
鬲也胃氣之所出胃出穀氣以傳於肺肺在鬲上故胃爲賁門帝曰有病

腎風者面胕痝然壅害於言可刺不痝然腫起貌壅謂目下壅如卧蠶形也腎之脉從腎上貫肝鬲入肺中循喉嚨俠舌本故妨害於言語岐伯曰虚不當刺不當刺而刺後五日其氣必至至謂病氣來至也然謂藏配一日而五日至腎夫腎已不足風内薄之謂腫爲實以鍼大泄反傷藏氣眞氣不足不可復故刺後五日其氣必至也帝曰其至何如岐伯曰至必少氣時熱時熱從胷背上至頭汗出手熱口乾苦渴小便黄目下腫腹中鳴身重難以行月事不來煩而不能食不能正偃正偃則欬病名曰風水論在刺法中刺法篇名今經亡帝曰願聞其説岐伯曰邪之所湊其氣必虚陰虚者陽必湊之故少氣時熱而汗出也小便黄者少腹中有熱也不能正偃者胃中不和也正偃則欬甚上迫肺也

諸有水氣者微腫先見於目下也帝曰何以言歧伯曰水者陰也目下亦陰也腹者至陰之所居故水在腹者必使目下腫也眞氣上逆故口苦舌乾卧不得正偃正偃則欬出清水也諸水病者故不得卧卧則驚驚則欬甚也腹中鳴者病本於胃也薄脾則煩不能食食不下者胃脘隔也身重難以行者胃脉在足也月事不來者胞脉閉也胞脉者屬心而絡於胞中今氣上迫肺心氣不得下通故月事不來也考上文所釋之義未解熱從胷背上至頭汗出手熱口乾苦渴之義應古論簡脫而此差謬之爾如是者何腎少陰之脉從腎上貫肝鬲入肺中循喉嚨俠舌本又膀胱太陽之脉從目内眥上額交巔上其支者從巔至耳上角其直者從巔入絡腦還出別下項循肩髆内俠脊抵腰中入循膂令陰不足而陽有餘故熱從胷背上至頭而汗出口乾苦渴

也然心者陽藏也其脉行於臂手腎者陰藏也其脉循於𦙶足腎不足則心氣有餘故手熱矣又以心腎之脉俱是少陰脉也帝曰善

逆調論篇第三十四新校正云按全元起本在第四卷

黄帝問曰人身非常溫也非常熱也爲之熱而煩滿者何也異於常候故曰非常新校正云按甲乙經無爲之熱三字岐伯對曰陰氣少而陽氣勝故熱而煩滿也帝曰人身非衣寒也中非有寒氣也寒從中生者何言不知誰爲元主邪岐伯曰是人多痺氣也陽氣少陰氣多故身寒如從水中出言自由形氣陰陽之爲是非衣寒而中有寒也帝曰人有四支熱逢風寒如炙如火者何也新校正云按全元起本無如火二字太素云如炙於火當從太素之文岐伯曰是人者陰氣虚陽氣盛四支者陽也兩陽相得而陰氣虚少少水不能滅盛火而陽獨

治獨治者不能生長也獨勝而止耳 水為陰火為陽今陽氣有餘陰氣不足故云少水不能滅盛火也治者王也勝者盛也故云獨勝而止 逢風而如炙如火者是人當肉爍也 爍言消也言久久此人當肉消削也 新校正云詳如炙如火當從太素作如炙於火 帝曰人有身寒湯火不能熱厚衣不能溫然不凍慄是為何病岐伯曰是人者素腎氣勝以水為事太陽氣衰腎脂枯不長一水不能勝兩火腎者水也而生於骨腎不生則髓不能滿故寒甚至骨也 以水為事言盛欲也 所以不能凍慄者肝一陽也心二陽也腎孤藏也一水不能勝二火故不能凍慄病名曰骨痹是人當攣節也 腎不生則髓不滿髓不滿則筋乾縮故節攣拘 帝曰人之肉苛者雖近衣絮猶尚苛也是謂何疾 苛謂𤸇重 岐伯曰

榮氣虛衛氣實也榮氣虛則不仁衛氣虛則不用榮衛俱虛則不仁且不用肉如故也人身與志不相有曰死（身用志不應志爲身不親兩者似不相有也新校正云按甲乙經曰死作三十日死也）帝曰人有逆氣不得卧而息有音者有不得卧而息無音者有起居如故而息有音者有得卧行而喘者有不得卧不能行而喘者有不得卧卧而喘者皆何藏使然願聞其故岐伯曰不得卧而息有音者是陽明之逆也足三陽者下行今逆而上行故息有音也陽明者胃脉也胃者六府之海（水穀海也）其氣亦下行陽明逆不得從其道故不得卧也下經曰胃不和則卧不安此之謂也（下經上古經也）

夫起居如故而息有音者此肺之絡脉逆也絡脉不得隨經上下故留經而不行絡脉之病人也微故起居如故而息有音也夫不得卧卧則喘者是水氣之客也夫水者循津液而流也腎者水藏主津液主卧與喘也帝曰善尋經所解之旨不得卧而息無音有得卧行而喘有不得卧不能行而喘此三義悉闕而未論亦古之脫簡也

重廣補注黃帝内經素問卷第九

熱論 譫之閻切多言也 怫音弗 刺熱論 頷胡感切 洒淅上先禮切下先曆切 痠音酸

⿰骨玄音玄 跟音根 評熱病論 胕痝下莫江切 髆音傅 逆調論 苛胡歌切

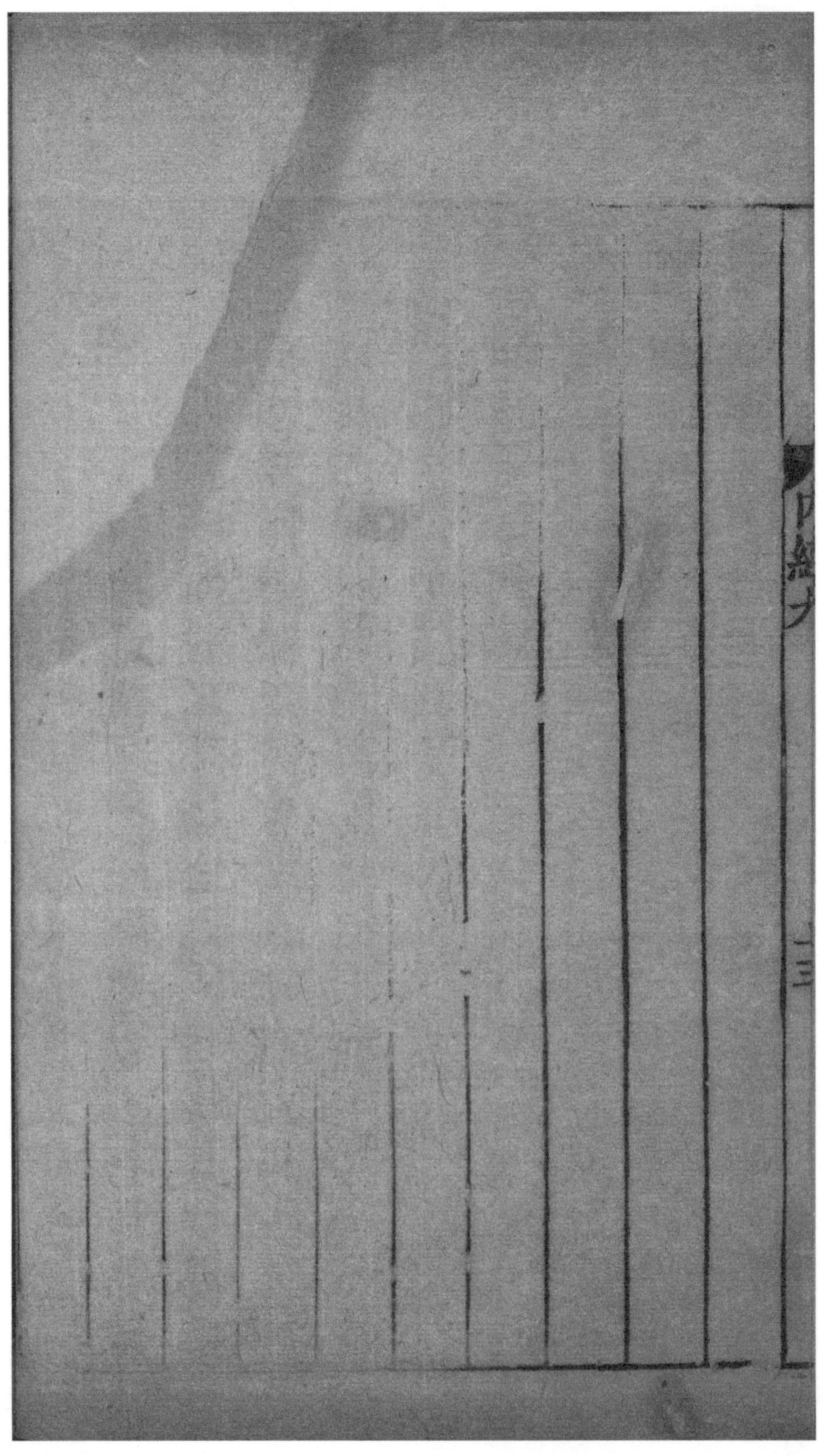

重廣補注黃帝內經素問卷第十

啓玄子次注林億孫奇高保衡等奉勅校正孫兆重改誤

瘧論　刺瘧篇

氣厥論　欬論

瘧論篇第三十五新校正云按全元起本在第五卷

黃帝問曰夫痎瘧皆生於風其蓄作有時者何也痎猶老也亦瘦也　新校正云按甲乙經云夫瘧疾皆生於風其以日作以時發何也與此文異太素同今文楊上善云痎有云二日一發名痎瘧此經但夏傷於暑至秋為病或云痎瘧或但云瘧不必以日發間日以定痎也但應四時其形有異以為痎爾岐伯對曰瘧之始發也先起於毫毛伸欠乃作寒慄鼓頷慄謂戰慄鼓謂振動胷脊俱痛寒去則內外皆熱頭痛如破渴欲冷飲帝曰何氣

使然願聞其道岐伯曰陰陽上下交爭虛實更作陰陽相移也陽氣者下行極而上陰氣者上行極而下故曰陰陽上下交爭也陽虛則外寒陰虛則內熱陽盛則外熱陰盛則內寒由此寒去熱生則虛實更作陰陽之氣相移易也陽并於陰則陰實而陽虛陽明虛則寒慄鼓頷也陽并於陰言陽氣入於陰分也陽明胃脉也胃之脉自交承漿却分行循頤後下廉出大迎其支別者從大迎前下人迎故氣不足則惡寒戰慄而頤頷振動也巨陽虛則腰背頭項痛巨陽者膀胱脉其脉從頭別下項循肩髆內俠脊抵腰中故氣不足則腰背頭項痛也三陽俱虛則陰氣勝陰氣勝則骨寒而痛寒生於內故中外皆寒陽盛則外熱陰虛則內熱外內皆熱則喘而渴故欲冷飲也熱傷氣故內外皆熱則喘而渴此皆得之夏傷於暑熱氣盛藏於皮膚之內腸胃之外此榮氣之所舍也腸胃之外榮氣所主故云榮氣所舍也舍猶居也此令人汗空疏新校正云按全元起本作汗出

空疎甲乙經太素並同腠理開因得秋氣汗出遇風及得之以浴水
氣舍於皮膚之内與衛氣并居衛氣者晝日行於陽
夜行於陰此氣得陽而外出得陰而内薄内外相薄
是以日作作發作也帝曰其間日而作者何也間日謂隔日岐伯曰其
氣之舍深内薄於陰陽氣獨發陰邪内著陰與陽爭
不得出是以間日而作也不與衛氣相逢會故隔日發也帝曰善其作日
晏與其日早者何氣使然晏猶日暮也岐伯曰邪氣客於風
府循膂而下風府穴名在項上入髮際同身寸之二寸大筋内宛宛中也膂謂脊兩傍衛氣一日一夜
大會於風府其明日日下一節故其作也晏此先客
於脊背也每至於風府則腠理開腠理開則邪氣入

邪氣入則病作以此日作稍益晏也節謂脊骨之節然邪氣遠則逢會遲故發暮也其出於風府日下一節二十五日下至骶骨二十六日入於脊內注於伏膂之脈項已下至尾骶凡二十四節故日下一節二十五日下至骶骨二十六日入於脊內注於伏膂之脈也伏膂之脈者謂膂筋之間腎脈之伏行者也腎之脈循股內後廉貫脊屬腎其直行者從腎上貫肝鬲入肺中以其貫脊又不正應行穴但循膂伏行故謂之伏膂脈　新校正云按全元起本二十五日作二十一日二十六日作二十二日甲乙經太素並同伏膂之脈甲乙經作太衝之脈巢元方作伏衝其氣上行九日出於缺盆之中其氣日高故作日益早也以腎脈貫脊屬腎上入肺中肺者缺盆爲之道陰氣之行速故其氣上行九日出於缺盆之中其間日發者由邪氣內薄於五藏橫連募原也其道遠其氣深其行遲不能與衛氣俱行不得皆出故間日乃作也募原謂鬲募之原系　新校正云按全元起本募作膜太素巢元方並同舉痛論亦作膜原帝曰夫子言衛氣每

至於風府腠理乃發發則邪氣入入則病作今衛氣日下一節其氣之發也不當風府其日作者奈何岐伯曰新校正云按全元起本及甲乙經太素自此邪氣客於頭項至下則病作故八十八字並無此邪氣客於頭項循膂而下者也故虛實不同邪中異所則不得當其風府也故邪中於頭項者氣至頭項而病中於背者氣至背而病中於腰脊者氣至腰脊而病中於手足者氣至手足而病故下篇各以居邪之所而刺之衛氣之所在與邪氣相合則病作故風無常府衛氣之所發必開其腠理邪氣之所合則其府也虛實不同邪中異所衛邪相合病則發焉不必悉當風府而發作也 新校正云按甲乙經巢元方則其府也作其病作帝曰善夫風之與瘧也相似同類而風獨

常在瘧得有時而休者何也〔風瘧皆有盛衰故云相似同類〕岐伯曰風氣留其處故常在瘧氣隨經絡沈以內薄〔新校正云按甲乙經作次以內傳〕故衛氣應乃作〔留謂留止隨謂隨從〕帝曰瘧先寒而後熱者何也岐伯曰夏傷於大暑其汗大出腠理開發因遇夏氣淒滄之水寒〔新校正云按甲乙經太素水寒作小寒迫之〕藏於腠理皮膚之中秋傷於風則病成矣〔暑為陽氣中風者陽氣受之故秋傷於風則病成矣〕夫寒者陰氣也風者陽氣也先傷於寒而後傷於風故先寒而後熱也病以時作名曰寒瘧〔露形觸冒則風寒傷之〕帝曰先熱而後寒者何也岐伯曰此先傷於風而後傷於寒故先熱而後寒也亦以時作名曰溫瘧〔以其先熱故謂之溫〕其但熱而不寒者陰氣先絕陽氣

獨發則少氣煩寃手足熱而欲嘔名曰癉瘧癉熱也極熱爲之也帝曰夫經言有餘者寫之不足者補之今熱爲有餘寒爲不足夫瘧者之寒湯火不能溫也及其熱冰水不能寒也此皆有餘不足之類當此之時良工不能止必須其自衰乃刺之其故何也願聞其說言何暇不早使其盛極而自止乎岐伯曰經言無刺熇熇之熱新校正云按全元起本及太素熱作氣無刺渾渾之脉無刺漉漉之汗故爲其病逆未可治也熇熇盛熱也渾渾言無端緒也漉漉言汗大出也夫瘧之始發也陽氣幷於陰當是之時陽虛而陰盛外無氣故先寒慄也陰氣逆極則復出之陽陽與陰復幷於外則陰虛而陽實故先熱而渴陰盛則胃

寒故先寒戰慄陽盛則胃熱故先熱欲飲也夫瘧氣者并於陽則陽勝并於陰則陰勝陰勝則寒陽勝則熱瘧者風寒之氣不常也病極則復復謂復舊也言其氣發至極還復如舊新校正云按甲乙經作瘧者風寒之暴氣不常病極則復至全元起本及太素作瘧風寒氣也不常病極則復至至字連上句與王氏之意異病之發也如火之熱如風雨不可當也以其盛熾故不可當也故經言曰方其盛時必毀新校正云按太素云勿敢必毀因其衰也事必大昌此之謂也方正也正盛寫之或傷眞氣故必毀病氣衰已補其經氣則邪氣弱退正氣安平故必大昌也夫瘧之未發也陰未并陽陽未并陰因而調之眞氣得安邪氣乃亡所寫必中所補必當故眞氣得安邪氣乃亡也故工不能治其已發爲其氣逆也眞氣浸息邪氣大行眞不勝邪是爲逆也帝曰善攻之奈何早晏何如岐伯曰瘧之且發也陰陽之且移也必從四

末始也陽已傷陰從之故先其時堅束其處令邪氣不得入陰氣不得出審候見之在孫絡盛堅而血者皆取之此真往而未得并者也言牢縛四支令氣各在其處則邪所居處必自見之既見之則刺出其血爾往猶去也　新校正云按甲乙經真往作其往太素作直往帝曰瘧不發其應何如岐伯曰瘧氣者必更盛更虛當氣之所在也病在陽則熱而脉躁在陰則寒而脉靜陰靜陽躁故脉亦隨之極則陰陽俱衰衛氣相離故病得休衛氣集則復病也相薄至極物極則反故極則陰陽俱衰帝曰時有間二日或至數日發或渴或不渴其故何也岐伯曰其間日者邪氣與衛氣客於六府而有時相失不能相得故休數日乃作也氣不相會故數日不能發也瘧者陰陽更勝

也或甚或不甚故或渴或不渴（陽勝陰甚則渴陽勝陰不甚則不渴也勝謂強盛於彼之氣也）帝曰論言夏傷於暑秋必病瘧（新校正云按生氣通天論并陰陽應象大論二論俱云夏傷於暑秋必痎瘧）今瘧不必應者何也（言不必皆然）岐伯曰此應四時者也其病異形者反四時也其以秋病者寒甚（秋氣清涼陽氣下降熱藏肌肉故寒甚也）以冬病者寒不甚（冬氣嚴洌陽氣伏藏不與寒爭故寒不甚）以春病者惡風（春氣溫和陽氣外泄內腠開發故惡於風）以夏病者多汗（夏氣暑熱津液充盈外泄皮膚故多汗也）帝曰夫病溫瘧與寒瘧而皆安舍舍於何藏（安何也舍居止也藏謂五神藏也）岐伯曰溫瘧者得之冬中於風寒氣藏於骨髓之中至春則陽氣大發邪氣不能自出因遇大暑腦髓爍肌肉消腠理發泄或有所用力邪氣與汗皆出此病藏於腎其氣

先從內出之於外也腎主於冬冬主骨髓腦爲髓海上下相應厥熱上熏故腦髓銷爍銷爍則熱氣外薄故肌肉減削而病藏於腎也如是者陰虛而陽盛陽盛則熱矣陰虛謂腎藏氣虛陽盛謂膀胱太陽氣盛衰則氣復反入入則陽虛陽虛則寒矣故先熱而後寒名曰温瘧衰謂病衰退也復反入謂入腎陰脉中帝曰癉瘧何如岐伯曰癉瘧者肺素有熱氣盛於身厥逆上衝中氣實而不外泄因有所用力腠理開風寒舍於皮膚之內分肉之間而發發則陽氣盛陽氣盛而不衰則病矣其氣不及於陰新校正云按全元起本及太素作不反之陰巢元方作不及之陰故但熱而不寒氣內藏於心而外舍於分肉之間令人消爍脫肉故命曰癉瘧帝曰善

刺瘧篇第三十六新校正云按全元起本在第六卷

足太陽之瘧令人腰痛頭重寒從背起足太陽脉從巔入絡腦還出別下項循肩髆內俠脊抵腰中其支別者從髆內左右別下貫胂過髀樞故令腰痛頭重寒從背起　新校正云按三部九候論注貫胂作貫臀刺腰痛注亦作貫臀厥論注作貫胂甲乙經作貫胂先寒後熱熇熇暍暍然熇熇甚熱狀暍暍亦熱盛也太陽不足故先寒寒極則生熱故後熱也熱止汗出難已熱生是爲氣虛熱止則爲氣復氣復而汗反出此爲邪氣盛而真不勝故難已　新校正云按全元起本并甲乙經太素巢元方並作先寒後熱熇暍止汗出與此文異刺郄中出血太陽之郄是謂金門金門在足外踝下一名曰關梁陽維所別屬也刺可入同身寸之三分若灸者可灸三壯黃帝中誥圖經云委中主之則古法以委中爲郄中也委中在膕中央約文中動脉足太陽脉之所入也刺可入同身寸之五分留七呼若灸者可灸三壯　新校正云詳刺郄中甲乙經作膕中今王氏兩注之當以膕中爲正足少陽之瘧令人身體解㑊身體解㑊次如下句寒不甚熱不甚陽氣未盛故令其然惡見人見人心惕惕然膽與肝合肝虛則恐邪薄其氣故惡見人見人心惕惕然也熱多汗出甚邪盛則熱多中風故汗出

合谷在手大指次指岐骨間手陽明脈之所過也刺可入同身寸之三分留六呼若灸者可灸三壯心瘧者令人煩心甚欲得清水反寒多不甚熱刺手少陰神門主之神門在掌後銳骨之端陷者中手少陰俞也刺可入同身寸之三分留七呼若灸者可灸三壯新校正云按太素云欲得清水及寒多寒不甚熱甚也肝瘧者令人色蒼蒼然太息其狀若死者刺足厥陰見血中封主之中封在足內踝前同身寸之一寸半陷者中仰足而取之伸足乃得之足厥陰經也刺出血止常刺者可入同身寸之四分留七呼若灸者可灸三壯脾瘧者令人寒腹中痛熱則腸中鳴鳴已汗出刺足太陰商丘主之商丘在足內踝下微前陷者中足太陰經也刺可入同身寸之三分留七呼若灸者可灸三壯腎瘧者令人洒洒然腰脊痛宛轉大便難目眴眴然手足寒刺足太陽少陰太鍾主之取如前足少陰瘧中法胃瘧者令人且病也善飢而不能食食而支滿腹大胃熱脾虛故善飢而不能食食而支滿腹大也是以下文兼刺太陰　新校正云按太素且病作疸病刺足陽

明太陰橫脉出血 厲兑解谿三里主之厲兑在足太指次指之端去爪甲如韭葉陽明井也刺可入同身寸之一分留一呼若灸者可灸一壯解谿在衝陽後同身寸之三寸半腕上陷者中陽明經也刺可入同身寸之五分留五呼若灸者可灸三壯三里在膝下同身寸之三寸䯒骨外廉兩筋肉分間陽明合也刺可入同身寸之一寸留七呼若灸者可灸三壯然足陽明取此三穴足太陰刺其橫脉出血也橫脉謂足内踝前斜過大脉則太陰之經脉也 新校正云詳解谿在衝陽後三寸半按甲乙經一寸半氣穴論注二寸半 瘧發身方熱刺跗上動脉 則陽明之脉也 開其空出其血立寒 陽明之脉多血多氣熱盛氣壯故出其血而立可寒也 瘧方欲寒刺手陽明太陰足陽明太陰 亦謂開穴而出其血也當隨井俞而刺之也 瘧脉滿大急刺背俞用中鍼傍伍胠俞各一適肥瘦出其血也 瘦者淺刺少出血肥者深刺多出血背俞謂大杼五胠俞謂譩譆 瘧脉小實急灸脛少陰刺指井 灸脛少陰是謂復溜復溜在内踝上同身寸之二寸陷者中足少陰經也刺可入同身寸之三分留三呼若灸者可灸五壯刺指井謂刺至陰至陰在足小指外側去爪甲角如韭葉足太陽井也刺可入同身寸之一分留五呼若灸者可灸三壯 瘧脉滿大急

刺背俞用五胠俞背俞各一適行至於血也謂調適肥瘦穴度深淺循三備法而行鍼令至於血脈也背俞謂大杼五胠俞謂譩譆主之　新校正云詳此條從瘧脈滿大至此注終文注共五十五字當從刪削經文與次前經文重復王氏隨而注之別無義例不若士安之精審不復出也瘧脈緩大虛便宜用藥不宜用鍼緩者中風大爲氣實虛者血虛血虛氣實風又攻之故宜藥治以遣其邪不宜鍼寫而出血也凡治瘧先發如食頃乃可以治過之則失時也先其發時眞邪異居波隴不起故可治過時則眞邪相合攻之則反傷眞氣故曰失時　新校正云詳從前瘧脈滿大至此全元起本在第四卷中王氏移續於此也諸瘧而脈不見刺十指間出血血去必已先視身之赤如小豆者盡取之十二瘧者其發各不同時察其病形以知其何脈之病也隨其形證而病脈可知先其發時如食頃而刺之一刺則衰二刺則知三刺則已不已刺舌下兩脈出血釋具下文不已刺郄中盛經

出血又刺項已下俠脊者必已並足太陽之脉氣也郄中則委中也俠脊者謂大杼風門熱府穴也大杼在項第一椎下兩傍相去各同身寸之一寸半陷者中刺可入同身寸之三分留七呼若灸者可灸五壯風門熱府在第二椎下兩傍各同身寸之一寸半刺可入同身寸之五分留七呼若灸者可灸五壯　新校正云詳大杼穴灸五壯按甲乙經作七壯氣穴論注作七壯刺熱論及熱穴注並作五壯舌下兩脉者廉泉也廉泉穴名在頷下結喉上舌本下陰維任脉之會刺可入同身寸之三分留三呼若灸者可灸三壯刺瘧者必先問其病之所先發者先刺之先頭痛及重者先刺頭上及兩額兩眉間出血頭上謂上星百會兩額謂懸顱兩眉間謂攢竹等穴也先項背痛者先刺之項風池風府主之背大杼神道主之先腰脊痛者先刺郄中出血先手臂痛者先刺手少陰陽明十指間新校正云按別本作手陰陽全本亦作手陰陽先足脛痠痛者先刺足陽明十指間出血各以邪居之所而脫冩之風瘧瘧發則汗出惡風刺三陽經背俞

之血者（三陽太陽也　新校正云按甲乙經云足三陽）骱痠痛甚按之不可名曰胕髓病以鑱鍼鍼絕骨出血立已（陽輔穴也取如氣穴論中府俞法）身體小痛刺至陰（新校正云按甲乙經無至陰二字）諸陰之井無出血間日一刺（諸井皆在指端足少陰井在足心宛宛中）瘧不渴間日而作刺足太陽（新校正云按九卷云足陽明太素同）渴而間日作刺足少陽（新校正云按九卷云手少陽太素同）溫瘧汗不出爲五十九刺（自胃瘧下至此尋黃帝中誥圖經所主或有不與此文同應古之別法也）

氣厥論篇第三十七（新校正云按全元起本在第九卷與厥論相併）

黃帝問曰五藏六府寒熱相移者何岐伯曰腎移寒於肝癰腫少氣（肝藏血然寒入則陽氣不散陽氣不散則血聚氣澀故爲癰腫又爲少氣也　新校正云按全元起本云腎移寒於脾元起注云腎傷於寒而傳於脾脾主肉寒生於肉則結爲堅堅化爲膿故爲癰也血傷氣少故曰少氣甲乙經亦作移寒於脾王因誤本遂解爲肝亦

智者之一失也 脾移寒於肝癰腫筋攣 脾藏主肉肝藏主筋肉溫則筋舒肉冷則筋急故筋攣也肉寒則衛氣結聚故爲癰腫 肝移寒於心狂隔中 心爲陽藏神處其中寒薄之則神亂離故狂也陽氣與寒相薄故隔塞而中不通也 心移寒於肺肺消肺消者飲一溲二死不治 心爲陽藏反受諸寒寒氣不消乃移於肺寒隨心火內爍金精金受火邪故中消也然肺藏消爍氣無所持故令飲一而溲二也金火相賊故死不能治 肺移寒於腎爲涌水涌水者按腹不堅水氣客於大腸疾行則鳴濯濯如囊裹漿水之病也 肺藏氣腎主水夫肺寒入腎腎氣有餘腎氣有餘則上奔於肺故云涌水也大腸爲肺之府然肺腎俱爲寒薄上下皆無所之故水氣客於大腸也腎受凝寒不能化液大腸積水而不流通故其疾行則腸鳴而濯濯有聲如囊裹漿而爲水病也 新校正云按甲乙經水之病也作治主肺者 脾移熱於肝則爲驚衄 肝藏血又主驚故熱薄之則驚而鼻中血出 肝移熱於心則死 兩陽和合火木相燔故肝熱入心則當死也陰陽別論曰肝之心謂之生陽生陽之屬不過四日而死 新校正云按陰陽別論之文義與此殊王氏不當引彼誤文附會此義 心移熱於肺傳爲鬲消 心肺兩間中有

斜鬲膜鬲膜下際內連於橫鬲膜故心熱入肺久久傳化內爲鬲熱消渴而多飲也肺移熱於腎傳爲柔痓柔謂筋柔而無力痓謂骨痓而不隨氣骨皆熱髓不內充故骨痓強而不舉筋柔緩而無力也腎移熱於脾傳爲虛腸澼死不可治脾土制水腎反移熱以與之是脾土不能制水而受病故久久傳爲虛損也腸澼死者腎主下焦象水而冷今乃移熱是精氣內消下焦無主以守持故腸澼除而氣不禁止胞移熱於膀胱則癃溺血膀胱爲津液之府胞爲受納之司故熱入膀胱胞中外熱陰絡內溢故不得小便而溺血也正理論曰熱在下焦則溺血此之謂也膀胱移熱於小腸鬲腸不便上爲口糜小腸脉絡心循咽下鬲抵胃屬小腸故受熱以下令腸隔塞而不便上則口生瘡而糜爛也糜謂爛也小腸移熱於大腸爲虙瘕爲沈小腸熱已移入大腸兩熱相薄則血溢而爲伏瘕也血澀不利則月事沈滯而不行故云爲虙瘕爲沈也虙與伏同瘕一爲疝傳寫誤也大腸移熱於胃善食而瘦入謂之食亦胃爲水穀之海其氣外養肌肉熱消水穀又鑠肌肉故善食而瘦入也食亦者謂食入移易而過不生肌膚也亦易也　新校正云按甲乙經入作又王氏注云善食而瘦入也殊爲無義不若甲乙經作又讀連下文胃移熱於膽亦曰食亦義同上

膽移熱於腦則辛頞鼻淵鼻淵者濁涕下不止也腦液下滲則為濁涕涕下不止如彼水泉故曰鼻淵也頞謂鼻頞也足太陽脉起於目內眥上額交巔上入絡腦足陽明脉起於鼻交頞中傍約太陽之脉今腦熱則足太陽逆與陽明之脉俱盛薄於頞中故鼻頞辛也辛謂酸痛故下文曰傳為衄衊瞑目以足陽明脉交頞中傍約太陽之脉故耳熱盛則陽絡溢陽絡溢則衄出汗血也衊謂汗血也血出甚陽明太陽脉衰不能榮養於目故目瞑瞑暗也故得之氣厥也厥者氣逆也皆由氣逆而得之

欬論篇第三十八新校正云按全元起本在第九卷

黃帝問曰肺之令人欬何也岐伯對曰五藏六府皆令人欬非獨肺也帝曰願聞其狀岐伯曰皮毛者肺之合也皮毛先受邪氣邪氣以從其合也邪謂寒氣其寒飲食入胃從肺脉上至於肺則肺寒肺寒則外內合邪

因而客之則爲肺欬 肺脉起於中焦下絡大腸還循胃口上鬲屬肺故云從肺脉上至於肺也 五藏各以其時受病非其時各傳以與之 時謂王月也非王月則不受邪故各傳以與之 人與天地相參故五藏各以治時感於寒則受病微則爲欬甚者爲泄爲痛 寒氣微則外應皮毛内通肺故欬寒氣甚則入於内内裂則痛入於腸胃則泄痢 乗秋則肺先受邪乗春則肝先受之乗夏則心先受之乗至陰則脾先受之乗冬則腎先受之 以當用事之時故先受邪氣 新校正云按全元起本及太素无乗秋則三字疑此文誤多也 帝曰何以異之 欲明其證也 岐伯曰肺欬之狀欬而喘息有音甚則唾血 肺藏氣而應息故欬則喘息而喉中有聲甚則肺絡逆故唾血也 心欬之狀欬則心痛喉中介介如梗狀甚則咽腫喉痺 手心主脉起於胷中出屬心包少陰之脉起於心中出屬心系其支別者從心系上俠咽喉故病如是 新校正云按甲乙經介介如梗狀作喝喝又少陰之脉上俠咽不言俠喉 肝欬

之狀欬則兩脇下痛甚則不可以轉轉則兩胠下滿
足厥陰脉上貫鬲布脇肋循喉嚨之後故如是胠亦脇也脾欬之狀欬則右脇下痛陰陰引
肩背甚則不可以動動則欬劇足太陰脉上貫鬲俠咽其支別者復從胃別上鬲故病如是也
脾氣連肺故痛引肩背也脾氣主右故右胠下陰陰然深慢痛也腎欬之狀欬則腰背相引而痛
甚則欬涎足少陰脉上股内後廉貫脊屬腎絡膀胱其直行者從腎上貫肝鬲入肺中循喉嚨俠舌本又膀胱脉從肩髆内別下俠脊抵
腰中入循膂絡腎故病如是帝曰六府之欬柰何安所受病岐伯曰五
藏之久欬乃移於六府脾欬不已則胃受之胃欬之
狀欬而嘔嘔甚則長蟲出脾與胃合又胃之脉循喉嚨入缺盆下鬲屬胃絡脾故脾欬不已胃受之也胃
寒則嘔嘔甚則腸氣逆上故蚘出肝欬不已則膽受之膽欬之狀欬嘔膽汁
肝與膽合又膽之脉從缺盆以下胷中貫鬲絡肝故肝欬不已膽受之也膽氣好逆故嘔溫苦汁也肺欬不已則大腸受

之大腸欬狀欬而遺失肺與大腸合又大腸脉入缺盆絡肺故肺欬不已大腸受之大腸爲傳送之府故寒入則氣不禁焉　新校正云按甲乙經遺失作遺矢心欬不已則小腸受之小腸欬狀欬而失氣氣與欬俱失心與小腸合又小腸脉入缺盆絡心故心欬不已小腸受之小腸寒盛氣入大腸欬則小腸氣下奔故失氣也腎欬不已則膀胱受之膀胱欬狀欬而遺溺腎與膀胱合又膀胱脉從肩髆內俠脊抵腰中入循膂絡腎屬膀胱故腎欬不已膀胱受之膀胱爲津液之府是故遺溺久欬不已則三焦受之三焦欬狀欬而腹滿不欲食飲此皆聚於胃關於肺使人多涕唾而面浮腫氣逆也三焦者非謂手少陽也正謂上焦中焦耳何者上焦者出於胃上口並咽以上貫鬲布胸中走腋中焦者亦至於胃口出上焦之後此所受氣者泌糟粕蒸津液化其精微上注於肺脉乃化而爲血故言皆聚於胃關於肺也兩焦受病則邪氣熏肺而肺氣滿故使人多涕唾而面浮腫氣逆也腹滿不欲食者胃寒故也胃脉者從缺盆下乳內廉下循腹至氣街其支者復從胃下口循腹裏至氣街中而合今胃受邪故病如是也何以明其不謂下焦然下焦者別於回腸注於膀胱故水穀者常并居於胃中盛糟粕而俱下於大腸泌別

汁循下焦而滲入膀胱尋此行化乃與胃口懸遠故不謂此也　新校正云按甲乙經胃脉下循腹作下俠臍帝曰治之奈何岐伯曰治藏者治其俞治府者治其合浮腫者治其經諸藏俞者皆脉之所起第三穴諸府合者皆脉之所起第六穴也經者藏脉之所起第四穴府脉之所起第五穴靈樞經曰脉之所注爲俞所行爲經所入爲合此之謂也帝曰善

重廣補注黃帝内經素問卷第十

瘧論　熇火沃切　漉音鹿　弭緜婢切　刺瘧論　暍音謁　悒於急切　眴音舜

氣厥論　痓音熾　糜武悲切　虙音復　䁾莫結切　欬論　蚘音回

重廣補注黃帝內經素問卷第十一

啓玄子次注林億孫奇高保衡等奉敕校正孫兆重改誤

舉痛論　腹中論

刺腰痛篇

舉痛論篇第三十九新校正云按全元起本在第三卷名五藏舉痛所以名舉痛之義未詳按本篇乃黃帝問五藏卒痛之疾疑舉乃卒字之誤也

黃帝問曰余聞善言天者必有驗於人善言古者必有合於今善言人者必有厭於己如此則道不惑而要數極所謂明也善言天者言天四時之氣溫涼寒暑生長收藏在人形氣五藏參應可驗而指示善惡故曰必有驗於人善言古者謂言上古聖人養生損益之迹與今養生損益之理可合而與論成敗故曰必有合於今也善言人者謂言形骸骨節更相枝拄筋脉束絡皮肉包

汁循下焦而滲入膀胱尋此行化乃與胃口懸遠故不謂此也　新校正云按甲乙經胃脉下循腹作下俠臍帝曰治之奈何

岐伯曰治藏者治其俞治府者治其合浮腫者治其經諸藏俞者皆脉之所起第三穴諸府合者皆脉之所起第六穴也經者藏脉之所起第四穴府脉之所起第五穴靈樞經曰脉之所注爲俞所行爲經所入爲合此之謂也帝曰善

重廣補注黃帝內經素問卷第十

瘧論　熇火沃切　漉音鹿　弭緜婢切　刺瘧論　暍音謁　悒於急切　眴音舜

氣厥論　痓音熾　麋武悲切　虙音復　衊莫結切　欬論　蚘音回

重廣補注黃帝內經素問卷第十一

啓玄子次注林億孫奇高保衡等奉勅校正孫兆重改誤

舉痛論　腹中論

刺腰痛篇

舉痛論篇第三十九

新校正云按全元起本在第三卷名五藏舉痛所以名舉痛之義未詳按本篇乃黃帝問五藏卒痛之疾疑舉乃卒字之誤也

黃帝問曰余聞善言天者必有驗於人善言古者必有合於今善言人者必有厭於己如此則道不惑而要數極所謂明也善言天者言天四時之氣溫涼寒暑生長收藏在人形氣五藏參應可驗而指示善惡故曰必有驗於人善言古者謂言上古聖人養生損益之迹與今養生損益之理可合而與論成敗故曰必有合於今也善言人者謂言形骸骨節更相枝拄筋脉束絡皮肉包

裏而五藏六府次居其中假七神五藏而運用之氣絕神去則之於死是以知彼須形不能堅久靜慮於已亦與彼同故曰必有厭於已也夫如此者是知道要數之極悉無疑惑深明至理而乃能然矣今余問於夫子令言而可知視而可見捫而可得令驗於已而發蒙解惑可得而聞乎言如發開童蒙之耳解於疑惑者之心令一一條理而目視手循驗之可得捫猶循也歧伯再拜稽首對曰何道之問也請示問端也帝曰願聞人之五藏卒痛何氣使然歧伯對曰經脉流行不止環周不休寒氣入經而稽遲泣而不行客於脉外則血少客於脉中則氣不通故卒然而痛帝曰其痛或卒然而止者或痛甚不休者或痛甚不可按者或按之而痛止者或按之無益者或喘動應手者或心與背相引而痛者或脅肋與少腹

相引而痛者或腹痛引陰股者或痛宿昔而成積者或卒然痛死不知人有少間復生者或痛而嘔者或腹痛而後泄者或痛而閉不通者凡此諸痛各不同形別之柰何欲明異候之所起岐伯曰寒氣客於脉外則脉寒脉寒則縮踡縮踡則脉絀急則外引小絡故卒然而痛得炅則痛立止脉左右環故得寒則縮踡而絀急縮踡絀急則衛氣不得通流故外引於小絡脉也衛氣不入寒內薄之脉急不縱故痛生也得熱則衛氣復行寒氣退辟故痛止炅熱也止已也因重中於寒則痛久矣重寒難釋故痛久不消寒氣客於經脉之中與炅氣相薄則脉滿滿則痛而不可按也按之痛甚者其義具下文寒氣稽留炅氣從上則脉充大而血氣亂故痛甚不可按也脉既滿大血氣復亂按之則邪氣攻內故不可按也寒氣客於

腸胃之間膜原之下血不得散小絡急引故痛按之則血氣散故按之痛止（膜謂鬲間之膜原謂鬲肓之原血不得散謂鬲膜之中小絡脉內血也絡滿則急故牽引而痛生也手按之則寒氣散小絡緩故痛止）寒氣客於俠脊之脉則深按之不能及故按之無益也（俠脊之脉者當中督脉也次兩傍足太陽脉也督脉者循脊裏太陽者貫膂筋故深按之不能及也若按當中則膂節曲按兩傍則膂筋蹙合曲與蹙合皆衛氣不得行過寒氣益聚而內畜故按之無益）寒氣客於衝脉衝脉起於關元隨腹直上寒氣客則脉不通脉不通則氣因之故喘動應手矣（衝脉奇經脉也關元穴名在臍下三寸言起自此穴即隨腹而上非生出於此也其本生出乃起於腎下也直上者謂上行會於咽喉也氣因之謂衝脉不通足少陰氣因之上滿衝脉與少陰並行故喘動應於手也）寒氣客於背俞之脉則脉泣脉泣則血虛血虛則痛其俞注於心故相引而痛按之則熱氣至熱氣至則痛止矣（背俞謂心

俞脉亦足太陽脉也夫俞者皆内通於藏故曰其俞注於心相引而痛也按之則温氣入温氣入則心氣外發故痛止寒氣客於厥陰之脉厥陰之脉者絡陰器繫於肝寒氣客於脉中則血泣脉急故脇肋與少腹相引痛矣厥陰者肝之脉入髦中環陰器抵少腹上貫肝鬲布脅肋故曰絡陰器繫於肝脉急引脇與少腹痛也厥氣客於陰股寒氣上及少腹血泣在下相引故腹痛引陰股亦厥陰肝脉之氣也以其脉循陰股入髦中環陰器上抵少腹故曰厥氣客於陰股寒氣上及於少腹也寒氣客於小腸膜原之間絡血之中血泣不得注於大經血氣稽留不得行故宿昔而成積矣言血為寒氣之所凝結而乃成積寒氣客於五藏厥逆上泄陰氣竭陽氣未入故卒然痛死不知人氣復反則生矣言藏氣被寒擁冑而不行氣復得通則已也新校正云詳注中擁冑疑作擁胃寒氣客於腸胃厥逆上出故痛而嘔也

腸胃客寒留止則陽氣不得下流而反上行寒不去則痛生陽上行則嘔逆故痛而嘔也寒氣客於小腸小腸不得成聚故後泄腹痛矣小腸爲受盛之府中滿則寒邪不居故不得結聚而傳下入於迴腸迴腸廣腸也爲傳導之府物不得停留故後泄而痛熱氣留於小腸腸中痛癉熱焦渴則堅乾不得出故痛而閉不通矣熱滲津液故便堅也帝曰所謂言而可知者也視而可見柰何謂候色也岐伯曰五藏六府固盡有部謂面上之分部視其五色黃赤爲熱中熱則色黃赤白爲寒陽氣少血不上榮於色故白青黑爲痛血凝泣則變惡故色青黑則痛此所謂視而可見者也帝曰捫而可得柰何捫摸也以手循摸也岐伯曰視其主病之脉堅而血及陷下者皆可捫而得也帝曰善余知百病生於氣也夫氣之爲用虛實逆順緩急皆能爲病故發此問端怒則氣上喜則氣緩悲則氣消恐則氣下

寒則氣收炅則氣泄驚則氣亂新校正云按太素驚作憂勞則氣耗思則氣結九氣不同何病之生岐伯曰怒則氣逆甚則嘔血及飧泄新校正云按甲乙經及太素飧泄作食而氣逆故氣上矣怒則陽氣逆上而肝氣乘脾故甚則嘔血及飧泄也何以明其然怒則面赤甚則色蒼靈樞經曰盛怒而不止則傷志明怒則氣逆上而不下也喜則氣和志達榮衛通利故氣緩矣氣脈和調故志達暢榮衛通利故氣徐緩悲則心系急肺布葉舉而上焦不通榮衛不散熱氣在中故氣消矣布葉謂布蓋之大葉新校正云按甲乙經及太素而上焦不通作兩焦不通又王注肺布葉舉謂布蓋之大葉疑非全元起云悲則損於心心系急則動於肺肺氣繫諸經逆故肺布而葉舉安得謂肺布爲肺布蓋之大葉恐則精却却則上焦閉閉則氣還還則下焦脹故氣不行矣恐則陽精却上而不下流故却則上焦閉也上焦既閉氣不行流下焦陰氣亦還迴不散而聚爲脹也然上焦固禁下焦氣還各守一處故氣不行也新校正云詳氣不行當作氣下行也寒則腠理閉氣不行

故氣收矣〔腠謂津液滲泄之所理謂文理逢會之中閉謂密閉氣謂衛氣行謂流行收謂收斂也身寒則衛氣沉故皮膚文理及滲泄之處皆閉密而氣不流行衛氣收斂於中而不發散也　新校正云按甲乙經氣不行作營衛不行〕炅則腠理開榮衛通汗大泄故氣泄〔人在陽則舒在陰則慘故熱則膚腠開發榮衛大通津液外滲而汗大泄也〕驚則心無所倚神無所歸慮無所定故氣亂矣〔氣奔越故不調理　新校正云按太素驚作憂〕勞則喘息汗出外內皆越故氣耗矣〔疲力役則氣奔速故喘息氣奔速則陽外發故汗出然喘且汗出內外皆踰越於常紀故氣耗損也〕思則心有所存神有所歸正氣留而不行故氣結矣〔繫心不散故氣亦停留　新校正云按甲乙經歸正二字作止字〕

腹中論篇第四十〔新校正云按全元起本在第五卷〕

黃帝問曰有病心腹滿旦食則不能暮食此為何病

岐伯對曰名為鼓脹〔心腹脹滿不能再食形如鼓脹故名鼓脹也　新校正云按太素鼓作穀〕帝曰治

之柰何岐伯曰治之以雞矢醴一劑知二劑已按古本草雞矢並不治鼓脹惟大利小便微寒今方制法當取用處湯漬服之帝曰其時有復發者何也復謂再發言如舊也岐伯曰此飲食不節故時有病也雖然其病且已時故當病氣聚於腹也飲食不節則傷胃胃脈者循腹裏而下行故飲食不節時有病者復病氣聚於腹中也帝曰有病胷脅支滿者妨於食病至則先聞腥臊臭出清液先唾血四支清目眩時時前後血病名爲何何以得之清液清水也亦謂之清涕清涕者謂從竅漏中漫液而下水出清冷也眩謂目視眩轉也前後血謂前陰後陰出血也岐伯曰病名血枯此得之年少時有所大脫血若醉入房中氣竭肝傷故月事衰少不來也出血多者謂之脫血漏下鼻衄嘔吐出血皆同焉夫醉則血脈盛血脈盛則內熱因而入房髓液皆下故腎中氣竭也肝藏血以少大脫血故肝傷也然於丈夫則精液衰乏女子則月事衰少而不來帝曰

治之柰何復以何術岐伯曰以四烏鰂骨一藘茹二物并合之丸以雀卵大如小豆以五丸爲後飯飲以鮑魚汁利腸中新校正云按別本一作傷中及傷肝也飯後藥先謂之後飯按古本草經云烏鰂魚骨藘茹等並不治血枯然經法用之是攻其所生所起爾夫醉勞力以入房則腎中精氣耗竭月事衰少不至則中有惡血淹留精氣耗竭則陰萎不起而無精惡血淹留則血痺著中而不散故先茲四藥用入方焉古本草經曰烏鰂魚骨味鹹冷平無毒主治女子血閉藘茹味辛寒平有小毒主散惡血雀卵味甘溫平無毒主治男子陰萎不起強之令熱多精有子鮑魚味辛臭溫平無毒主治瘀血血痺在四支不散者尋文會意方義如此而處治之也　新校正云按甲乙經及太素藘茹作蕳茹詳王注性味乃蕳茹當改藘作蕳又按本草烏鰂魚骨冷作微溫雀卵甘作酸與王注異帝曰病有少腹盛上下左右皆有根此爲何病可治不岐伯曰病名曰伏梁伏梁心之積也　新校正云詳此伏梁與心積之伏梁大異病有名同而實異者非一如此之類是也帝曰伏梁何因而得之岐伯曰裹大膿血居腸胃之外不可治

治之每切按之致死。帝曰：何以然？歧伯曰：此下則因陰，必下膿血；上則迫胃脘，生鬲，俠胃脘内癰。（正當衝脈帶脈之部分也。帶脈者，起於季脇，廻身一周，横絡於齊下。衝脈者，與足少陰之絡起於腎下，出於氣街，循陰股，其上行者，出齊下同身寸之三寸關元之分，俠齊直上，循腹各行，會於咽喉。故病當其分，則少腹盛，上下左右皆有根也。以其上下堅盛，如有潛梁，故曰病名伏梁，不可治也。以裹大膿血居腸胃之外，按之痛悶不堪，故每切按之致死也。以衝脈下行者絡陰，上行者循腹故也。上則迫近於胃脘，下則因薄於陰器也。若因薄於陰，則便下膿血；若迫近於胃，則病氣上出於鬲，復俠胃脘内長其癰也。何以然哉？以本有大膿血在腸胃之外故也。生當為出，傳文誤也。新校正云：按太素俠胃作使胃。）此久病也，難治。居齊上為逆，居齊下為從，勿動亟奪。（若裹大膿血居齊上，則漸傷心藏，故為逆；居齊下，則去心稍遠，猶得漸攻，故為從。從，順也。亟，數也。奪，去也。言不可移動，但數數去之則可矣。）論在刺法中。（今經亡。）

帝曰：人有身體髀股䯒皆腫，環齊而痛，是為何病？歧伯曰：病名伏梁。（此二十六字錯簡在奇病論中，若不有此二十六字，則下文無據也。新校正云：詳此並無注解，盡在下卷奇病論中此風根也此四字此篇本有奇病論中亦有之其氣溢於大腸而著於肓肓之原在齊下故環齊而痛也不可動之動之爲水溺濇之病亦衝脉也齊下謂脖胦在齊下同身寸之二寸半靈樞經曰肓之原名曰脖胦帝曰夫子數言熱中消中不可服高粱芳草石藥石藥發瘨芳草發狂多飲數溲謂之熱中多食數溲謂之消中多喜曰瘨多怒曰狂芳美味也夫熱中消中者皆富貴人也今禁高粱是不合其心禁芳草石藥是病不愈願聞其說熱中消中者脾氣之上溢甘肥之所致故禁食高粱芳美之草也通評虛實論曰凡治消癉甘肥貴人則高粱之疾也又奇病論曰夫五味入於口藏於胃脾爲之行其精氣津液在脾故令人口甘此肥美之所發也此人必數食甘美而多肥也肥者令人內熱甘者令人中滿故其氣上溢轉爲消渴此之謂也夫富貴人者驕恣縱欲輕人而無能禁之禁之則逆其志順之則加其病帝思難詰故發問之高膏粱米也石藥英乳也芳草濃美也然此五者富貴人常服之難禁也歧伯曰夫芳草之氣美石藥之氣悍二者其氣急

疾堅勁故非緩心和人不可以服此二者（脾氣溢而生病氣美則重盛於脾滿熱之氣躁疾氣悍則又滋其熱若人性和心緩氣候舒勻不與物爭釋然寬泰則神不躁迫無懼内傷故非緩心和人不可以服此二者悍利也堅定也固也勁剛也言其芳草石藥之氣堅定固久剛烈而卒不歇滅此二者是也）帝曰不可以服此二者何以然岐伯曰夫熱氣慓悍藥氣亦然二者相遇恐内傷脾（慓疾也）脾者土也而惡木服此藥者至甲乙日更論（熱氣慓盛則木氣内餘故心非和緩則躁怒數起躁怒數起則熱氣因木以傷脾甲乙爲木故至甲乙日更論脾病之增減也）帝曰善有病膺腫（新校正云按甲乙經作癰腫）頸痛胷滿腹脹此爲何病何以得之（膺胷傍也頸項前也胷膺間也）岐伯曰名厥逆（氣逆所生故名厥逆）帝曰治之柰何岐伯曰灸之則瘖石之則狂須其氣并乃可治也（石謂以石鍼開破之）帝曰何以然岐伯曰陽氣重上有餘於上灸之則陽

氣入陰入則瘖石之則陽氣虛虛則狂灸之則火氣助陽陽盛故入陰石之則陽氣出陽氣出則內不足故狂須其氣并而治之可使全也并謂并合也待自并合則兩氣俱全故可治若不爾而灸石之則偏致勝負故不得全而瘖狂也帝曰善何以知懷子之且生也岐伯曰身有病而無邪脉也病謂經閉也脉法曰尺中之脉來而斷絕者經閉也月水不利若尺中脉絕者經閉也今病經閉脉反如常者婦人姙娠之證故云身有病而無邪脉帝曰病熱而有所痛者何也岐伯曰病熱者陽脉也以三陽之動也人迎一盛少陽二盛太陽三盛陽明入陰也夫陽入於陰故病在頭與腹乃䐜脹而頭痛也帝曰善新校正云按六節藏象論云人迎一盛病在少陽二盛病在太陽三盛病在陽明與此論同又按甲乙經三盛陽明無入陰也三字

刺腰痛篇第四十一新校正云按全元起本在第六卷

足太陽脉令人腰痛引項脊尻背如重狀足太陽脉别下項循肩髆内俠脊抵腰中别下貫臀故令人腰痛引項脊尻背如重狀也新校正云按甲乙經貫臀作貫胂刺瘧注亦作貫胂三部九候注作貫臀刺其郄中太陽正經出血春無見血郄中委中也在膝後屈處膕中央約文中動脉足太陽脉之所入也刺可入同身寸之五分留七呼若灸者可灸三壯太陽合腎腎主於冬水衰於春故春無見血也

少陽令人腰痛如以鍼刺其皮中循循然不可以俛仰不可以顧足少陽脉遶髦際横入髀厭中故令腰痛如以鍼刺其皮中循循然不可俛仰少陽之脉起於目銳眥上抵頭角下耳後循頸行手陽明之前至肩上交出手少陽之後其支别者目銳眥下入大迎合手少陽於䪼下加頰車下頸合缺盆故不可以顧新校正云按甲乙經行手陽明之前作行手少陽之前也刺少陽成骨之端出血成骨在膝外廉之骨獨起者夏無見血成骨謂膝外近下䯒骨上端兩起骨相並間陷容指者也䯒骨所成柱膝髀骨故謂之成骨也少陽合肝肝王於春木衰於夏故無見血也

陽明令人腰痛不可以顧顧如有見者善悲足陽明脉起於鼻交頞中下循鼻外入上齒中還出俠口環脣

下交承漿却循頤後下廉出大迎其支別者從大迎前下人迎循喉嚨入缺盆又其支別者起胃下口循腹裏至氣街中而合以下髀故令人腰痛不可顧顧如有見者陽虛故悲也

刺陽明於䯒前三痏上下和之出血秋無見血

按內經中誥流注圖經陽明脉穴俞之所主此腰痛者悉刺䯒前三痏則正三里穴也三里穴在膝下同身寸之三寸䯒骨外廉兩筋肉分間刺可入同身寸之一寸留七呼若灸者可灸三壯陽明合脾脾王長夏土衰於秋故秋無見血　新校正云按甲乙經䯒作骭

足少陰令人腰痛痛引脊內廉

足少陰脉上股內後廉貫脊屬腎故令人腰痛痛引脊內廉也　新校正云按全元起本脊內廉作脊內痛太素亦同此前少足太陰腰痛證并刺足太陰法應古文脫簡也

刺少陰於內踝上二痏春無見血出血太多不可復也

按內經中誥流注圖經少陰脉穴俞所主此腰痛者當刺內踝上則正復溜穴也復溜在內踝後上同身寸之二寸動脉陷者中刺可入同身寸之三分留三呼若灸者可灸五壯

厥陰之脉令人腰痛腰中如張弓弩弦

足厥陰脉自陰股環陰器抵少腹其支別者與太陰少陽結於腰髁下挾脊第三第四骨空中其穴即中髎下髎故腰痛則中如張弓弩之弦也如張弦者言強急之甚

刺厥陰之脉在腨踵魚腹之外循

之累累然乃刺之腨踵者言脉在腨外側下當足跟也腨形勢如臥魚之腹故曰魚腹之外也循其分肉有血絡累累然乃刺出之此正當蠡溝穴分足厥陰之絡在內踝上五寸別走少陽者刺可入同身寸之二分留三呼若灸者可灸三壯厥陰一經作居陰是傳寫草書厥字為居也　新校正云按經云厥陰之脉令人腰痛次言刺厥陰之脉注言刺厥陰之絡經注相違疑經中脉字乃絡字之誤也其病令人善言默默然不慧刺之三痏厥陰之脉循喉嚨之後上入頏顙絡於舌本故病則善言風盛則昏冒故不爽慧也三刺其處腰痛乃除　新校正云按經云善言默默然不慧詳善言與默默二病難相兼全元起本無善字於義為允又按甲乙經厥陰之脉不絡舌本王氏於素問之中五處引注而注厥論與刺熱及此三篇皆云絡舌本注風論注痺論二篇不言絡舌本蓋王氏亦疑而兩言之也解脉令人腰痛痛引肩目𥉂𥉂然時遺溲解脉散行脉也言不合而別行也此足太陽之經起於目內眥上額交巔上循肩髆俠脊抵腰中入循膂絡腎屬膀胱下入膕中故病斯候也又其支別者從髆內別下貫胂循髀外後廉而下合於膕中兩脉如繩之解股故名解脉也刺解脉在膝筋肉分間郄外廉之橫脉出血血變而止膝後兩傍大筋雙上股之後兩筋之間橫文之處努肉高起則郄中之分也古中誥以膕中為太陽之郄當取郄外廉有血絡橫見迢然紫黑

而盛蒲者乃刺之當見黑血必候其血色變赤乃止血不變赤極而寫之必行血色變赤乃止此太陽中經之爲腰痛也解脉令人腰痛如引帶常如折腰狀善恐足太陽之別脉自肩而別下循背脊至腰而横入髀外後廉而下合膕中故善引帶如折腰之狀　新校正云按甲乙經如引帶作如裂善恐作善怒也刺解脉在郄中結絡如黍米刺之血射以黑見赤血而已郄中則委中穴足太陽合也在膝後屈處膕中央約文中動脉刺可入同身寸之五分留七呼若灸者可灸三壯此經刺法也令則取其結絡大如黍米者當黑血箭射而出見血變赤然可止也　新校正云按全元起云有兩解脉病源各異恐誤未詳同陰之脉令人腰痛痛如小錘居其中怫然腫足少陽之別絡也並少陽經上行去足外踝上同身寸之五寸乃別走厥陰並經下絡足跗故曰同陰脉也佛怒也言腫如嗔怒也　新校正云按太素小錘作小鍼刺同陰之脉在外踝上絕骨之端爲三痏絕骨之端如前同身寸之三分陽輔穴也足少陽脉所行刺可入同身寸之五分留七呼若灸者可灸三壯陽維之脉令人腰痛痛上怫然腫陽維起於陽則太陽之所生奇經八脉此其一也刺陽維之脉脉與

太陽合腨下間去地一尺所太陽所主與正經並行而上至腨下復與太陽合而上也腨下去地正同身寸之一尺是則承光穴在鋭腨腸下肉分間陷者中刺可入同身寸之七分若灸者可灸五壯以其取腨腸下肉分間故去合腨下間　新校正云按穴之所在乃承山穴非承光也山字誤為光　衡絡之脉令人腰痛不可以俛仰仰則恐仆得之舉重傷腰衡絡絶惡血歸之衡横也謂太陽之外也絡自腰中横入髀外後廉而下與中經合於膕中者今舉重傷腰則横絡絶中經獨盛故腰痛不可以俛仰矣一經作衡絶之脉傳寫魚魯之誤也若是衡脉中誥不應取太陽脉委陽殷門之穴　刺之在郄陽筋之間上郄數寸衡居爲二痏出血横居也二穴謂委陽殷門平視横相當也郄陽謂浮郄穴上側委陽穴也筋之間謂膝後膕上兩筋之間殷門穴也二穴各去臀下横文同身寸之六寸故曰上郄數寸也委陽刺可入同身寸之七分留五呼若灸者可灸三壯殷門刺可入同身寸之五分留七呼若灸者可灸三壯故曰衡居為二痏　新校正云詳王氏云浮郄穴上側委陽穴也按甲乙經委陽在浮郄穴下一寸不得言上側也　會陰之脉令人腰痛痛上漯漯然汗出汗乾令人欲飲飲已欲走足太陽之中經也其脉循腰下會於後陰故曰會陰

之脉其經自腰下行至足今陽氣大盛故痛上漯然汗出汗液既出則腎燥陰虛故汗乾令人欲飲水以救腎也水入腹已腎氣復生陰氣流行太陽又盛故飲水口反欲走也刺直陽之脉上三痏在蹻上郄下五寸橫居視其盛者出血直陽之脉則太陽之脉俠脊下行貫臀下至膕中下循腨過外踝之後條直而行者故曰直陽之脉也蹻為陽蹻所生申脉穴在外踝下也郄下則膕下也言此刺處在膕下同身寸之五寸上承郄中之穴下當申脉之位是謂承筋穴即腨中央如外陷者中也太陽脉氣所發禁不可刺可灸三壯今去刺者謂刺其血絡之盛滿者也兩腨皆有太陽經氣下行當視兩腨中央有血絡盛滿者乃刺出之故曰視其盛者出血　新校正云詳上云會陰之脉令人腰痛此云刺直陽之脉者詳此直陽之脉即會陰之脉也文變而事不殊又承筋穴注云腨中央如外按甲乙經及骨空論注無如外二字飛陽之脉令人腰痛痛上拂拂然甚則悲以恐是陰維之脉也去內踝上同身寸之五寸腨分中並少陰經而上也少陰之脉前則陰維脉所行也足少陰之脉從腎上貫肝鬲入肺中循喉嚨俠舌本其支別者從肺出絡心注胷中故甚則悲以恐也恐者生於腎悲者生於心刺飛陽之脉在內踝上五寸臣億等按甲乙經作二寸少陰之前與陰維之會內踝後上同身寸之五寸復溜穴少陰脉所行刺可入同身寸之三分內踝之後築賓穴陰維之郄刺可

入同身寸之三分若灸者可灸五壯少陰之前陰維之會以三脉會在此穴位分也刺可入同身寸之三分若灸者可灸五壯今中誥經文正同此法臣億等按甲乙經足太陽之絡別走少陰者名曰飛揚在外踝上七寸又去築賓陰維之郄在内踝上腨分中復溜穴在内踝上二寸今此經注都與甲乙不合者疑經注中五寸字當作二寸則素問與甲乙相應矣

昌陽之脉令人腰痛痛引膺目䀮䀮然甚則反折舌卷不能言 陰蹻脉也陰蹻者足少陰之別也起於然骨之後上内踝之上直上循陰股入陰而循腹上入胷裏入缺盆上出人迎之前入頄内廉屬目内眥合於太陽陽蹻而上行故腰痛之狀如此

刺内筋爲二痏在内踝上大筋前太陰後上踝二寸所 内筋謂大筋之前分肉也太陰後大筋前即陰蹻之郄交信穴也在内踝上同身寸之二寸少陰前太陰後筋骨之間陷者之中刺可入同身寸之四分留五呼若灸者可灸三壯今中誥經文正主此

散脉令人腰痛而熱熱甚生煩腰下如有橫木居其中甚則遺溲 散脉足太陰之別也散行而上故以名焉其脉循股内入腹中與少陰少陽結於腰髁下骨空中故病則腰下如有橫木居其中甚乃遺溲也

刺散脉在膝前骨肉分間絡外廉束脉爲三痏 謂膝前内側也

骨肉分謂膝內輔骨之下下廉腨肉之兩間也絡外廉則太陰之絡色青而見者也輔骨之下後有大筋擷束膝胻之骨令其連屬取此筋骨繫束之處脉以去其病是曰地機三刺而已故曰束脉為之三痏也肉里之脉令人要脊痛不可以欬欬則筋縮急肉里之脉少陽所生則陽維之脉氣所發也里裏也刺肉里之脉為二痏在太陽之外少陽絕骨之後分肉主之一經云少陽絕骨之前傳寫誤也絕骨之前足少陽脉所行絕骨之後陽維脉所過故指曰在太陽之外少陽絕骨之後也分肉穴在足外踝直上絕骨之端如後同身寸之二分筋肉分間陽維脉氣所發刺可入同身寸之五分留十呼若灸者可灸三壯　新校正云按分肉之穴甲乙經不見與氣穴注兩出而分寸不同氣穴注二分作三分五分作三分十呼作七呼腰痛俠脊而痛至頭几几然目䀮䀮欲僵仆刺足太陽郄中出血郄中委中　新校正云按太素作頭沈沈然腰痛上寒刺足太陽陽明上熱刺足厥陰不可以俛仰刺足少陽中熱而喘刺足少陰刺郄中出血此法玄妙中詁不同莫可窺測當用知其應不爾皆應先去血絡乃調之也腰痛上寒

不可顧刺足陽明上寒陰市主之陰市在膝上同身寸之三寸伏兎下陷者中足陽明脉氣所發刺可入同身寸之三分留七呼若灸者可灸三壯不可顧三里主之三里在膝下同身寸之三寸䯒外廉兩筋肉分間足陽明脉之所入也刺可入同身寸之一寸留七呼若灸者可灸三壯

上熱刺足太陰地機主之地機在膝下同身寸之五寸足太陰之郄也刺可入同身寸之三分若灸者可灸三壯　新校正云按甲乙經作五壯

中熱而喘刺足少陰涌泉太鍾悉主之涌泉在足心陷者中屈足捲指宛宛中足少陰脉之所出刺可入同身寸之三分留三呼若灸者可灸三壯太鍾在足跟後街中動脉足少陰之絡刺可入同身寸之二分留七呼若灸者可灸三壯　新校正云按刺瘧注太鍾在內踝後街中水穴論注在內踝後此注在跟後街中動脉三注不同甲乙經亦云跟後衝中當從甲乙經爲正

大便難刺足少陰涌泉主之

少腹滿刺足厥陰太衝主之在足大指本節後內間同身寸之二寸陷者中脉動應手足厥陰脉之所注也刺可入同身寸之三分留十呼若灸者可灸三壯

如折不可以俛仰不可舉刺足太陽如折束骨主之不可以俛仰京骨崑崙悉主之不可舉申脉僕參悉主之束骨在足小指外側本節後赤白肉際陷者中足太陽脉之所注也刺可入同身寸之三分留三呼若灸者可灸三壯京骨在足外側大骨下赤白肉際陷者中按而得之足太陽脉之所過也刺可入同身寸之三分留七呼若

灸者可灸三壯直當在足外踝後跟骨上陷者中細脈動應手足太陽脈之所
行也刺可入同身寸之五分留十呼若灸者可灸三壯申脈在外踝下同身寸
之五分容爪甲陽蹻之所生也刺可入同身寸之六分留十呼若灸者可灸三
壯僕參在跟骨下陷者中足太陽陽蹻二脈之會刺可入同身寸之三分留七
呼若灸者可灸三壯　新校正云按甲乙經申脈在外踝下陷者中無五分字
刺入六分作三分留十呼作留六呼氣穴注作七呼僕參留七呼甲乙經作六
呼

引脊内廉刺足少陰復溜主之取同飛陽注從膂痛上寒不可顧至此件經語除注並合朱書　新校正云按全元起本及甲乙經并太素自腰痛上寒至此並無乃王氏所添也今注云從腰痛上寒全並合朱書十九字非王冰之語蓋後人所加也

腰痛引少腹控䏚不可以仰新校正云按甲乙經作不可以俛仰刺腰尻交者兩髁胂上以月生死爲痏數發鍼立已此邪客於足太陰之絡也控通引也䏚謂季脇下之空軟處也

膂尻交者謂髁下尻骨兩傍四骨空左右八穴俗呼此骨爲八髎骨也此膂痛
取膂髎下第四髎即下髎穴也足太陰厥陰少陽三脈左右交結於中故曰膂
尻交者也兩髁胂謂兩髁骨下堅起肉也胂上非胂之上巔正當刺胂肉矣直
刺胂肉即胂上也何者胂之上巔別有中膂肉俞白環俞雖並主腰痛者其形
證經不相應矣髁骨即腰脊兩傍起骨也俠脊兩傍腰髁之下各有胂肉隴起
而斜趣於髁骨之後内承其髁故曰兩髁胂也下承髁胂肉左右兩胂各有四

骨空故曰上髎次髎中髎下髎上髎當髁骨下陷者中餘三髎少斜下按之陷中是也四空悉主腰痛唯下髎所主文與經同即太陰厥陰少陽所結者也刺可入同身寸之二寸留十呼若灸者可灸三壯以月生死爲痏數者月初向圓爲月生月半向空爲月死死月刺少生月刺多繆刺論曰月生一日一痏二日二痏漸多之十五日十五痏十六日十四痏漸少之其痏數多少如此即知也左取右右取左痛在左鍼取右痛在右鍼取左所以然者以其脉左右交結於尻骨之中故也新校正云詳此腰痛引少腹一節與繆刺論重

重廣補注黃帝內經素問卷第十一

舉痛論 泣而音澀 絀急上丁骨切 腹中論 則昨則魚切 藘茹上力居切下音如 脖胦上蒲沒切下烏朗切 瘖音陰 刺腰痛論 厭於豔切 髁苦瓦切 髎音遼 踹 踵丑用切 蠡溝上盧啓切又落戈切 嘿音黑 小錘直垂切 漯他合切 髂苦嫁切 擷虎結切 眇云表切

宋槧內經素問
第五冊

重廣補注黃帝內經素問卷第十二

啓玄子次注林億孫奇高保衡等奉敕校正孫兆重改誤

風論　痺論

痿論　厥論

風論篇第四十二新校正云按全元起本在第九卷

黃帝問曰風之傷人也或爲寒熱或爲熱中或爲寒中或爲癘風或爲偏枯或爲風也其病各異其名不同或內至五藏六府不知其解願聞其說傷謂人自中之歧伯對曰風氣藏於皮膚之間內不得通外不得泄腠理開疏則邪風入風氣入已玄府閉封故內不得通外不得泄也風者善行而數變腠理開則洒然寒

閉則熱而悶洒然寒貌悶不爽貌腠理開則風飄揚故寒腠理閉則風溷亂故悶其寒也則衰食飲其熱也則消肌肉故使人怢慄而不能食名曰寒熱寒風入胃故食飲衰熱氣內藏故消肌肉寒熱相合故怢慄而不能食名曰寒熱也怢慄卒振寒貌　新校正云詳怢慄全元起本作失味甲乙經作解㑊

風氣與陽明入胃循脉而上至目內眥其人肥則風氣不得外泄則為熱中而目黃人瘦則外泄而寒則為寒中而泣出陽明者胃脉也胃脉起於鼻交頞中下循鼻外入上齒中還出俠口環脣下交承漿却循頤後下廉循喉嚨入缺盆下鬲屬胃故與陽明入胃循脉而上至目內眥也人肥則腠理密緻故不得外泄則為熱中而目黃人瘦則腠理開踈風得外泄則寒中而泣出也

風氣與太陽俱入行諸脉俞散於分肉之間與衛氣相干其道不利故使肌肉憤䐜而有瘍衛氣有所凝而不行故其肉有不仁也肉分之間衛氣行處風與衛氣相薄俱行於肉分之間故氣道澀而不利也氣

道不利風氣內攻衛氣相持故肉憤䐜而瘡出也瘍瘡也若衛氣被風吹之不得流轉所在偏併凝而不行則肉有不仁之處也不仁謂痹而不知寒熱痛癢癘者有榮氣熱胕其氣不清故使其鼻柱壞而色敗皮膚瘍潰吹則風入於經脈之中也榮行脈中故風入脈中內攻於血與榮氣合合熱而血胕壞也其氣不清言潰亂也然血脈潰亂榮復挾風陽脈盡上於頭鼻為呼吸之所故鼻柱壞而色惡皮膚破而潰爛也脈要精微論曰脈風盛為厲風寒客於脈而不去名曰癘風或名曰寒熱始為寒熱熱成曰厲風　新校正云按別本成一作盛以春甲乙傷於風者為肝風以夏丙丁傷於風者為心風以季夏戊己傷於邪者為脾風以秋庚辛中於邪者為肺風以冬壬癸中於邪者為腎風春甲乙木肝主之夏丙丁火心主之季夏戊己土脾主之秋庚辛金肺主之冬壬癸水腎主之風中五藏六府之俞亦為藏府之風各入其門戶所中則為偏風隨俞左右而偏中之則為偏風風氣循風府而上

則爲腦風風入係頭則爲目風眼寒風府穴名正入項髮際一寸大筋內宛宛中督脉陽維之會自風府而上則腦戶也腦戶者督脉足太陽之會故循風府而上則爲腦風也足太陽之脉者起於目內眥上額交巔上入絡腦還出故風入係頭則爲目風眼寒也飲酒中風則爲漏風熱鬱腠踈中風汗出多如液漏故曰漏風經具名曰酒風入房汗出中風則爲內風內耗其精外開腠理因內風襲故曰內風經具名曰勞風新沐中風則爲首風沐髮中風舍於頭故曰首風久風入中則爲腸風飧泄風在腸中上熏於胃故食不化而下出焉飧泄者食不化而出也　新校正云按全元起云飧泄者水穀不分爲利外在腠理則爲泄風風居腠理則玄府開通風薄汗泄故云泄風故風者百病之長也至其變化乃爲他病也無常方然致有風氣也長先也先百病而有也　新校正云按全元起本及甲乙經致字作故攻帝曰五藏風之形狀不同者何願聞其診及其病能診謂可言之證能謂內作病形岐伯曰肺風之狀多汗惡風色皏然白時欬短氣晝

日則差暮則甚診在眉上其色白凡內多風氣則熱有餘熱則腠理開故多汗也風薄於內故惡風焉䏻謂薄白色也肺色白在變動爲欬主藏氣風內迫之故色䏻然白時欬短氣也晝則陽氣在表故差暮則陽氣入裏風內應之故甚也眉上謂兩眉間之上闕庭之部所以外司肺候故診在焉白肺色也心風之狀多汗惡風焦絶善怒嚇赤色病甚則言不可快診在口其色赤焦絶謂脣焦而文理斷絶也何者熱則皮剝故也風薄於心則神亂故善怒而嚇人也心脉支別者從心系上俠咽喉而主舌故病甚則言不可快也口脣色赤故診在焉赤者心色也新校正云按甲乙經無嚇字肝風之狀多汗惡風善悲色微蒼嗌乾善怒時憎女子診在目下其色青肝病則心藏無養心氣虛故善悲肝合木木色蒼故色微蒼也肝脉者循股陰入髦中環陰器抵少腹俠胃屬肝絡膽上貫鬲布脅肋循喉嚨之後入頏顙上出額與督脉會於巔其支別者從目系下故嗌乾善怒時憎女子診在目下也青肝色也脾風之狀多汗惡風身體怠墯四支不欲動色薄微黃不嗜食診在鼻上其色黃脾脉起於足上循䯒骨又上膝股內前廉入腹屬脾絡胃上鬲俠咽連舌本散

舌下其支別者復從胃別上鬲注心中心脉出於手循臂故身體怠墮四支不欲動而不嗜食脾氣合土主中央鼻於面部亦居中故診在焉黃脾色也　新校正云按王注脾風不當引心脉出於手循臂也字於義無取脾主四支脾風則四支不欲動矣　腎風之狀多汗惡風面痝然浮腫脊痛不能正立其色炲隱曲不利診在肌上其色黑痝然言腫起也炲黑色也腎者陰也目下亦陰也故腎藏受風則面痝然而浮腫腎脉者起於足下上循腨內出膕內廉上股內後廉貫脊故脊痛不能正立也隱曲者謂隱蔽委曲之處也腎藏精外應交接今藏被風薄精氣內微故隱蔽委曲之事不通利所爲也陰陽應象大論曰氣歸精精食氣今精不足則氣內歸精氣不注皮故肌皮上黑也黑腎色也　胃風之狀頸多汗惡風食飲不下鬲塞不通腹善滿失衣則䐜脹食寒則泄診形瘦而腹大胃之脉支別者從頤後下廉過人迎循喉嚨入缺盆下鬲屬胃絡脾其直行者從缺盆下乳內廉下俠齊入氣街中其支別者起胃下口循腹裏至氣街中而合故頸多汗食飲不下鬲塞不通腹善滿也然失衣則外寒而中熱故腹䐜脹食寒則寒物薄胃而陽不內消故泄利胃合脾而主肉胃氣不足則肉不長故瘦也胃中風氣稸聚故腹大也　新校正云按孫思邈云新食竟取風爲胃風　首風之狀頭面

多汗惡風當先風一日則病甚頭痛不可以出内至其風日則病少愈頭者諸陽之會風客之則皮腠疎故頭面多汗也夫人陽氣外合於風故先當風一日則病甚以先風甚故亦先衰是以云其風日則病少愈内謂室屋之内也不可以出屋室之内者以頭痛甚而不喜外風故也新校正云按孫思邈云新沐浴竟取風爲首風漏風之狀或多汗常不可單衣食則汗出甚則身汗喘息惡風衣常濡口乾善渴不能勞事脾胃風熱故不可單衣腠理開踈故食則汗出甚則風薄於肺故身汗喘息惡風衣裳濡口乾善渴也形勞則喘息故不能勞事　新校正云按孫思邈云因醉取風爲漏風其狀惡風多汗少氣口乾善渴近衣則身熱如火臨食則汗流如雨骨節懈惰不欲自勞泄風之狀多汗汗出泄衣上口中乾上漬其風不能勞事身體盡痛則寒上漬謂皮上濕如水漬也以多汗出故爾汗多則津液涸故口中乾形勞則汗出甚故不能勞事身體盡痛以其汗多汗多則亡陽故寒也　新校正云按孫思邈云新房室竟取風爲内風其狀惡風汗流沾衣裳疑此泄風乃内風也按本論前文先云漏風内風首風次言入中爲腸風在外爲泄風今有泄風而無内風孫思邈載内風乃此泄風之狀故疑

此泄字內之誤也 帝曰善

痺論篇第四十三 新校正云按全元起本在第八卷

黃帝問曰痺之安生 安猶何也言何以生 岐伯對曰風寒濕三氣雜至合而為痺也 雖合而為痺發起亦殊矣 其風氣勝者為行痺寒氣勝者為痛痺濕氣勝者為著痺也 風則陽受之故為痺行寒則陰受之故為痺痛濕則皮肉筋脉受之故為痺著而不去也故乃痺從風寒濕之所生也 帝曰其有五者何也 言風寒濕氣各異則三痺生有五何氣之勝也 岐伯曰以冬遇此者為骨痺以春遇此者為筋痺以夏遇此者為脉痺以至陰遇此者為肌痺以秋遇此者為皮痺 冬主骨春主筋夏主脉秋主皮至陰主肌肉故各為其痺也至陰謂戊己月及土寄王月也 帝曰內舍五藏六府何氣使然 言皮肉筋脉痺以五時之外遇然內居藏府何以致之 岐伯曰五藏皆

有合病久而不去者內舍於其合也肝合筋心合脉脾合肉肺合皮腎合骨久病不去則入於是故骨痺不已復感於邪內舍於腎筋痺不已復感於邪內舍於肝脉痺不已復感於邪內舍於心肌痺不已復感於邪內舍於脾皮痺不已復感於邪內舍於肺所謂痺者各以其時重感於風寒濕之氣也時謂氣王之月也肝王春心王夏肺王秋腎王冬脾王四季之月感謂感應也凡痺之客五藏者肺痺者煩滿喘而嘔以藏氣應息又其脉還循胃口故使煩滿喘而嘔心痺者脉不通煩則心下鼓暴上氣而喘嗌乾善噫厥氣上則恐心合脉受邪則脉不通利也邪氣內擾故煩也手心主心包之脉起於胷中出屬心包下鬲手少陰心脉起於心中出屬心系下鬲絡小腸其支別者從心系上俠咽喉其直者復從心系却上肺故煩則心下鼓滿暴上氣而喘嗌乾也心主爲噫以下鼓滿故噫之以出氣也若是逆氣上乘於心則恐畏也神懼凌弱故爾肝痺者

夜卧則驚多飲數小便上爲引如懷肝主驚駭氣相應故中夜卧則驚也肝之脉循股陰入髦中環陰器抵少腹俠胃屬肝絡膽上貫鬲布脇肋循喉嚨之後上入頏顙故多飲水數小便上引少腹如懷娠之狀腎痺者善脹尻以代踵脊以代頭腎者胃之關關不利則胃氣不轉故善脹也尻以代踵謂足攣急也脊以代頭謂身踡屈也踵足跟也腎之脉起於足小指之下斜趣足心出於然骨之下循內踝之後別入跟中以上腨內出膕內廉上股內後廉貫脊屬腎絡膀胱其直行者從腎上貫肝鬲入肺中氣不足而受邪故不伸展　新校正云詳然骨一作然谷脾痺者四支解墯發欬嘔汁上爲大塞土王四季外主四支故四支解墯又以其脉起於足循腨䯒上膝股也然脾脉入腹屬脾絡胃上鬲俠咽故發欬嘔汁脾氣養肺胃復連咽故上爲大塞也腸痺者數飲而出不得中氣喘爭時發飧泄大腸之脉入缺盆絡肺下鬲屬大腸小腸之脉又入缺盆絡心循咽下鬲抵胃屬小腸今小腸有邪則脉不下鬲脉不下鬲則腸不行化而胃氣蓄熱故多飲水而不得下出也腸胃中陽氣與邪氣奔喘而交爭得時通利以腸氣不化故時或得通則爲飧泄胞痺者少腹膀胱按之內痛若沃以湯濇於小便上爲清涕膀胱爲津液之

府胞内居之少腹處關元之中内藏胞器然膀胱之脉起於目内眥上額交巔上入絡腦還出别下項循肩髆内俠脊抵腰中入循膂絡腎屬膀胱其支别者從腰中下貫臀入膕中今胞受風寒濕氣則膀胱太陽之脉不得下流於足故少腹膀胱按之内痛若沃以湯澀於小便也小便既澀太陽之脉不得下行故上爍其腦而爲清涕出於鼻竅矣沃猶灌也新校正云按全元起本内痛二字作兩髀陰氣者靜則神藏躁則消亡陰謂五神藏也所以說神藏與消亡者言人安靜不涉邪氣則神氣寧以内藏人躁動觸冒邪氣則神被害而離散藏無所守故曰消亡此言五藏受邪之爲痺也飲食自倍腸胃乃傷藏以躁動致傷府以飲食見損皆謂過用越性則受其邪此言六府受邪之爲痺也淫氣喘息痺聚在肺淫氣憂思痺聚在心淫氣遺溺痺聚在腎淫氣乏竭痺聚在肝淫氣肌絶痺聚在脾淫氣謂氣之妄行者各隨藏之所主而入爲痺也　新校正云詳從上凡痺之客五藏者至此全元起本在陰陽别論中此王氏之所移也諸痺不已亦益内也從外不去則益深至於身内其風氣勝者其人易已也

帝曰痺其時有死者或疼久者或易已者其故何也岐伯

曰其入藏者死其留連筋骨間者疼久其留皮膚間者易已 入藏者死以神去也筋骨疼久以其定也皮膚易已以浮淺也由斯深淺故有是不同 帝曰其客於六府者何也岐伯曰此亦其食飲居處爲其病本也 四方雖土地温涼高下不同物性剛柔食居不異但動過其分則六府致傷陰陽應象大論曰水穀之寒熱感則害六府　新校正云按傷寒論曰物性剛柔食居亦異 六府亦各有俞風寒濕氣中其俞而食飲應之循俞而入各舍其府也 六府俞亦謂背俞也膽俞在十椎之傍胃俞在十二椎之傍三焦俞在十三椎之傍大腸俞在十六椎之傍小腸俞在十八椎之傍膀胱俞在十九椎之傍隨形分長短而取之如是各去脊同身寸之一寸五分並足太陽脉氣之所發也　新校正云詳六府俞並在本椎下兩傍此注言在椎之傍者文略也 帝曰以鍼治之奈何岐伯曰五藏有俞六府有合循脉之分各有所發各隨其過 新校正云按甲乙經隨作治 則病瘳也 肝之俞曰太衝心之俞曰太陵脾之俞曰太白肺之俞曰太淵腎之俞曰太谿皆經脉之所注也太衝在足大指間本節後二寸陷者中　新校正云按刺腰

痛注云太衝在足大指本節後內間二寸陷者中動脈應手刺可入同身寸之三分留十呼若灸者可灸三壯太陵在手掌後骨兩筋間陷者中刺可入同身寸之六分留七呼若灸者可灸三壯太白在足內側核骨下陷者中刺可入同身寸之三分留七呼若灸者可灸三壯太淵在手掌後陷者中刺可入同身寸之二分留二呼若灸者可灸三壯太谿在足內踝後跟骨上動脈陷者中刺可入同身寸之三分留七呼若灸者可灸三壯也胃合入于三里膽合入于陽陵泉大腸合入于曲池小腸合入于小海三焦合入于委陽膀胱合入于委中三里在膝下三寸䯒外廉兩筋間刺可入同身寸之一寸留七呼若灸者可灸三壯陽陵泉在膝下一寸䯒外廉陷者中刺可入同身寸之六分留十呼若灸者可灸三壯小海在肘內大骨外去肘端五分陷者中屈肘乃得之刺可入同身寸之二分留七呼若灸者可灸五壯曲池在肘外輔屈肘曲骨之中刺可入同身寸之五分留七呼若灸者可灸三壯委陽在足膕中外廉兩筋間刺可入同身寸之七分留五呼若灸者可灸三壯屈伸而取之委中在膕中央約文中動脈刺可入同身寸之五分留七呼若灸者可灸三壯　新校正云按刺熱注委中在足膝後屈處餘並同此　故經言循脈之分各有所發各隨其過則病瘳也過謂脈所經過處　新校正云詳王氏以委陽為三焦之合按甲乙經云委陽三焦下輔俞也足太陽之別絡三焦之合自在手少陽經天井穴為少陽脈之所入為合詳此六府之合俱引本經所入之穴獨三焦不引本經所入之穴者王氏之誤也王氏但見甲乙經云三焦合于委陽彼說自異彼又以大腸合于巨虛上廉小腸合于下廉此以曲池小海易之故知當以天井穴為合也

帝曰榮衛之氣亦令人痺乎岐伯曰榮者水穀之精氣也和調於五藏灑陳於六府乃能入於脉也正理論曰穀入於胃脉道乃行水入於經其血乃成又靈樞經曰榮氣之道內穀爲寶新校正云按別本寶作實穀入於胃氣傳與肺精專者上行經隧由此故水穀精氣合榮氣運行而入於脉也故循脉上下貫五藏絡六府也榮行脉內故無所不至衛者水穀之悍氣也其氣慓疾滑利不能入於脉也悍氣謂浮盛之氣也以其浮盛之氣故慓疾滑利不能入於脉中也故循皮膚之中分肉之間熏於肓膜散於胷腹皮膚之中分肉之間謂脉外也肓膜謂五藏之間鬲中膜也以其浮盛故能布散於胷腹之中空虛之處熏其肓膜令氣宣通也逆其氣則病從其氣則愈不與風寒濕氣合故不爲痺帝曰善痺或痛或不痛或不仁或寒或熱或燥或濕其故何也岐伯曰痛者寒氣多也有寒故痛也風寒濕氣

客於肉分之間迫切而爲沫得寒則聚聚則排分肉肉裂則痛故有寒則痛也其不痛不仁者病久入深榮衛之行濇經絡時踈故不通新校正云按甲乙經不通作不痛詳甲乙經此條論不痛與不仁兩事後言不痛是再明不痛之爲重也皮膚不營故爲不仁不仁者皮頑不知有無也其寒者陽氣少陰氣多與病相益故寒也病本生於風寒濕氣故陰氣益之也其熱者陽氣多陰氣少病氣勝陽遭陰故爲痺熱遭遇也言遇於陰氣陰氣不勝故爲熱　新校正云按甲乙經遭作乘其多汗而濡者此其逢濕甚也陽氣少陰氣盛兩氣相感故汗出而濡也中表相應則相感也帝曰夫痺之爲病不痛何也岐伯曰痺在於骨則重在於脉則血凝而不流在於筋則屈不伸在於肉則不仁在於皮則寒故具此五者則不痛也凡痺之類逢寒則蟲逢熱

則縱帝曰善蟲謂皮中如蟲行縱謂縱緩不相就 新校正云按甲乙經蟲作急

痿論篇第四十四 新校正云按全元起本在第四卷

黃帝問曰五藏使人痿何也痿謂痿弱無力以運動 岐伯對曰肺主身之皮毛心主身之血脉肝主身之筋膜新校正云按全元起本云膜者人皮下肉上筋膜也脾主身之肌肉腎主身之骨髓所主不同痿生亦各歸其所主故肺熱葉焦則皮毛虛弱急薄著則生痿躄也躄謂攣躄足不得伸以行也肺熱則腎受熱氣故爾心氣熱則下脉厥而上上則下脉虛虛則生脉痿樞折挈脛縱而不任地也心熱盛則火獨光火獨光則內炎上腎之脉常下行今火盛而上炎用事故腎脉亦隨火炎爍而逆上行也陰氣厥逆火復內燔陰上隔陽下不守位心氣通脉故生脉痿腎氣主足故膝腕樞紐如折去而不相提挈脛筋縱緩而不能任用於地也肝氣熱則膽泄口苦筋膜乾筋膜乾則筋急而攣

發爲筋痿膽約肝葉而汁味至苦故肝熱則膽液滲泄膽病則口苦今膽液滲泄故口苦也肝主筋膜故熱則筋膜乾而攣急發爲筋痿也八十一難經曰膽在肝短葉間下脾氣熱則胃乾而渴肌肉不仁發爲肉痿脾與胃以膜相連脾氣熱則胃液滲泄故乾而且渴也脾主肌肉今熱薄於內故肌肉不仁而發爲肉痿腎氣熱則腰脊不舉骨枯而髓減發爲骨痿腰爲腎府又腎脉上股內貫脊屬腎故腎氣熱則腰脊不舉也腎主骨髓故熱則骨枯而髓減發則爲骨痿帝曰何以得之岐伯曰肺者藏之長也爲心之蓋也位高而布葉於胸中是故爲藏之長心之蓋有所失亡所求不得則發肺鳴鳴則肺熱葉焦志苦不暢陽氣鬱故也肺藏氣氣鬱不利故喘息有聲而肺熱葉焦也故曰五藏因肺熱葉焦發爲痿躄此之謂也肺者所以行榮衛治陰陽故引曰五藏因肺熱而發爲痿躄是也悲哀太甚則胞絡絶胞絡絶則陽氣內動發則心下崩數溲血也悲則心系急肺布葉舉而上焦不通榮衛不散熱氣在中故胞絡絶而陽氣內鼓動發則心下崩數溲血也心

下崩謂心包內崩而下血也溲謂溺也　新校正云按楊上善云胞絡者心上胞絡之脉也詳經注中胞字俱當作包全本胞又作肌也故本病曰大經空虛發爲肌痺傳爲脉痿本病古經論篇名也大經謂大經脉也以心崩溲血故大經空虛脉空則熱內薄衛氣盛榮氣微故發爲肌痺也先見肌痺後漸脉痿故曰傳爲脉痿也思想無窮所願不得意淫於外入房太甚宗筋弛縱發爲筋痿及爲白淫思想所願爲祈欲也施寫勞損故爲筋痿及白淫也白淫謂白物淫衍如精之狀男子因溲而下女子陰器中綿綿而下也故下經曰筋痿者生於肝使內也下經上古之經名也使內謂勞役陰力費竭精氣也有漸於濕以水爲事若有所留居處相濕肌肉濡漬痺而不仁發爲肉痿業惟近濕居處澤下皆水爲事也平者久而猶怠感之者尤甚矣肉屬於脾脾氣惡濕濕著於內則衛氣不榮故肉爲痿也故下經曰肉痿者得之濕地也陰陽應象大論曰地之濕氣感則害皮肉筋脉此之謂害肉也有所遠行勞倦逢大熱而渴渴則陽氣內伐內伐則熱舍

於腎腎者水藏也今水不勝火則骨枯而髓虛故足
不任身發爲骨痿陽氣内伐謂伐腹中之陰氣也水不勝火以熱舍於腎中也故下經曰骨痿
者生於大熱也腎性惡燥熱反居中熱薄骨乾故骨痿無力也帝曰何以別之岐伯
曰肺熱者色白而毛敗心熱者色赤而絡脉溢肝熱
者色蒼而爪枯脾熱者色黃而肉蠕動腎熱者色黑
而齒槁各求藏色及所主養而命之則其應也帝曰如夫子言可矣論言治痿
者獨取陽明何也岐伯曰陽明者五藏六府之海陽明胃脉也胃爲水穀之海也
主閏宗筋宗筋主束骨而利機關也宗筋謂陰髦中橫骨上下之竪筋也上絡胸腹下貫髖尻又經於背腹上頭項故云宗筋主束骨而利機關也然腰者身之大關節所以司屈伸故曰機關衝脉者經脉之
海也靈樞經曰衝脉者十二經之海主滲灌谿谷與陽明合於宗筋寻此則橫骨上

下齊兩傍堅筋正宗筋也衝脉循腹俠齊傍各同身寸之五分而上陽明脉亦俠齊傍各同身寸之一寸五分而上宗筋脉於中故云與陽明合於宗筋也以爲十二經海故主滲灌谿谷也肉之大會爲谷小會爲谿　新校正云詳宗筋脉於中一作宗筋縱於中陰陽揔宗筋之會會於氣街而陽明爲之長皆屬於帶脉而絡於督脉宗筋聚會會於橫骨之中從上而下故云陰陽揔宗筋之會也宗筋俠齊下合於橫骨陽明輔其外衝脉居其中故云會於氣街而陽明爲之長也氣街則陰毛兩傍脉動處也帶脉者起於季脅回身一周而絡於督脉也督脉者起於關元上下循腹故云皆屬於帶脉而絡於督脉也督脉任脉衝脉三脉者同起而異行故經文或參差而引之故陽明虛則宗筋縱帶脉不引故足痿不用也陽明之脉從缺盆下乳內廉下俠齊至氣街中其支別者起胃下口循腹裏下至氣街中而合以下髀抵伏兔下入膝髕中下循䯒外廉下足跗入中指內間其支別者下膝三寸而別以下入中指外間故陽明虛則宗筋縱緩帶脉不引而足痿弱不可用也引謂牽引帝曰治之柰何岐伯曰各補其滎而通其俞調其虛實和其逆順筋脉骨肉各以其時受月則病已矣帝曰善時受月謂受氣

時引也如肝王甲乙心王丙丁脾王戊己肺王庚辛腎王壬癸皆王氣法也時受月則正謂五常受氣月也

厥論篇第四十五 新校正云按全元起本在第五卷

黃帝問曰厥之寒熱者何也 厥謂氣逆上也世謬傳爲脚氣廣飾方論焉 岐伯對曰陽氣衰於下則爲寒厥陰氣衰於下則爲熱厥 陽謂足之三陽脉陰謂足之三陰脉下謂足也 帝曰熱厥之爲熱也必起於足下者何也 陽主外而厥在內故問之 岐伯曰陽氣起於足五指之表陰脉者集於足下而聚於足心故陽氣勝則足下熱也 大約而言之足太陽脉出於足小指之端外側足少陽脉出於足小指次指之端足陽明脉出於足中指及大指之端並循足陽而上肝脾腎脉集於足下聚於足心陰弱故足下熱也 新校正云按甲乙經陽氣起於足作走於足起當作走 帝曰寒厥之爲寒也必從五指而上於膝者何也 陰主內而厥在外故問之 岐伯曰陰氣起於五指之裏集

於膝下而聚於膝上故陰氣勝則從五指至膝上寒其寒也不從外皆從內也亦大約而言之也足太陰脉起於足大指之端內側足厥陰脉起於足大指之端三毛中足少陰脉起於足小指之下斜趣足心並循足陰而上循股陰入腹故云集於膝下而聚於膝之上也帝曰寒厥何失而然也岐伯曰前陰者宗筋之所聚太陰陽明之所合也宗筋俠齊下合於陰器故云前陰者宗筋之所聚也太陰者脾脉陽明者胃脉脾胃之脉皆輔近宗筋故云太陰陽明之所合　新校正云按甲乙經前陰者宗筋之所聚作厥陰者衆筋之所聚全元起云前陰者厥陰也與王注義異亦自一說春夏則陽氣多而陰氣少秋冬則陰氣盛而陽氣衰此乃天之當道此人者質壯以秋冬奪於所用下氣上爭不能復精氣溢下邪氣因從之而上也質謂形質也奪於所用謂多欲而奪其精氣也氣因於中新校正云按[illegible]乙經氣因於中作所中陽氣衰不能滲營其經絡陽氣日損陰氣獨在故

手足爲之寒也帝曰熱厥何如而然也源其所由爾岐伯曰酒入於胃則絡脉滿而經脉虚脾主爲胃行其津液者也陰氣虚則陽氣入陽氣入則胃不和胃不和則精氣竭精氣竭則不營其四支也前陰爲太陰陽明之所合故胃不和則精氣竭也内精不足故四支無氣以營之此人必數醉若飽以入房氣聚於脾中不得散酒氣與穀氣相薄熱盛於中故熱徧於身内熱而溺赤也夫酒氣盛而慓悍腎氣有衰陽氣獨勝故手足爲之熱也醉飽入房内亡精氣中虚熱入由是腎衰陽盛陰虚故熱生於手足也帝曰厥或令人腹滿或令人暴不知人或至半日遠至一日乃知人者何也暴猶卒也言卒然冒悶不醒覺也不知人謂悶甚不知識人也或謂尸厥岐伯曰陰氣盛於上

則下虛下虛則腹脹滿陽氣盛於上則下氣重上而邪氣逆逆則陽氣亂陽氣亂則不知人也陰謂足太陰氣也新校正云按甲乙經陽氣盛於上五字作腹滿二字當從甲乙經之說何以言之別按甲乙經云陽脉下墜陰脉上爭發尸厥焉有陰氣盛於上而又言陽氣盛於上又按張仲景云少陰脉不至腎氣微少精血奔氣促迫上入胷鬲宗氣反聚血結心下陽氣退下熱歸陰股與陰相動令身不仁此爲尸厥仲景言陽氣退下則是陽氣不得盛於上故知當從甲乙經也又王注陰謂足太陰亦爲未盡按繆刺論云邪客於手足少陰太陰足陽明之絡此五絡皆會於耳中上絡左角五絡俱竭令人身脉皆動而形無知其狀若尸或曰尸厥焉得專解陰爲太陰也帝曰善願聞六經脉之厥狀病能也爲前問解故請備聞諸經厥也岐伯曰巨陽之厥則腫首頭重足不能行發爲眴仆巨陽太陽也足太陽脉起於目內眥上額交巔上其支別者從巔至耳上角其直行者從巔入絡腦還出別下項循肩髆內俠脊抵腰中入循膂絡腎屬膀胱其支別者從腰中下貫臀入膕中其支別者從髆內左右別下貫胂過髀樞循髀外後廉下合膕中以下貫腨內出外踝之後循京骨至小指之端外側由是厥逆外形斯證也腫或作踵非陽明之厥則顚疾欲

走呼腹滿不得卧面赤而熱妄見而妄言足陽明脉起於鼻交頞中下循鼻外入上齒中還出俠口環脣下交承漿却循頤後下廉出大迎循頰車上耳前過客主人循髮際至額顱其支別者從大迎前下人迎循喉嚨入缺盆下鬲屬胃絡脾其直行者從缺盆下乳內廉下俠齊入氣街中其支別者起胃下口循腹裏下至氣街中而合以下髀抵伏兔下入膝臏中下循䯒外廉下足跗入中指內間其支別者下膝三寸而別以下入中指外間其支別者跗上入大指間出其端故厥如是也癲一為巔非少陽之厥則暴聾頰腫而熱脇痛䯒不可以運足少陽脉起於目銳眥上抵頭角下耳後循頸行手少陽之前至肩上交出手少陽之後入缺盆其支別者從耳後入耳中出走耳前至目銳眥後其支別者目銳眥下大迎合手少陽於䪼下加頰車下頸合缺盆以下胷中貫鬲絡肝屬膽循脇裏出氣街遶毛際橫入髀厭中其直行者從缺盆下掖循胷過季脇下合髀厭中以下循髀陽出膝外廉下入外輔骨之前直下抵絕骨之端下出外踝之前循足跗出小指次指之端故厥如是太陰之厥則腹滿䐜脹後不利不欲食食則嘔不得卧足太陰脉起於大指之端上膝股內前廉入腹屬脾絡胃上鬲俠咽連舌本散舌下其支別者復從胃別上鬲注心中故厥如是少陰之厥則口乾溺赤腹滿心痛足少陰脉上股內後廉貫

脊屬腎絡膀胱其直行者從腎上貫肝鬲入肺中循喉
嚨俠舌本其支別者從肺出絡心注胷中故厥如是
厥陰之厥則少
腹腫痛腹脹涇溲不利好卧屈膝陰縮腫䯒內熱足厥陰脉
去內踝一寸上踝八寸交出太陰之後上膕內廉循股陰入毛中下環陰器抵
小腹俠胃屬肝絡膽上貫鬲故厥厥如是矣䯒內熱一本云䯒外熱傳寫行書內
外誤也
盛則寫之虛則補之不盛不虛以經取之不盛不虛謂邪
氣未盛真氣未
虛如是則以究俞經
法留呼多少而取之
太陰厥逆䯒急攣心痛引腹治主病者
足太陰脉起於大指之端循指內側上內踝前廉上腨內循䯒骨後上膝股內
前廉入腹其支別者復從胃別上鬲注心中故䯒急攣心痛引腹也太陰之脉
行有左右候其有過者當發取之故言治主病者 新校正
云詳從太陰厥逆至篇末全元起本在第九卷王氏移於此
少陰厥逆虛
滿嘔變下泄清治主病者以其脉從腎上貫肝鬲
入肺中循喉嚨故如是
厥陰厥逆
攣腰痛虛滿前閉譫言新校正云按全元起云
譫言者氣虛獨言也
治主病者以其脉
循股陰
入髦中環陰器復上循喉嚨之後絡舌本故如是 新校正云按甲乙經厥陰
之經不絡舌本王氏注刺熱篇刺腰痛篇并此三注俱云絡舌本又注風論痺

論各不云絡舌本王注自有是句當以甲乙經為正三陰俱逆不得前後使人手足寒三日死三陰絶故三日死太陽厥逆僵仆嘔血善衄治主病者以其脉起目內眥又循脊絡腦故如是少陽厥逆機關不利機關不利者腰不可以行項不可以顧以其脉循頸下繞髦際橫入髀厭中故如是發腸癰不可治驚者死足少陽脉貫鬲絡肝屬膽循脇裏出氣街發腸癰則經氣絶故不可治驚者死也陽明厥逆喘欬身熱善驚衄嘔血以其脉循喉嚨入缺盆下鬲屬胃絡脾故如是手太陰厥逆虛滿而欬善嘔沫治主病者手太陰脉起於中焦下絡大腸還循胃口上鬲屬肺故如是手心主少陰厥逆心痛引喉身熱死不可治手心主脉起於胸中出屬心包手少陰脉其支別者從心系上俠咽喉故如是手太陽厥逆耳聾泣出項不可以顧腰不可以俛仰治主病者手太陽脉支別者從缺盆循頸上頰至目銳眥却入耳中其支別者從頰上䪼抵鼻至目內眥故耳聾泣出項不可以顧也腰不可以俛仰

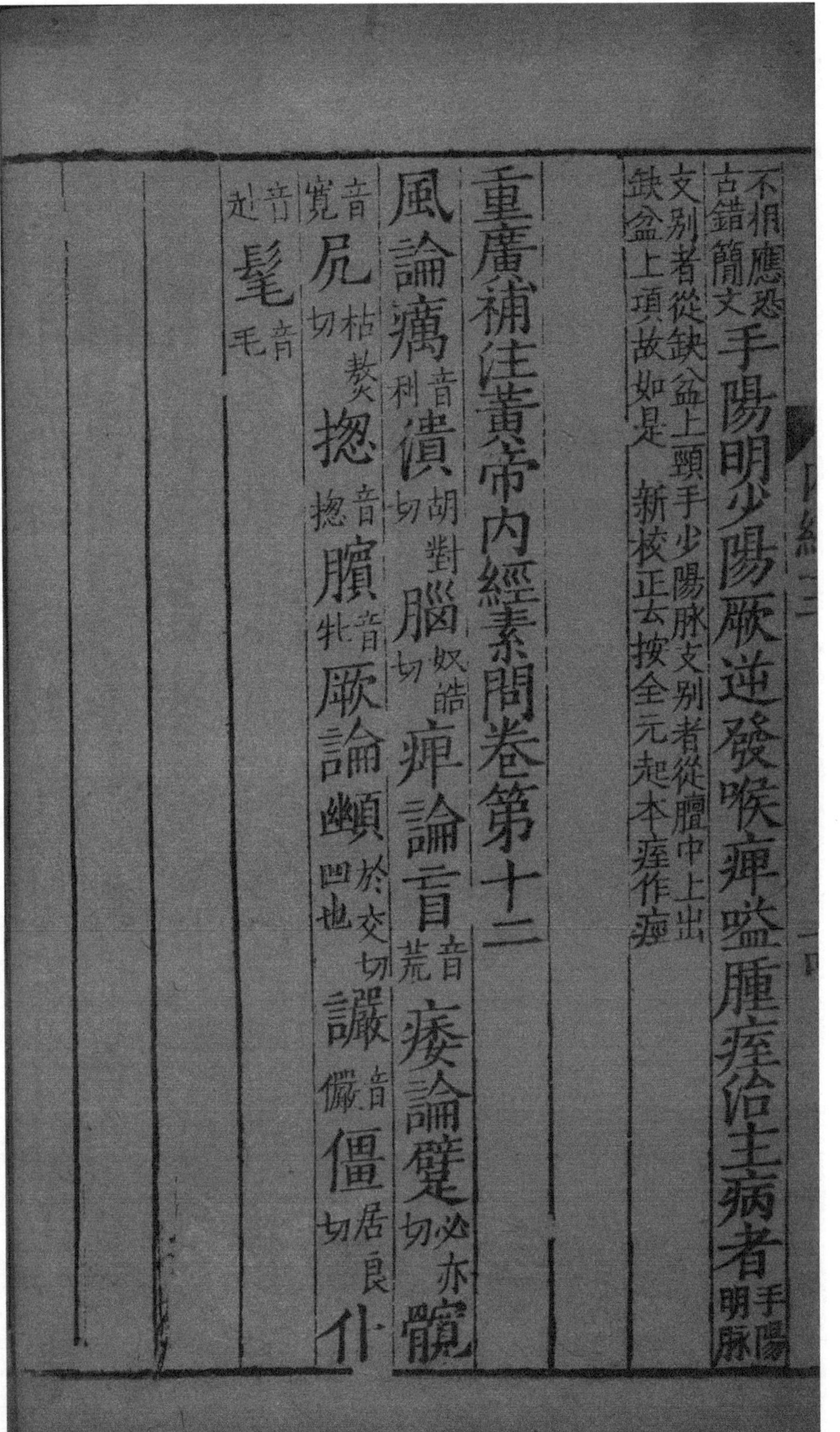

不相應恐古錯簡文手陽明少陽厥逆發喉痺嗌腫痓治主病者手陽明脉支別者從缺盆上頸手少陽脉支別者從膻中上出缺盆上項故如是　新校正云按全元起本痓作痙

重廣補注黄帝内經素問卷第十二

風論　癘音利　潰胡對切　腦奴皓切　痺論　肓音荒　痿論　躄必亦切　髖音寬　尻枯敖切　揔音揔　臏音牝　厥論　[illegible]於交切四也　讝音儼　僵居良切　仆音赴　髦音毛

重廣補注黄帝内經素問卷第十三

啓玄子次注林億孫奇高保衡等奉勑校正孫兆重改誤

病能論　奇病論

大奇論　脉解篇

病能論篇第四十六新校正云按全元起本在第五卷

黄帝問曰人病胃脘癰者診當何如岐伯對曰診此者當候胃脉其脉當沉細沉細者氣逆胃者水穀之海其血盛氣壯今反脉沉細者是逆常平也　新校正云按甲乙經沉細作沉濇太素作沉細逆者人迎甚盛甚盛則熱沉細爲寒寒氣格陽故人迎脉盛人迎者陽明之脉故盛則熱也人迎謂結喉傍脉動應手者人迎者胃脉也胃脉循喉嚨而入缺盆故云人迎者胃脉也逆而盛則熱聚於胃口而不行故胃脘爲

癰也血氣壯盛而熱內薄之兩氣合熱故結爲癰也帝曰善人有臥而有所不安者何也岐伯曰藏有所傷及精有所之寄則安故人不能懸其病也五藏有所傷損及之水穀精氣有所之寄扶其下則臥安以傷及於藏故人不能懸其病處於空中也　新校正云按甲乙經精有所之寄則安作情有所倚則臥不安太素作精有所倚則不安帝曰人之不得偃臥者何也謂不得仰臥也岐伯曰肺者藏之蓋也居高布葉四藏下之故言肺者藏之蓋也肺氣盛則脉大脉大則不得偃臥肺氣盛滿偃臥則氣促喘奔故不得偃臥也論在奇恒陰陽中奇恒陰陽上古經篇名世本闕帝曰有病厥者診右脉沈而緊左脉浮而遲不然病主安在不然言不沈也　新校正云按甲乙經不然作不知岐伯曰冬診之右脉固當沈緊此應四時左脉浮而遲此逆四時在左當主病在腎頗關在肺當腰痛也

以冬左脉浮而遲浮爲肺脉故言頗關在肺也腰者腎之府故腎受病則腰中痛也 帝曰何以言之岐伯曰少陰脉貫腎絡肺今得肺脉腎爲之病故腎爲腰痛之病也 左脉浮遲非肺來見以左腎不足而脉不能沈故得肺脉腎爲病也 帝曰善有病頸癰者或石治之或鍼灸治之而皆已其眞安在 言所攻則異所愈則同欲聞眞法何所在也 岐伯曰此同名異等者也 言雖同曰頸癰然其皮中别異不一等也故下云 夫癰氣之息者宜以鍼開除去之夫氣盛血聚者宜石而寫之此所謂同病異治也 息瘜也死肉也石砭石也可以破大癰出膿今以鈹鍼代之 帝曰有病怒狂者 新校正云按太素怒狂作喜怒 此病安生岐伯曰生於陽也帝曰陽何以使人狂 怒不慮禍故謂之狂 岐伯曰陽氣者因暴折而難決故善怒也病名曰陽厥 言陽氣被折鬱不散也此人多怒亦曾因暴折而心

不疏暢故爾如是者皆陽逆躁極所生故病名陽厥帝曰何以知之岐伯曰陽明者常動巨陽少陽不動不動而動大疾此其候也言頸項之脉皆動不止也陽明常動者動於結喉傍是謂人迎氣舍之分位也若少陽之動動於曲頰下是謂天窗天牖之分位也若巨陽之動動於項兩傍大筋前陷者中是謂天柱天容之分位也不應常動而反動甚者動當病也　新校正云詳王注以天牖爲少陽之分位天容爲太陽之分位按甲乙經天牖乃太陽脉氣所發天容乃少陽脉氣所發二位交互當以甲乙經爲正也帝曰治之奈何岐伯曰奪其食即已夫食入於陰長氣於陽故奪其食即已食少則氣衰故節去其食即病自止　新校正云按甲乙經奪作衰太素同也使之服以生鐵洛爲飲新校正云按甲乙經鐵洛作鐵落爲飲作爲後飯夫生鐵洛者下氣疾也之或爲人傳文誤也鐵洛味辛微溫平主治下氣方俗或呼爲鐵漿非是生鐵液也帝曰善有病身熱解㥄汗出如浴惡風少氣此爲何病岐伯曰病名曰酒風飲酒中風者也風論曰飲酒中風則爲漏風是亦名漏風也夫極飲

者陽氣盛而腠理踈玄府開發陽盛則筋脆痿弱故身體解惰也腠理踈則風內攻玄府發則氣外泄故汗出如浴也風氣外薄膚腠復開汗多內虛癉熱熏肺故惡風少氣也因酒而病故曰酒風帝曰治之奈何岐伯曰以澤瀉朮各十分麋銜五分合以三指撮爲後飯朮味苦溫平主治大風止汗麋銜味苦寒平主治風濕筋痿澤瀉味甘寒平主治風濕益氣由此功用方故先之飯後藥先謂之後飯所謂深之細者其中手如鍼也摩之切之聚者堅也博者大也上經者言氣之通天也下經者言病之變化也金匱者決死生也揆度者切度之也奇恒者言奇病也所謂奇者使奇病不得以四時死也恒者得以四時死也新校正云按楊上善云得病傳之至於勝時而死此爲恒中生喜怒令病次傳者此爲奇所謂揆者方切求之也言切求其脉理也度者得其病處以四時度之也凡言所謂者皆釋未了義今此

所謂尋前後經文悉不與此篇義相接似今數句少成文義者終是別釋經文世本既闕第七二篇應彼闕經錯簡文也古文斷裂繆續於此

奇病論篇第四十七 新校正云按全元起本在第五卷

黄帝問曰人有重身九月而瘖此爲何也 重身謂身中有身則懷姙者也瘖謂不得言語也姙娠九月足少陰脉養胎約氣斷則瘖不能言也 岐伯對曰胞之絡脉絶也 絶謂脉斷絶而不通流而不能言非天真之氣斷絶也 帝曰何以言之岐伯曰胞絡者繫於腎少陰之脉貫腎繫舌本故不能言 少陰腎脉也氣不營養故舌不能言 帝曰治之奈何岐伯曰無治也當十月復 十月胎去胞絡復通腎脉上營故復舊而言也 刺法曰無損不足益有餘以成其疹 疹謂久病也反法而治則胎死不去遂成久固之疹病也 然後調之 新校正云按甲乙經及太素無此四字按全元起注云所謂不治者其身九月而瘖身重不得爲治須十月滿生後復如常也然後調之則此四字本全元起注文誤書於此當删去之 所謂無損不足者

身羸瘦無用鑱石也妊娠九月筋骨瘦勞力少身重又拒於穀故身形羸瘦不可以鑱石傷也無益其有餘者腹中有形而泄之泄之則精出而病獨擅中故曰疹成也胎約胞絡腎氣不通因而泄之腎精隨出精液內竭胎則不全胎死腹中著而不去由此獨擅故疹成焉帝曰病脇下滿氣逆二三歲不已是為何病岐伯曰病名曰息積此不妨於食不可灸刺積為導引服藥藥不能獨治也腹中無形脇下逆滿頻歲不愈息且形之氣逆息難故名息積也氣不在胃故不妨於食也灸之則火熱內爍氣化為風刺之則必寫其經轉成虛敗故不可灸刺是可積為導引使氣流行久以藥攻內消瘀稸則可矣若獨憑其藥而不積為導引則藥亦不能獨治之也

帝曰人有身體髀股䯒皆腫環齊而痛是為何病岐伯曰病名曰伏梁以衝脈病故名曰伏梁然衝脈者與足少陰之絡起於腎下出於氣街循陰股內廉斜入膕中循䯒骨內廉並足少陰經下入內踝之後入足下其上行者出齊下同身寸之三寸關元之分俠齊直上循腹各行會於咽喉故身體髀䯒皆腫繞齊而痛名曰

伏梁環謂圍繞如環也此風根也其氣溢於大腸而著於肓肓之原在齊下故環齊而痛也大腸廣腸也經說大腸當言迴腸也何者靈樞經曰迴腸當齊右環迴周葉積而下廣腸附脊以受迴腸左環葉積上下辟大尋此則是迴腸非應言大腸也然大腸迴腸俱與肺合從合而命故通曰大腸也不可動之動之爲水溺濇之病也以衝脈起於腎下出於氣街其上行者起於胞中上出齊下關元之分故動之則爲水而溺濇也動謂齊其毒藥而擊動之使其大下也此一問荅之義與腹中論同以爲奇病故重出於此帝曰人有尺脈數甚筋急而見此爲何病筋急謂掌後尺中兩筋急也脈要精微論曰尺外以候腎尺裏以候腹中今尺脈數急脈數爲熱熱當筋緩反尺中筋急而見腹中筋當急故問爲病乎靈樞經曰熱即筋緩寒則筋急岐伯曰此所謂疹筋是人腹必急白色黑色見則病甚腹急謂俠齊腎筋俱急以尺裏候腹中故見尺中筋急則必腹中拘急矣色見謂見於面部也夫相五色者白爲寒黑爲寒故二色見病彌甚也帝曰人有病頭痛以數歲不已此安得之名爲何病頭痛之疾不當踰月數年不愈故怪而問之也

岐伯曰：當有所犯大寒，内至骨髓，髓者以腦爲主，腦逆故令頭痛，齒亦痛。（夫腦爲髓主，齒是骨餘，腦逆反寒，骨亦寒入，故令頭痛，齒亦痛。）病名曰厥逆。帝曰：善。（全注：人先生於腦，緣有腦則有骨髓，齒者骨之本也。）帝曰：有病口甘者，病名爲何？何以得之？岐伯曰：此五氣之溢也，名曰脾癉。（癉謂熱也。脾熱則四藏同禀，故五氣上溢也。生因脾熱，故曰脾癉。）夫五味入口，藏於胃，脾爲之行其精氣，津液在脾，故令人口甘也。（脾熱内滲，津液在脾，胃穀化餘，精氣隨溢，口通脾氣，故口甘。津液在脾，是脾之濕。）此肥美之所發也。（新校正云：按《太素》“發”作“致”。）此人必數食甘美而多肥也。肥者令人内熱，甘者令人中滿，故其氣上溢，轉爲消渴。（食肥則腠理密，陽氣不得外泄，故肥令人内熱。甘者性氣和緩而發散逆，故甘令人中滿。然内熱則陽氣炎上，炎上則欲飲而嗌乾；中滿則陳氣有餘，有餘則脾氣上溢，故曰其氣上溢，轉爲消渴也。《陰陽應象大論》曰：辛甘發散爲陽。《靈樞經》曰：甘多食之令人悶然從中滿以生之新校正云按甲乙經消渴作消癉治之以蘭除陳氣也蘭謂蘭草也神農曰蘭草味辛熱平利水道辟不祥胷中痰澼也除謂去也陳謂久也言蘭除陳久甘肥不化之氣者以辛能發散故也藏氣法時論曰辛者散也　新校正云按本草蘭平不言熱也帝曰有病口苦取陽陵泉口苦者病名爲何何以得之岐伯曰病名曰膽癉亦謂熱也膽汁味苦故口苦　新校正云按全元起本及太素無口苦取陽陵泉六字詳前後文勢疑此爲誤夫肝者中之將也取決於膽咽爲之使靈蘭秘典論曰肝者將軍之官謀慮出焉膽者中正之官決斷出焉肝與膽合氣性相通故諸謀慮取決於膽咽膽相應故咽爲使焉　新校正云按甲乙經曰膽者中精之府五藏取決於膽咽爲之使疑此文誤此人者數謀慮不決故膽虛氣上溢而口爲之苦治之以膽募俞胷腹曰募背脊曰俞膽募在乳下二肋外期門下同身寸之五分俞在脊第十椎下兩傍相去各同身寸之一寸半治在陰陽十二官相使中言治法具於彼篇今經已亡帝曰有癃者一日數十溲此不足也身熱如炭頸

膺如格人迎躁盛喘息氣逆此有餘也是陽氣太盛於外陰氣不足故有餘也　新校正云詳此十五字舊作文寫按甲乙經太素並無此文再詳乃是全元起注後人誤書於此今作注書太陰脉微細如髮者此不足也其病安在名爲何病癃小便不得也溲小便也頸膺如格言頸與胷膺如相格拒不順應也人迎躁盛謂結喉兩傍脉動盛滿急數非常躁速也胃脉也太陰脉微細如髮者謂手大指後同身寸之一寸骨高脉動處脉則肺脉也此正手太陰脉氣之所流可以候五藏也岐伯曰病在太陰其盛在胃頗在肺病名曰厥死不治病癃數溲身熱如炭頸膺如格息氣逆者皆手太陰脉當洪大而數今太陰脉反微細如髮者是病與脉相反也何以致之肺氣逆陵於胃而爲是上使人迎躁盛也故曰病在太陰其盛在胃也以喘息氣逆故云頗亦在肺也病因氣逆證不相應故病名曰厥死不治也此所謂得五有餘二不足也帝曰何謂五有餘二不足岐伯曰所謂五有餘者五病之氣有餘也二不足者亦病氣之不足也今外得五有餘內得

二不足此其身不表不裏亦正死明矣（外五有餘者一身熱如炭二頸膺如格三人迎躁盛四喘息五氣逆也內二不足者一病癃一日數十溲二太陰脉微細如髮夫如是者謂其病在表則內有二不足謂其病在裏則外得五有餘表裏既不可馮補寫固難爲法故曰此其身不表不裏亦正死明矣）帝曰人生而有病巔疾者病名曰何安所得之（夫百病者皆生於風雨寒暑陰陽喜怒也然始生有形未犯邪氣已有巔疾豈邪氣素傷邪故問之巔謂上巔則頭首也）岐伯曰病名爲胎病此得之在母腹中時其母有所大驚氣上而不下精氣并居故令子發爲巔疾也（精氣謂陽之精氣也）帝曰有病痝然如有水狀切其脉大緊身無痛者形不瘦不能食食少名爲何病（痝然謂面目浮起而色雜也大緊謂如弓弦也大即爲氣緊即爲寒寒氣內薄而反無痛與衆別異常故問之也）岐伯曰病生在腎名爲腎風（脉如弓弦大而且緊勞氣內稸寒復內爭勞氣薄寒故化爲風風勝於腎故曰腎風）腎風而不能食善

驚驚已心氣痿者死腎水受風心火痿弱火水俱困故必死帝曰善

大奇論篇第四十八新校正云按全元起本在第九卷

肝滿腎滿肺滿皆實即爲腫滿謂脈氣滿實也腫謂癰腫也藏氣滿乃如是肺之雍喘而兩胠滿肺藏氣而外主息其脈支別者從肺系橫出腋下故喘而兩胠滿也　新校正云詳肺雍肝雍腎雍甲乙經俱作癰肝雍兩胠滿臥則驚不得小便肝之脈循股陰入髦中環陰器抵少腹上貫肝鬲布脇肋故胠滿不得小便也肝主驚駭故臥則驚腎雍脚下至少腹滿新校正云按甲乙經脚下作胠下脚當作胠不得言脚下至少腹也脛有大小髀骱大跛易偏枯衝脈者經脈之海與少陰之絡俱起於腎下出於氣街循陰股內廉斜入膕中循骱骨內廉並少陰之經下入內踝之後入足下其上行者出齊下同身寸之二寸故如是若血氣變易爲偏枯也心脈滿大癇瘛筋攣心脈滿大則肝氣下流熱氣內薄筋乾血涸故癇瘛而筋攣肝脈小急癇瘛筋攣肝養筋內藏血肝氣受寒故癇瘛而筋攣脈小急者寒也肝脈騖暴有所驚駭騖謂馳騖言其

迅急也陽氣內薄故發爲驚也脈不至若瘖不治自已肝氣若厥厥則脈不通厥退則脈復通矣又其脈布脇肋循喉嚨之後故脈不至若瘖不治亦自已腎脈小急肝脈小急心脈小急不鼓皆爲瘕小急爲寒甚不鼓則血不流血不流而寒薄故血內凝而爲瘕也腎肝并沉爲石水肝脈入陰內貫小腹腎脈貫脊中絡膀胱兩藏并藏氣熏衝脈自腎下絡於胞今水不行化故堅而結然腎主水水冬冰水宗於腎腎象水而沉故氣并而沉名爲石水　新校正云詳腎肝並沉至下并小弦欲驚全元起本在厥論中王氏移於此并浮爲風水脈浮爲風下焦主水風薄於下故名風水并虛爲死腎爲五藏之根肝爲發生之主二者不足是生主俱微故死并小絃欲驚脈小弦爲肝腎不足故爾腎脈大急沉肝脈大急沉皆爲疝疝者寒氣結聚之所爲也夫脈沉爲實脈急爲痛氣實寒薄聚故爲絞痛爲疝心脈搏滑急爲心疝肺脈沉搏爲肺疝皆寒薄於藏故也三陽急爲瘕三陰急爲疝太陽受寒血凝爲瘕太陰受寒氣聚爲疝二陰急爲癇厥二陽急爲驚二陰少陰也二陽陽明也　新校正云詳二陽急爲瘕至此全元起本在厥論王氏移於此脾脈

外鼓沈爲腸澼久自已外鼓謂鼓動於臂外也肝脉小緩爲腸澼易治肝脉小緩爲脾乘肝故易治腎脉小搏沈爲腸澼下血小爲陰氣不足搏爲陽氣乘之熱在下焦故下血也血溫身熱者死血溫身熱是陰氣喪敗故死心肝澼亦下血肝藏血心養血故澼皆下血也二藏同病者可治心火肝木木火相生故可治之其脉小沈濇爲腸澼心肝脉小而沈濇者澼也其身熱者死熱見七日死腸澼下血而身熱者是火氣內絶去心而歸於外也故死火成數七故七日死胃脉沈鼓濇胃外鼓大心脉小堅急皆鬲偏枯外鼓謂不當尺寸而鼓擊於臂外側也男子發左女子發右陽主左陰主右故爾陰陽應象大論曰左右者陰陽之道路此其義也不瘖舌轉可治三十日起偏枯之病瘖不能言腎與胞脉內絶也胞脉繫於腎腎之脉從腎上貫肝鬲入肺中循喉嚨俠舌本故氣內絶則瘖不能言也其從者瘖三歲起從謂男子發左女子發右也瘖順左右而瘖不能言三歲治之乃能起年不滿二十者三歲死以其五藏始定血氣方剛藏始定則

內經十三

易傷氣方剛則甚費易傷甚費故三歲死也脉至而搏血衂身熱者死血衂爲虛脉不應搏今反脉搏是氣極乃然故死脉來懸鈎浮爲常脉以其爲血衂者之常脉也脉至如喘名曰暴厥喘謂卒來盛急去而便衰如人之喘狀也暴厥者不知與人言所謂暴厥之候如此脉至如數使人暴驚脉數爲熱熱則內動肝心故驚三四日自已數爲心脉木被火干病非肝生不與邪合故三日後四日自除所以兩者木生數三也脉至浮合如浮波之合後至者夌前速疾而動無常候也浮合如數一息十至以上是經氣予不足也微見九十日死脉至如火薪然是心精之予奪也草乾而死薪然之火燄瞥瞥不定其形而便絶也脉至如散葉是肝氣予虛也木葉落而死如散葉之隨風不常其狀　新校正云按甲乙經散葉作叢棘脉至如省客省客者脉塞而鼓是腎氣予不足也懸去棗華而死脉塞而鼓謂纔見不行旋復去也懸謂如懸物物動而絶去也

脉至如丸泥是胃精予不足也榆莢落而死如珠之轉是謂丸泥脉至如横格是膽氣予不足也禾熟而死脉長而堅如横木之在指下也脉至如弦縷是胞精予不足也病善言下霜而死不言可治胞之脉繫於腎腎之脉俠舌本人氣不足者則當不能言今反善言是真氣內絶去腎外歸於舌也故死脉至如交漆交漆者左右傍至也微見三十日死左右傍至言如瀉漆之交左右反戾　新校正云按甲乙經交漆作交棘脉至如涌泉浮鼓肌中太陽氣予不足也少氣味韭英而死如水泉之動但出而不入脉至如頽土之狀按之不得是肌氣予不足也五色先見黑白壘發死頽土之狀謂浮之大而虛耎按之則無　新校正云按甲乙經頽土作委土脉至如懸雍懸雍者浮揣切之益大是十二俞之予不足也水凝而死如頽中之懸雍也　新校正云按全元

起本懸雍作懸離元起注云懸離者言脉與肉不相得也脉至如偃刀偃刀者浮之小急按
之堅大急五藏菀熟寒熱獨并於腎也如此其人不
得坐立春而死菀積也熟熱也脉至如丸滑不直手不直手者
按之不可得也是大腸氣予不足也棗葉生而死脉
至如華者令人善恐不欲坐卧行立常聽是小腸氣
予不足也季秋而死脉至如華謂似華虛弱不可正取也小腸之脉上入耳中故常聽也

脉解篇第四十九新校正云按全元起本在第九卷

太陽所謂腫腰脽痛者正月太陽寅寅太陽也脽謂臀肉也正
月三陽生主建寅三陽謂之太陽故曰寅太陽也正月陽氣出在上而陰氣盛陽未
得自次也正月雖三陽生而天氣尚寒以其尚寒故曰陰氣盛陽未得自次次謂立王之次也故腫腰脽痛

也以其脉抵腰中入貫臀過髀樞故爾病偏虛爲跛者正月陽氣凍解地氣而出也所謂偏虛者冬寒頗有不足者故偏虛爲跛也以其脉循股內後廉合膕中下循腨過外踝之後循京骨至小指外側故也　新校正云詳王氏云其脉循股內殊非按甲乙經太陽流注不到股內股內乃髀外之誤當云髀外後廉所謂強上引背者陽氣大上而爭故強上也強上謂頸項禁強也甚則引背矣所以爾者以其脉從腦出別下項背故也所謂耳鳴者陽氣萬物盛上而躍故耳鳴也以其脉支別者從巔至耳上角故爾所謂甚則狂巔疾者陽盡在上而陰氣從下下虛上實故狂巔疾也以其脉上額交巔上入絡腦還出其支別者從巔至耳上角故狂巔疾也項上曰巔所謂浮爲聾者皆在氣也亦以其脉至耳故也所謂入中爲瘖者陽盛已衰故爲瘖也陽氣盛入中而薄於胞腎則胞絡腎絡氣不通故瘖也胞之脉繫於腎腎之脉俠舌本故瘖不能言也內奪而厥則爲瘖

俳此腎虚也〔俳廢也腎之脉與衝脉並出於氣街循陰股內廉斜入膕中循骭骨內廉及內踝之後入足下故腎氣內奪而不順則舌瘖足廢故云此腎虚也　新校正云詳王注云腎之脉與衝脉並出按甲乙經是腎之絡非腎之脉況王注痿論并奇病論大奇論並云腎之絡則此脉字當爲絡〕少陰不至者厥也〔少陰腎脉也若腎氣內脫則少陰脉不至也少陰之脉不至是則太陰之氣逆上而行也〕少陽所謂心脇痛者言少陽盛也盛者心之所表也〔心氣逆則少陽盛心氣宜木外鑠肺金故盛者心之所表也〕九月陽氣盡而陰氣盛故心脇痛也〔足少陽脉循脇裏出氣街心主脉循胷出脇故爾火墓於戌故九月陽氣盡而陰氣盛也〕所謂不可反側者陰氣藏物也物藏則不動故不可反側也所謂甚則躍者〔躍謂跳躍也〕九月萬物盡衰草木畢落而墮則氣去陽而之陰氣盛而陽之下長故謂躍〔亦以其脉循髀陽出膝外廉上入外踝之前直下抵絕骨之端下出外踝之前循足跗故氣盛則令人跳躍也〕陽明所謂洒洒振寒者陽明

者午也五月盛陽之陰也陽盛以明故云午也五月夏至一陰氣上陽氣降下故云盛陽之陰也陽盛而陰氣加之故洒洒振寒也陽氣下陰氣升故云陽盛而陰氣加之也所謂脛腫而股不收者是五月盛陽之陰也陽者衰於五月而一陰氣上與陽始爭故脛腫而股不收也以其脉下髀抵伏兎下入膝臏中下循骱外廉下足跗入中指内間又其支別者下膝三寸而別以下入中指外間故爾所謂上喘而爲水者陰氣下而復上上則邪客於藏府間故爲水也藏脾也府胃也足太陰脉從足走腹足陽明脉從頭走足今陰氣微下而太陰上行故云陰氣下而復上也復上則所下之陰氣不散客於脾胃之間化爲水也所謂胷痛少氣者水氣在藏府也水者陰氣也陰氣在中故胷痛少氣也水停於下則氣鬱於上氣鬱於上則肺滿故胷痛少氣也所謂甚則厥惡人與火聞木音則惕然而驚者陽氣與陰

氣相薄水火相惡故惕然而驚也所謂欲獨閉戶牖而處者陰陽相薄也陽盡而陰盛故欲獨閉戶牖而居惡喧故爾所謂病至則欲乘高而歌棄衣而走者陰陽復爭而外并於陽故使之棄衣而走也新校正云詳所謂甚則厥至此與前陽明脉解論相通所謂客孫脉則頭痛鼻鼽腹腫者陽明并於上上者則其孫絡太陰也故頭痛鼻鼽腹腫也太陰所謂病脹者太陰子也十一月萬物氣皆藏於中故曰病脹陰氣大盛太陰始於子故云子也以其脉入腹屬脾絡胃故病脹也所謂上走心爲噫者陰盛而上走於陽明陽明絡屬心故曰上走心爲噫也按靈樞經說足陽明流注並無至心者太陰脉說云其支別者復從胃別上膈注心中法應以此絡爲陽明絡也新校正云詳王氏以足陽明絡

注並無至心者按甲乙經陽明之脉上通於心循咽出於口宜其經言陽明絡屬心爲噫王氏安得謂之無所謂食則嘔者物盛滿而上溢故嘔也以其脉屬脾絡胃上鬲俠咽故也所謂得後與氣則快然如衰者十二月陰氣下衰而陽氣且出故曰得後與氣則快然如衰也少陰所謂腰痛者少陰者腎也十月萬物陽氣皆傷故腰痛也少陰者腎脉也腰爲腎府故腰痛也所謂嘔欬上氣喘者陰氣在下陽氣在上諸陽氣浮無所依從故嘔欬上氣喘也以其脉從腎上貫肝鬲入肺中故病如是也所謂色色新校正云詳色色字疑誤不能久立久坐起則目䀮䀮無所見者萬物陰陽不定未有主也秋氣始至微霜始下而方殺萬物陰陽內奪故目䀮䀮無所見也所謂少氣善怒

者陽氣不治陽氣不治則陽氣不得出肝氣當治而未得故善怒善怒者名曰煎厥所謂恐如人將捕之者秋氣萬物未有畢去陰氣少陽氣入陰陽相薄故恐也所謂惡聞食臭者胃無氣故惡聞食臭也所謂面黑如地色者秋氣内奪故變於色也所謂欬則有血者陽脉傷也陽氣未盛於上而脉滿滿則欬故血見於鼻也厥陰所謂癩疝婦人少腹腫者厥陰者辰也三月陽中之陰邪在中故曰癩疝少腹腫也以其脉循股陰入髦中環陰器抵少腹故爾所謂腰脊痛不可以俛仰者三月一振榮華萬物一俛而不仰也所謂癩癃疝膚脹者曰陰亦

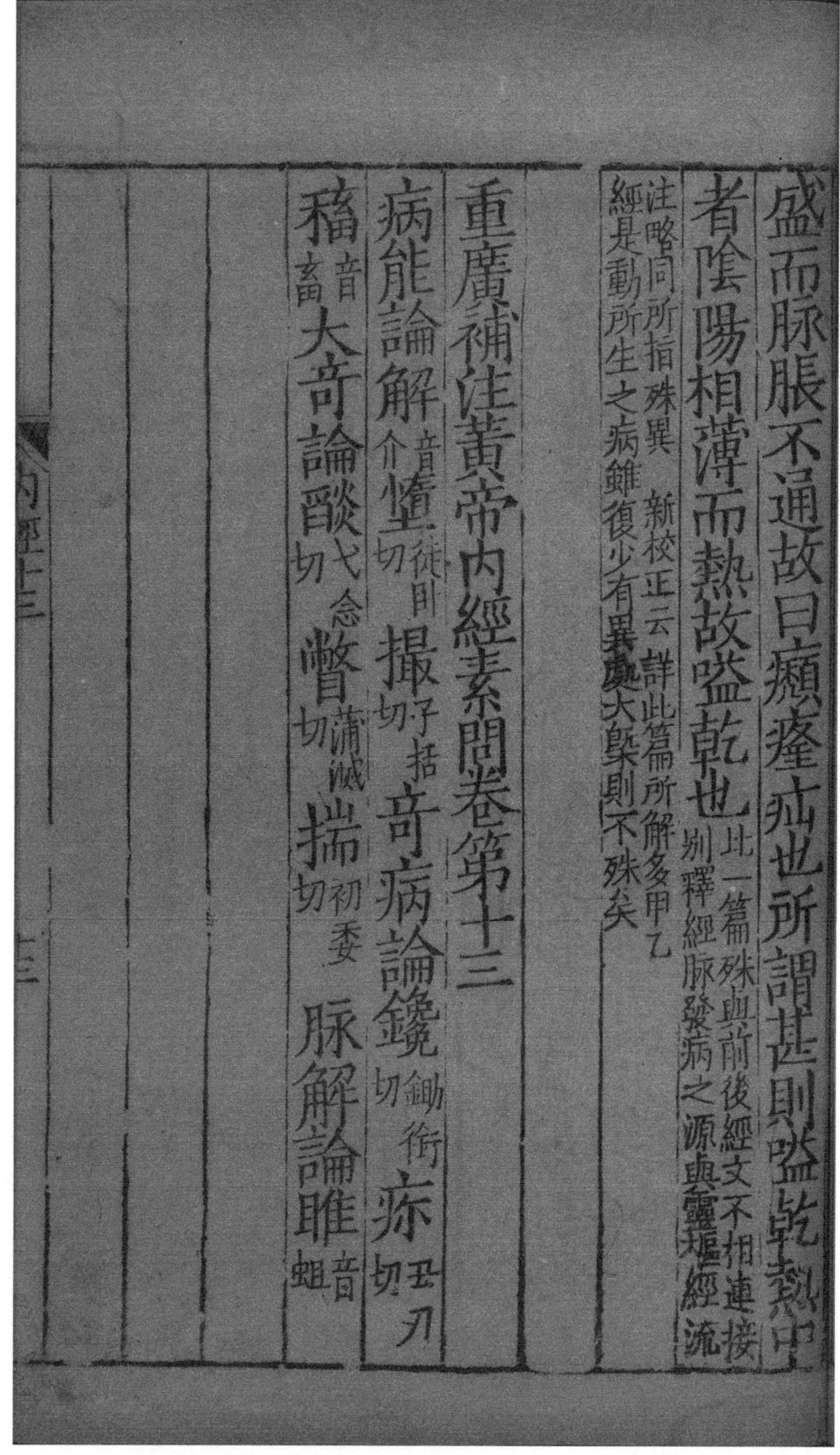
盛而脉脹不通故曰癩癃疝也所謂甚則嗌乾熱中者陰陽相薄而熱故嗌乾也此一篇殊與前後經文不相連接別釋經脉發病之源與靈樞經流注略同所指殊異　新校正云詳此篇所解多甲乙經是動所生之病雖復少有異處大槩則不殊矣

重廣補注黄帝内經素問卷第十三

病能論解音介墮徒果切撮子括切奇病論鑱鋤銜切痲丑刃切稸音畜大奇論䐁弋念切瞥蒲滅切揣初委切脉解論雎音蛆

重廣補注黄帝内經素問卷第十四

啓玄子次注林億孫奇高保衡等奉　敕校正孫兆重改誤

刺要論篇第五十新校正云按全元起本在第六卷刺齊篇中

黄帝問曰願聞刺要岐伯對曰病有浮沈刺有淺深各至其理無過其道道謂氣所行之道也過之則内傷不及則生外壅壅則邪從之過之内傷以太深也不及外壅以妄益他分之氣也氣益而外壅故邪氣隨虚而從之也淺深不得反爲大賊内動五藏後生大病賊謂私害動謂動亂然不及則外壅過之則内

傷既且外壅內傷是爲大病之階漸爾故曰後生大病也故曰病有在毫毛腠理者有在皮膚者有在肌肉者有在脉者有在筋者有在骨者有在髓者毛之長者曰毫皮之文理曰腠理然二者皆皮之可見者也是故刺毫毛腠理無傷皮皮傷則內動肺肺動則秋病溫瘧泝泝然寒慄鍼經曰凡刺有五以應五藏一曰半刺半刺者淺內而疾發鍼令鍼傷多如拔髮狀以取皮氣此肺之應也然此其淺以應於肺腠理毫毛猶應更淺當取髮根淺深之半爾肺之合皮王於秋氣故肺動則秋病溫瘧泝泝然寒慄也刺皮無傷肉肉傷則內動脾脾動則七十二日四季之月病腹脹煩不嗜食脾之合肉寄王四季又其脉從股內前廉入腹屬脾絡胃上鬲俠咽連舌本散舌下其支別者復從胃別上鬲注心中故傷肉則動脾脾動則四季之月腹脹煩而不嗜食也七十二日四季之月者謂三月六月九月十二月各十二日後土寄王十八日也刺肉無傷脉脉傷則內動心心動則夏病心痛心之合脉王於夏氣真心少陰之脉起於心中出屬心系心包心主之脉起於胷中出屬心包平人氣象論曰

藏真通於心故脉傷則動心心動則夏病心痛刺脉無傷筋筋傷則內動肝肝動則春病熱而筋弛肝之合筋王於春氣鍼經曰熱則筋緩故筋傷則動肝肝動則春病熱而筋弛緩弛猶縱緩也刺筋無傷骨骨傷則內動腎腎動則冬病脹腰痛腎亦合骨王於冬氣腎為腎府故骨傷則動腎腎動則冬病腰痛也腎之脉直行者從腎上貫肝鬲故脹也刺骨無傷髓髓傷則銷鑠胻酸體解㑊然不去矣髓者骨之充鍼經曰髓海不足則腦轉耳鳴胻酸眩冒故髓傷則腦髓銷鑠胻酸體解㑊然不去也銷鑠謂髓腦銷鑠解㑊謂強不強弱不弱熱不熱寒不寒解解㑊㑊然不可名之也腦髓銷鑠骨空之所致也

刺齊論篇第五十一新校正云按全元起本在第六卷

黃帝問曰願聞刺淺深之分謂皮肉筋脉骨之分位也岐伯對曰刺骨者無傷筋刺筋者無傷肉刺肉者無傷脉刺脉者無傷皮刺皮者無傷肉刺肉者無傷筋刺筋者無傷骨

帝曰：余未知其所謂，願聞其解。岐伯曰：刺骨無傷筋者，鍼至筋而去，不及骨也；刺筋無傷肉者，至肉而去，不及筋也；刺肉無傷脉者，至脉而去，不及肉也；刺脉無傷皮者，至皮而去，不及脉也。（是皆謂遣邪也。然筋有寒邪，肉有風邪，脉有濕邪，皮有熱邪，則如是遣之。所謂邪者，皆言其非順正氣而相干犯也。新校正云：詳此謂刺淺不至所當刺之處也，下文則誡其太深也。）所謂刺皮無傷肉者，病在皮中，鍼入皮中，無傷肉也；刺肉無傷筋者，過肉中筋也；刺筋無傷骨者，過筋中骨也。此之謂反也。（此則誡過分太深也。新校正云：按全元起云：刺如此者，是謂傷此，皆過，過必損其血氣，是謂逆也，邪必因而入也。）

刺禁論篇第五十二（新校正云：按全元起本在第六卷）

黃帝問曰：願聞禁數。岐伯對曰：藏有要害，不可不察。

肝生於左 肝象木王於春春陽發生故生於左也 肺藏於右 肺象金王於秋秋陰收殺故藏於右也 新校正云按楊上善云肝爲少陽陽長之始故曰生肺爲少陰陰藏之初故曰藏 心部於表 陽氣主外心象火也 腎治於裏 陰氣主內腎象水也 新校正云按楊上善云心爲五藏部主故得稱部腎間動氣內治五藏故曰治 脾爲之使 營動不已糟粕水穀故使者也 胃爲之市 水穀所歸五味皆入如市雜故爲市也 鬲肓之上中有父母 鬲肓之上氣海居中氣者生之原生者命之主故氣海爲人之父母也 新校正云按楊上善云心下鬲上爲肓心爲陽父也肺爲陰母也肺主於氣心主於血共營衛於身故爲父母 七節之傍中有小心 小心謂眞心神靈之宮室 新校正云按太素小心作志心楊上善云脊有三七二十一節腎在下七節之傍腎神曰志五藏之靈皆名爲神神之所以任得名爲志者心之神也 從之有福逆之有咎 從謂隨順也入者人之所以生形之所以成故順之則福延逆之則咎至 刺中心一日死其動爲噫 心在氣爲噫 刺中肝五日死其動爲語 肝在氣爲語 新校正云按全元起本并甲乙經語作欠元起云腎傷則欠子母相感也王氏改欠作語 刺中腎六日死其動爲嚏 腎在氣爲嚏 新校正云按全元起本及甲乙經六日作三日 刺中

肺三日死其動爲欬肺在氣爲欬刺中脾十日死其動爲吞脾在氣爲吞　新校正云按全元起本及甲乙經十日作十五日刺中五藏與診要經終論并四時刺逆從論相重此叙五藏相次之法以所生爲次甲乙經以心肺肝脾腎爲次是以所剋爲次全元起本舊文則錯亂無次矣刺中膽一日半死其動爲嘔膽氣勇故爲嘔　新校正云按診要經終論刺中膽下又云刺中鬲者爲傷中其病雖愈不過一歲而死刺跗上中大脈血出不止死跗爲足跗大脈動而不止者則胃之大經也胃爲水穀之海然血出不止則胃氣將傾海竭氣亡故死刺面中溜脈不幸爲盲面中溜脈者手太陽任脈之交會手太陽脈自顴而斜行至目內眥任脈自鼻鼽兩傍上行至瞳子下故刺面中溜脈不幸爲盲刺頭中腦戶入腦立死腦戶穴名也在枕骨上通於腦中然腦爲髓之海眞氣之所聚鍼入腦則眞氣泄故立死刺舌下中脈太過血出不止爲瘖舌下脈脾之脈也脾脈者俠咽連舌本散舌下血出不止則脾氣不能營運於舌故瘖不能言語刺足下布絡中脈血不出爲腫布絡謂當內踝前足下空處布散之絡正當然谷穴分也絡中脈則衝脈也衝脈者並少陰之經下入內踝之後入足下也然刺之而血不出則腎脈與衝脈氣并歸於然谷之中故爲腫刺郄

中大脉令人仆脱色尋此經郄中主治與中誥流注經委中穴正同應郄中者以經穴爲名委中處所爲名亦猶十口脉口氣口皆同一處爾然郄中大脉者足太陽經脉也足太陽之脉起於目內眥合手太陽手太陽脉自目內眥斜絡於顴足太陽脉上頭下項又循於足故刺之過禁則令人仆倒而面色如脱去也刺氣街中脉血不出爲腫鼠僕氣街之中膽胃脉也膽之脉循脇裏出氣街胃之脉俠齊入氣街中其支別者起胃下口循腹裏至氣街中而合今刺之而血不出則血脉氣并聚於中故內結爲腫如伏鼠之形也氣街在腹下俠齊兩傍相去四寸鼠僕上一寸動脉應手也　新校正云按別本僕一作鼷氣府論注氣街在齊下横骨兩端鼠鼷上一寸也刺脊間中髓爲傴傴謂傴僂身蜷屈也脊間謂脊骨節間也刺中髓則骨精氣泄故傴僂也刺乳上中乳房爲腫根蝕乳之上下皆足陽明之脉也乳房之中乳液滲泄胸中氣血皆外湊之然刺中乳房則氣更交湊故爲大腫中有膿根內蝕肌膚化爲膿水而久不愈刺缺盆中內陷氣泄令人喘欬逆五藏者肺爲之蓋缺盆爲之道肺藏氣而主息又在氣爲欬刺缺盆中內陷則肺氣外泄故令人喘欬逆也刺手魚腹內陷爲腫手魚腹內肺脉所流故刺之內陷則爲腫也　新校正云按甲乙經肺脉所流當作留字無刺大醉令人氣亂脉數過度故因刺而亂也　新校正云按

靈樞經氣亂當作脉亂 無刺大怒令人氣逆怒者氣逆故刺之益甚 無刺大勞人經氣越也
無刺新飽人氣盛滿也 無刺大饑人氣不足也 無刺大渴人血脉乾也 無刺大
驚人神蕩越而氣不治也 新校正云詳無刺大醉至此七條與靈樞經相出入靈樞經云新內無刺已刺無內大怒無刺已刺無怒大勞無刺已
刺無勞大醉無刺已刺無醉大飽無刺已刺無飽大飢無刺已刺無飢大渴無刺已刺無渴大驚大恐必定其氣乃刺之也 刺陰股中
大脉血出不止死陰股之中脾之脉也脾者中土孤藏以灌四傍今血出不止脾氣將竭故死 新校正云按刺陰股中大
脉條皇甫士安移在前刺跗上中大脉下相續自後至篇末逐條與前條相間也 刺客主人內陷中脉爲內
漏爲聾客主人穴名也今名上關在耳前上廉起骨開口有空手少陽足陽明脉交會於中陷脉言刺太深也刺太深則交脉破決故爲耳
內之漏脉內漏則氣不營故聾 新校正云詳客主人穴與氣穴論注同按甲乙經及氣穴府論注云手足少陽足陽明三脉之會疑此脉足少陽一脉也
刺膝髕出液爲跛膝爲筋府筋會於中液出筋乾故跛 刺臂太陰脉出血多立
死臂太陰者肺脉也肺者主行榮衛陰陽治節由之血出多則榮衛絕故立死也 刺足少陰脉重虛出血

爲舌難以言足少陰腎脉也足少陰脉貫腎絡肺繫舌本故重虚出血則舌難言也刺膺中陷中肺爲喘逆仰息肺氣上泄逆所致也刺肘中内陷氣歸之爲不屈伸肘中謂肘屈折之中天澤穴中也刺過陷脉惡氣歸之氣固關節故不屈伸也刺陰股下三寸内陷令人遺溺股下三寸腎之絡也衝脉與少陰之絡皆起於腎下出於氣街並循於陰股其上行者出胞中故刺陷脉則令人遺溺也刺掖下脇間内陷令人欬掖下肺脉也肺之脉從肺系横出掖下真心藏脉直行者從心系却上掖下刺陷脉則心肺俱動故欬也刺少腹中膀胱溺出令人少腹滿胞氣外泄穀氣歸之故少腹滿也少腹謂齊下也刺腨腸内陷爲腫腨腸之中足太陽脉也太陽氣泄故爲腫刺匡上陷骨中脉爲漏爲盲匡目匡也骨中謂目匡骨中也匡骨中脉目之系肝之脉也刺内陷則眼系絶故爲目漏目盲刺關節中液出不得屈伸諸筋者皆屬於節津液滲潤之液出則筋膜乾故不得屈伸也

刺志論篇第五十三

新校正云按全元起本在第六卷

黄帝問曰願聞虛實之要岐伯對曰氣實形實氣虛形虛此其常也反此者病陰陽應象大論曰形歸氣氣由是故虛實同焉反謂不相合應失常平之候也形氣相反故病生氣謂脉氣形謂身形也穀盛氣盛穀虛氣虛此其常也反此者病靈樞經曰榮氣之道內穀爲實穀入於胃氣傳與肺精專者上行經隧由是故穀氣虛實占必同焉候不相應則爲病也　新校正云按甲乙經實作寶脉實血實脉虛血虛此其常也反此者病脉者血之府故虛實同焉反不相應則爲病也帝曰如何而反岐伯曰氣虛身熱此謂反也氣虛爲陽氣不足陽氣不足當身寒反身熱者脉氣當盛脉不盛而身熱證不相符故謂反也　新校正云按甲乙經云氣盛身寒氣虛身熱此謂反也當補此四字穀入多而氣少此謂反也胃之所出者穀氣而布於經脉也穀入於胃脉道乃散今穀入多而氣少者是胃氣不散故謂反也穀不入而氣多此謂反也胃氣外散肺并之也脉盛血少此謂反也脉少血多此謂反也經脉行氣絡脉受血經氣入絡絡受經氣候不相合故皆反常也氣

盛身寒得之傷寒氣虛身熱得之傷暑傷謂觸冒也寒傷形故氣盛身寒熱傷氣故氣虛身熱穀入多而氣少者得之有所脫血濕居下也脫血則血虛血虛則氣盛內鬱化成津液流入下焦故云濕居下也穀入少而氣多者邪在胃及與肺也胃氣不足肺氣下流於胃中故邪在胃然肺氣入胃則肺氣不自守氣不自守則邪氣從之故云邪在胃及與肺也脉小血多者飲中熱也飲謂留飲也飲留脾胃之中則脾氣溢脾氣溢則發熱中脉大血少者脉有風氣水漿不入此之謂也風氣盛滿則水漿不入於脉夫實者氣入也虛者氣出也入爲陽出爲陰陰生於內故出陽生於外故入氣實者熱也氣虛者寒也陽盛而陰內拒故熱陰盛而陽外微故寒入實者左手開鍼空也入虛者左手閉鍼空也言用鍼之補寫也右手持鍼左手捻究故實者左手開鍼空以寫之虛者左手閉鍼空以補之也

鍼解篇第五十四

新校正云按全元起本在第六卷

黄帝問曰：願聞九鍼之解，虛實之道。岐伯對曰：刺虛則實之者，鍼下熱也，氣實乃熱也。滿而泄之者，鍼下寒也，氣虛乃寒也。菀陳則除之者，出惡血也。（菀，積也。陳，久也。除，去也。言絡脉之中血積而久者，鍼刺而除去之也。）邪勝則虛之者，出鍼勿按。（邪者，不正之目，非本經氣，是則謂邪，非言鬼毒精邪之所勝也。出鍼勿按，穴俞且開，故得經虛，邪氣發泄也。）徐而疾則實者，徐出鍼而疾按之。疾而徐則虛者，疾出鍼而徐按之。（徐出，謂得經氣已久，乃出之。疾按，謂鍼出穴已，速疾按之，則真氣不泄，經脉氣全，故徐而疾乃實也。疾出鍼，謂鍼入穴已，至於經脉，即疾出之。徐按，謂鍼出穴已，徐緩按之，則邪氣得泄，精氣復固，故疾而徐乃虛也。）言實與虛者，寒温氣多少也。（寒温，謂經脉陰陽之氣也。）若無若有者，疾不可知也。（言其冥昧，不可即而知也。夫不可即知，故若無；慧然神悟，故若有也。）察後與先者，知病先後也。（知病先後，乃補寫之。）爲虛與實者，工勿失其法。（鍼經曰：經氣已至，愼守勿失。此之謂也。）

新校正云按甲乙經云若存若亡爲虛與實若得若失者離其法也妄爲補寫離亂大經誤補實者轉令若得誤寫虛者轉令若失故曰若得若失也鍼經曰無實實無虛虛此其誅也新校正云詳自篇首至此與太素九鍼解篇經同而解異二經互相發明也虛實之要九鍼最妙者爲其各有所宜也熱在頭身宜鑱鍼肉分氣滿宜員鍼脉氣虛少宜鍉鍼寫熱出血發泄固病宜鋒鍼破癰腫出膿血宜鈚鍼調陰陽去暴痺宜員利鍼治經絡中痛痺宜毫鍼痺深居骨解腰脊節腠之間者宜長鍼虛風舍於骨解皮膚之間宜大鍼此之謂各有所宜也　新校正云按別本鈚一作鈹補寫之時者與氣開闔相合也氣當時刻謂之開已過未至謂之闔時刻者然水下一刻人氣在太陽水下二刻人氣在少陽水下三刻人氣在陽明水下四刻人氣在陰分水下不已氣行不已如是則當刻者謂之開過刻及未至者謂之闔也鍼經曰謹候其氣之所在而刺之是謂逢時此所謂補寫之時也　新校正云詳自篇首至此文出靈樞經素問解之互相發明也甲乙經云補寫之時以鍼爲之者此脫此四字也九鍼之名各不同形者鍼窮其所當補寫也各不同形謂長短鋒穎不等窮其補寫謂各隨其疾而用之也　新校正云按九鍼之形今具甲乙經刺實須其虛者留鍼陰氣隆至乃去鍼也刺虛

須其實者陽氣隆至鍼下熱乃去鍼也　言要以氣至而有効也　經氣已至慎守勿失者勿變更也　變謂變易更謂改更皆變法也言得氣至必宜謹守无變其法反招損也　深淺在志者知病之内外也　志一爲意志意皆行鍼之用也　近遠如一者深淺其候等也　言氣雖近遠不同然其測候皆以氣至而有効也　如臨深淵者不敢墯也　言氣候補寫如臨深淵不敢墯慢失補寫之法也　手如握虎者欲其壯也　壯謂持鍼堅定也鍼經曰持鍼之道堅者爲實則其義也　新校正云按甲乙經實字作寶　神無營於衆物者靜志觀病人無左右視也　目絶妄視心專一務則用之必中无惑誤也　新校正云詳從刺實須其虚至此又見寶命全形論此又爲之解亦互相發明也　義無邪下者欲端以正也　正指直刺鍼无左右　必正其神者欲瞻病人目制其神令氣易行也　檢彼精神令无散越則氣爲神使中外易調也　所謂三里者下膝三寸也　所謂跗之者　新校正云按全元起本跗之作低胕太素作付之按骨空論跗之疑作跗

上舉膝分易見也三里穴名正在膝下三寸䯒外兩筋肉分間極重按之則足䟤上動脉止矣故曰舉膝分易見巨虛者蹻足䯒獨陷者巨虛穴名也蹻謂舉也取巨虛下廉當舉足取之則䯒外兩筋之間陷下也下廉者陷下者也欲知下廉穴者䯒外兩筋之間獨陷下者則其處也帝曰余聞九鍼上應天地四時陰陽願聞其方令可傳於後世以爲常也岐伯曰夫一天二地三人四時五音六律七星八風九野身形亦應之鍼各有所宜故曰九鍼新校正云詳此文與靈樞經相出入人皮應天覆蓋於物天之象也人肉應地柔厚安靜地之象也人脉應人盛衰變易人之象也人筋應時堅固真定時之象也人聲應音備五音故人陰陽合氣應律交會氣通相生元替則律之象新校正云按別本氣一作度人齒面目應星人面應七星者所謂面有七孔應之也新校正云詳此注乃全元起之辭也人出入氣應風動出往來風之象也人九竅三百六十五絡應野身形之外野之象也故

一鍼皮二鍼肉三鍼脉四鍼筋五鍼骨六鍼調陰陽七鍼益精八鍼除風九鍼通九竅除三百六十五節氣此之謂各有所主也（一鑱鍼二員鍼三鍉鍼四鋒鍼五錍鍼六員利鍼七毫鍼八長鍼九大鍼 新校正云按別本錍一作鈹）人心意應八風（動靜不形風之象也）人氣應天（運行不息天之象也）人髮齒耳目五聲應五音六律（髮齒生長耳目清通五聲應同故應五音及六律也）人陰陽脉血氣應地（人陰陽有交會生成脉血氣有虛盈盛衰故應地也）人肝目應之九（肝氣通目木生數三三而三之則應之九也）九竅三百六十五（新校正云按全元起本无此七字）人一以觀動靜天二以候五色七星應之以候髮毋澤五音一以候宮商角徵羽六律有餘不足應之二地一以候高下有餘九野一節俞應之以候閉節三人變一分人候齒泄多血少十分角之變

五分以候緩急六分不足三分寒關節第九分四時人寒溫燥濕四時一應之以候相反一四方各作解（此一百二十四字蠹簡爛文義理殘缺莫可尋究而上古書故且載之以佇後之具本也　新校正云詳王氏云一百二十四字今有一百二十三字又亡一字）

長刺節論篇第五十五（新校正云按全元起本在第三卷）

刺家不診聽病者言在頭頭疾痛爲藏鍼之（藏猶深也言深刺之故下文曰　新校正云按全元起本云爲鍼之無藏字）刺至骨病已上無傷骨肉及皮皮者道也（皮者鍼之道故刺骨無傷骨肉及皮也）陰刺入一傍四處治寒熱（頭有寒熱則用陰刺法治之陰刺謂卒刺之如此數也　新校正云按別本卒刺一作平刺按甲乙經陽刺者正內一傍內四陰刺者左右卒刺之此陰刺疑是陽刺也）深專者刺大藏（寒熱病氣深專攻中者當刺五藏以拒之）迫藏刺背背俞也（迫近也漸近於藏則刺背五藏之俞也）刺之迫藏藏會（言刺近於藏者何也以是藏氣之會發也）腹中寒熱去而止

言刺背俞者無問其數要以寒熱去乃止鍼與刺之要發鍼而淺出血若與諸俞刺之則如此治腐腫者刺腐上視癰小大深淺刺腐腫謂腫中肉腐敗爲膿血者癰小者淺刺之癰大者深刺之　新校正云按全元起本及甲乙經腐作癰刺大者多血小者深之必端內鍼爲故止癰之大者多出血癰之小者但直鍼之而已　新校正云按甲乙經云刺大者多而深之必端內鍼爲故正也此文去小者深之疑此誤病在少腹有積刺皮䯏以下至少腹而止刺俠脊兩傍四椎間刺兩髂髎季脇肋間導腹中氣熱下已少腹積謂寒熱之氣結積也皮䯏謂齊下同身寸之五寸橫約文審刺而勿過深之刺禁論曰刺少腹中膀胱溺出令人少腹滿由此故不可深之矣俠脊四椎之間據經无俞恐當云五椎間五椎之下兩傍正心之俞心應少腹故當言椎間也髂爲腰骨髎一爲髀字形相近之誤也髎謂居髎腰側穴也季脇肋間當是刺季肋之間京門穴也　新校正云按釋音皮䯏作皮骺苦末反是骺誤作䯏也及遍尋篇韻中無䯏字只有骺字骺骨端也皮骺者蓋謂齊下橫骨之端也全元起本作皮髓元起注云齊傍埵起也亦未爲得病在少腹腹痛不得大小便病名

曰疝得之寒刺少腹兩股閒刺腰髁骨閒刺而多之盡炅病已厥陰之脉環陰器抵少腹衝脉與少陰之絡皆起於腎下出於氣街循陰股其後行者自少腹以下骨中央女子入繫廷孔其絡循陰器合篡間繞篡後別繞臀至少陰與巨陽中絡者合少陰上股內後廉貫脊屬腎其男子循莖下至篡與女子等故刺少腹及兩股閒又刺腰髁骨閒也腰髁骨者腰房俠脊平立陷者中按之有骨處也疝爲寒生故多刺之少腹盡熱乃止鍼炅熱也　新校正云按別本篡一作基病在筋筋攣節痛不可以行名曰筋痺刺筋上爲故刺分肉閒不可中骨也分謂肉分間有筋維絡處也刺筋无傷骨故不可中骨也病起筋炅病已止筋寒痺生故得熱病已乃止病在肌膚肌膚盡痛名曰肌痺傷於寒濕刺大分小分多發鍼而深之以熱爲故大分謂大肉之分小分謂小肉之分無傷筋骨傷筋骨癰發若變鍼經曰病淺鍼深內傷良肉皮膚爲癰又曰鍼太深則邪氣反沉病益甚傷筋骨則鍼太深故癰發若變也諸分盡熱病已止熱可消寒故病已則止病在骨骨重

不可舉骨髓酸痛寒氣至名曰骨痺深者刺無傷脉肉爲故其道大分小分骨熱病已止（骨痺刺無傷脉肉者何自刺其氣通肉之大小分也）病在諸陽脉且寒且熱諸分且寒且熱名曰狂（氣狂亂也）刺之虚脉視分盡熱病已止病初發歲一發不治月一發不治月四五發名曰癲病刺諸分諸脉其無寒者以鍼調之病止（新校正云按甲乙經云刺諸分其脉尤寒以鍼補之）病風且寒且熱炅汗出一日數過先刺諸分理絡脉汗出且寒且熱三日一刺百日而已病大風骨節重鬚眉墮名曰大風刺肌肉爲故汗出百日（泄衛氣之怫熱）刺骨髓汗出百日（泄榮氣之怫熱）凡二百日鬚眉生而止鍼（怫熱屏退陰氣内復故多汗出鬚眉生也）

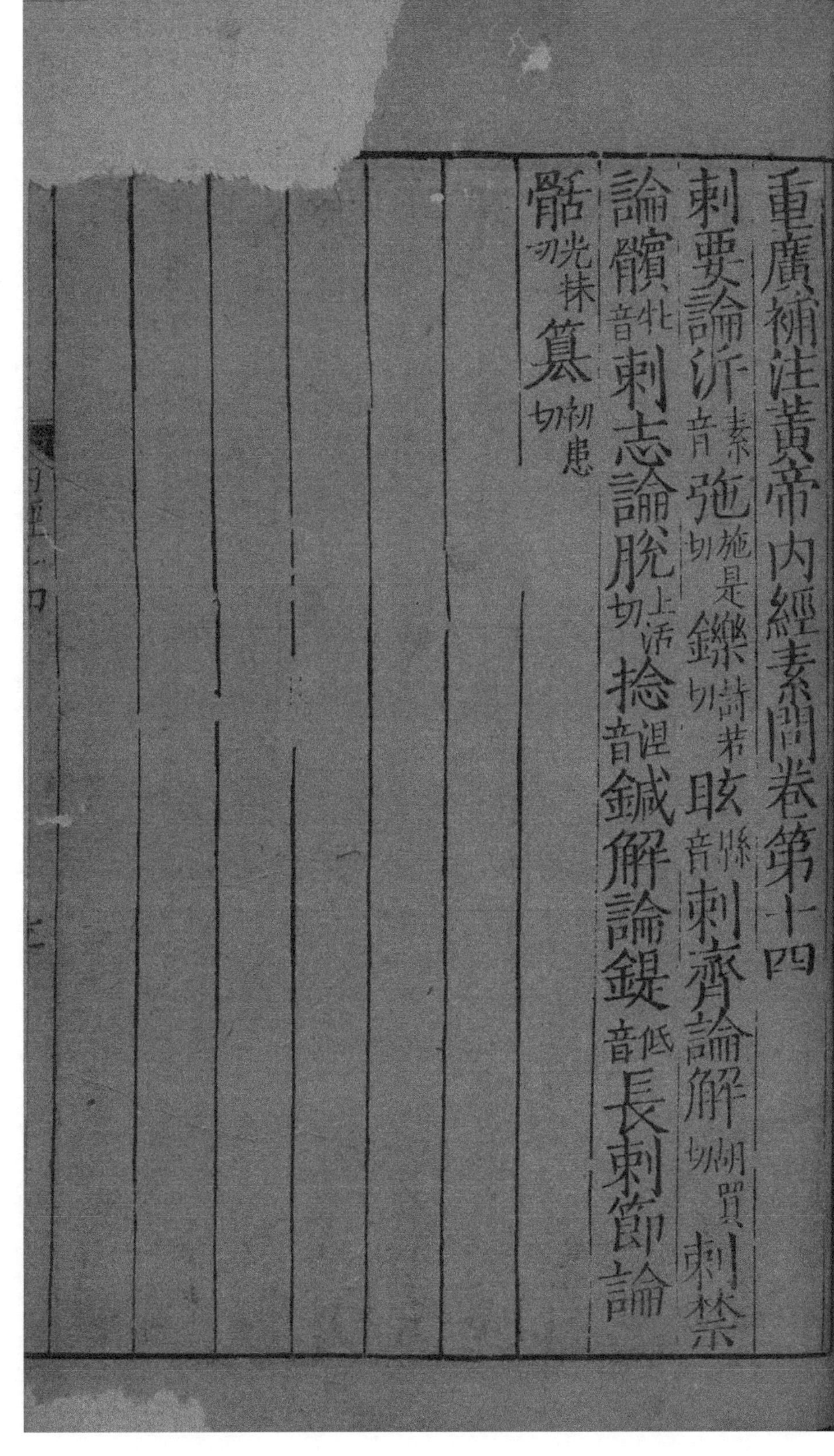

重廣補注黄帝内經素問卷第十四

刺要論　浉素音　弛施是切　鑠詩若切　眩縣音　刺齊論　解胡買切　刺禁論　䪼牝音　刺志論　脱上活切　捻涅音　鍼解論　鍉低音　長刺節論　髺光抹切　篡初患切